KB113566

조연의 반격은 없다

초판 1쇄 발행일 2020년 06월 22일
초판 2쇄 발행일 2021년 02월 22일

지은이 | 박귀리
펴낸이 | 김기선

편집부 | 김아름, 박신혜, 신현정, 현혜원, 김수린, 한혜정
표지디자인 | MUI
내지디자인 | 한주희

펴낸곳 | 와이엠북스(YMBOOKS)
출판등록 | 2012년 7월 17일 (제2014-17호)
주소 | 서울시 도봉구 노해로 379, 802호(창동, 대성빌딩)
전화 | 02)906-7768 / 팩스 | 02)906-7769
E-mail | ymbooks@nate.com

ISBN 979-11-322-5573-4 (04810)
ISBN 979-11-322-5572-7 (set)

값 11,000원

조연의 반격은 없다

박귀리 장편소설

Ym BOOKS

차 례

프롤로그 … 009

Episode 1. 잉고르드 … 017

Episode 2. 메어리 … 069

Episode 3. 악연 … 083

Episode 4. 안개 … 151

Episode 5. 수레바퀴 … 193

Episode 6. 에고 … 227

Episode 7. 공명 … 287

Episode 8. 아그레인 … 345

1부

프롤로그

트리비아체 가문이 멸문했다.

마치 남의 일인 양 말하기는 했어도, 트리비아체는 내가 긴 시간을 의탁해 온 삶의 터전이었다. 눈앞에서 불타오르는 오랜 저택을 허망한 기분으로 응시했다. 이런 식으로 끝나다니. 더 일찍 도망쳤어야 했던 것일까. 예견된 일이었다지만, 적어도 그날이 오늘이었던 것은 아니다. 무려 삼 년이나 앞당겨 일어난 멸문이었다. 전혀 예상하지 못했던 상황에 도축을 앞둔 돼지처럼 후원까지 끌려 나와야 했다.

"트리비아체 가문은 그렌페르크 제국의 살아 있는 역사나 마찬가지였는데 말입니다. 오랜 저택이라 그런지 허물어질 때마다 비명이 들리는 것 같군요."

"감상에 젖어 헛소리를 지껄이는군. 비명이 들리는 건 당연하다. 안에 고용인들이 남아 있으니."

냉기가 뚝뚝 떨어지는 목소리에 기사가 몸서리를 쳤다. 일그러진 눈으로 남자를 훔쳐보는 시선은 이미 질릴 대로 질려 있었다.

"여기까지 끌고 온 하녀들은 뭡니까? 저택 안에서 잿더미가 되게 놔두지 않으시고."

기사는 듣는 것만으로도 소름이 이는 소리를 아무렇지 않게 뱉었다. 옆으로 나란히 꿇어앉은 하녀들이 찬바람에 에이는 나뭇가지처럼 벌벌 떨었다. 그들 사이를 한차례 쭉 훑던 기사의 서늘한 눈빛이 정확히 나를 향했다.

안 돼.

숨을 참으며 바닥으로 고개를 박았다. 여기서 눈에 띄어 봤자 좋을 것 하나 없었다. 목구멍을 간질이는 울음을 꾹 참아내고, 제비 새끼처럼 다닥다닥 붙어 앉은 하녀의 손을 맞잡았다. 고개를 든 또래 여인의 얼굴은 피딱지와 그을린 재로 엉망진창이었다. 내 꼴 또한 그녀와 다를 바 없으리라.

"아그레인…."

소설 『태양이 흐르는 강』에 들어온 지 삼 년. 정말, 이제 고작 삼 년이었다. 나는 미래의 패자가 될 주인공, 빌힐름 황자의 숨은 조력 가문인 트리비아체에서 하녀 노릇을 해 왔다. 가문의 잡일을 도맡아 하는 하녀의 일이 손쉽지만은 않았다. 하지만 어쩌겠는가? 살아남으려면 무엇이든 해야지. 다행히 넉 달이 지났을 무렵에는 고된 잡일도 몸에 익었다.

문제가 있다면 트리비아체가 육 년 후에 멸망할 가문이라는 사실이었다. 사람 죽이는 일에는 눈 하나 깜빡이지 않는 잔학무도한 살인마. 주인공 빌힐름의 숙적이자, 그렌페르크 제국의 실세인 리히튼 잉고르드 공작이 바로 그 선봉장이었다. 죽음을 대비하여 생각해 낸 방책은 트리비아체에서 삼 년을 일한 뒤 제도로 떠나는 것이었다. 미래에 벌어질 일을 모두 아는 만큼 취할 수 있는 이득은 모두 취해 떵떵거리며 살고 싶다는 마음에서였다.

다들 한 번쯤은 그런 생각을 하지 않을까? 나의 꿈 역시 제도에서 값비싼 드레스와 보석을 품에 안고 상위 계층의 문화를 누리는 일이었다. 하녀라는 지위는 내가 누리기에 너무나 비천하고 무능한 지위라 생각했다.

한데 작년부터 상황이 묘하게 흘러가기 시작했다. 소설 속에서는 존재감도 없던 귀족 여식이 갑작스레 사교계의 중심으로 급부상했으며, 돌연 미래를 보는 예언자가 혜성처럼 등장했다. 그즈음에는 빌힐름 황자와 리히튼 공작이 한 명의 여인을 두고 신경전을 벌인다는 소문 또한 급속도로 퍼져 갔다.

그때 어렴풋이 깨달았다. 이 책 속에 떨어진 건 나뿐만이 아니구나.

"사흘 후 트리비아체의 하녀 일을 그만둘 예정이었다더군."

"이 셋이서 말입니까? 그게 무슨 상관인지 모르겠습니다만. 고작 허드렛일을 하는 하녀들 따위가 우리의 대업을 예상했단 건 아니겠지요."

"모든 건 각하께서 명하신 일이다. 우린 단지 그분의 말씀에 따를 뿐."

입술이 아팠다. 찢어진 살갗에서 계속 피가 흘렀다. 살아남기 위해 머리를 굴리느라 잘근잘근 씹은 탓이다.

친분이 있던 하녀들과 조용히 떠나려 했을 뿐인데, 설마 계획 단계에서부터 발목을 잡힐 줄은 몰랐다. 깍지 낀 손에서 전달되는 하녀의 떨림이 더 거세졌다. 나도 무서워. 그녀의 공포가 여실히 전달되어 머릿속이 새하얗게 점멸하는 기분이었다.

"각하께서는?"

"오고 계신다."

그 말에 눈을 번쩍 뜨고 고개를 들었다. 저택을 집어삼키는 붉은 화염의 손아귀와 하늘을 물들이는 새까만 연기. 매캐한 공기에 숨도 제대로 쉬기 힘들었으나, 점차 가까워지는 남자의 실루엣은 아주 선명했다.

청회색 눈동자 속 유려하게 흔들리는 뜨거운 불길이 보인다. 깨끗하다 못해 먼지 하나 묻지 않은 백금발이 그의 살 떨리는 존재감을 더욱 부각하는 느낌이었다. 그는 등 뒤로 타들어 가는 제국의 역사와 사람들의 죽음을 감흥 없는 시선으로 감상하고 있었다. 느릿하게 움직이는 어깨는 마치 승기를 잡은 맹수의 여유로운 움직임처럼 보였다. 코앞에서 걸음을 멈춘 남자가 속을 알 수 없는 시선으로 우리를 훑었다.

리히튼 잉고르드. 『태양이 흐르는 강』의 전개를 비틀어 버린 수 명의 빙의자를, 이 세계에서 흔적도 남기지 않고 지워 버린 남자. 미래를 이용해 풍요로운 삶을 누릴 수 있을 거란 나의 기대를 덧없는 착각으로 추락시켜 버린 남자.

"노쇠하였어. 우리 제국의 오랜 역사를 지닌 가문도… 불길에 무너지는 모습조차 이렇게 추하다니."

리히튼 공작의 목소리에는 나 같은 범인마저 숨을 멎게 하는 기묘한 힘이 존재했다. 그에 나는 모든 계획이 완벽하게 틀어졌음을 인정할 수밖에 없었다. 이런 남자에게서 도망치려는 행위는 미친 짓이나 마찬가지였다.

억울하고 원통했다. 내가 왜 이런 식으로 죽어야 하는가? 나는 무고했다. 다른 빙의자처럼 세상을 멋대로 휘두르려 하지도, 그들을 업신여기지도 않았다. 그저 마음만 먹은 데서 그친 게 전부였다. 트리비아체에 가만히 박혀 잡일만 한 것이 다인데, 그마저도 문제였다면 무얼 어째야 했던 걸까.

"고개를 들어 나를 봐라."

나른한 명령에 후회와 원망은 그리 길게 이어지지 못했다. 나는 깨물던 입술을 놓고 리히튼 공작을 응시했다. 시선을 마주하는 것만으로도 급격한 피로가 쌓이는 기분이었다. 나를 비롯한 세 명의 하녀를 차례로 응시한 공작이 느릿하게 입을 열었다.

"오른쪽 두 명은 죽여."

"아, 안 돼!"

"부디 살려만 주…!"

오가는 비명에 정신 차릴 겨를도 없었다. 단 일격에 내 왼쪽에 앉아 있던 두 명의 하녀가 힘없이 쓰러졌다.

"…하하."

헛웃음이 나왔다. 떨리는 손으로 뺨을 쓸자 분수처럼 튄 뜨거운 피가 손바닥 위에 묻어 나온다. 목이 메었다. 숨 쉬는 일이 이리도 버거울 수가. 다가올 죽음이 벌써부터 고통스러웠다. 차라리 저 일격에 목숨을 잃는 자가 나였으면 더 나았을 텐데. 후두둑 떨어지는 눈물을 닦는 동안, 리히튼 공작이 허리를 굽혀 날 응시했다. 그와 나 사이의 거리는 순식간에 좁아졌다. 겁에 질린 더러운 낯이 청회색 눈동자에 언뜻 비칠 만큼. 그리고 서로의 숨결이 지척으로 닿을 만큼.

"너로군. 내게서 도망치려 했다던 하녀가."

리히튼의 음성은 낙엽처럼 거칠고 한겨울 초원처럼 건조했다.

"똑똑해. 동시에 우둔하지. 나였다면 자정이 지나자마자 홀로 트리비아체를 벗어났을 텐데. 둘도, 셋도 아닌 혼자서 말이다."

말대답할 용기도, 자신도 없었다. 책 속의 고작 몇 문장으로만 접했던 리히튼 공작의 위압감은 그만큼이나 대단했다. 내 이목구비를 하나하나 잡아 뜯어낼 기세로 살핀 그가 천천히 손을 뻗었다. 단정한 손가락 아래로 이에 무참히 씹히고 있던 내 입술이 제자리를 되찾는다. 공작이 손을 거두자마자 입 안에서 진한 피 맛이 났다. 그는 내게서 눈을 떼지 않고 무너진 하녀들의 시체를 건드렸다.

"이 하녀들 때문인가? 트리비아체가 하루아침에 멸문할 거라 조언하더라도 쉬이 믿지 않았을 테니. 그래서 우둔하다는 거다. 정과 목숨의 무게는 다르니까."

우둔? 잘 살아가던 내 인생을 망쳐 버린 당사자가 할 소리인가. 곧 북극의 빙하와 견주어도 될 정도로 차갑고 시린 손가락이 내 턱을 잡아당겼다. 덜덜 떨리던 몸이 그와 맞닿자마자 시체처럼 굳었다. 나는 긴장으로 침도 삼키지 못한 채 남자를 응시했다.

나는 이대로 죽을지 모른다. 아니, 아마 죽을 것이다.

"우둔한 너를 위해 특별히 두 개의 선택지를 주지."

반갑기는커녕 두려운 제안이었다. 내게는 고통스럽게 죽을지, 아니면 덜 고통스럽게 죽을지 고르라는 소리처럼 들렸다.

"선택해라. 평생을 비참하게 내 밑에서 개처럼 길지, 아니면 여기서 개죽음을 당할지."

개. 아니면 죽음.

'다른 자들에게도 이 같은 제안을 해 왔을까? 아니면 내게만….'

생각의 끝으로 도달하기 전에 급히 고개를 저었다. 멍청한 가정이다. 내게만 다르다고 생각하면 안 돼. 이제껏 스스로를 특별하다 여긴 빙의자들이, 바로 저 남자 손에 속절없이 죽어 가지 않았는가? 악역은 괜히 악역이 아니고, 주인공도 괜히 주인공이 아니다. 빌힐름 황자와 리히튼 공작에 빌붙어 권력을 누리려던 빙의자, 죽음을 피해 안락한 삶을 누리려던 빙의자, 모두 흔적도 없이 사라졌다. 그것도 고작 삼 년 만에. 아마 내가 모르는 더 많은 빙의자들이 이들 손에 죽어 갔을지 모를 일이었다. 그렇다면 선택할 수 있는 답은 하나밖에 없었다.

"살려 주세요. 저, 각하의 충실한 개가 될 자신 있어요."

리히튼 공작이 만족스럽게 웃었다. 아니, 그럴 줄 알았다는 듯 나를 비웃었다. 그가 대리석만큼이나 깨끗하고 단정한 손등으로 내 뺨을 부드럽게 쓸었다. 비참하게도 말 잘 듣는 애완 고양이가 된 기분이었다.

공작이 멀어지자마자, 누군가 내 어깨 위에 두터운 담요를 덮었다. 나는 삼 년간 함께해 온 하녀들의 시체를 밟고 비틀비틀 일어섰다. 무릎 아래가 온통 붉은 피로 물들어 있었다.

미안해, 케이시. 날 용서하지 마, 로나. 하지만 살고 싶어. 나는 악당의 발밑에서 개처럼 기어서라도 이곳에서 끝까지 살아남을 거야.

Episode 1.
잉고르드

주변 환경만 바뀌었을 뿐, 잉고르드에서 내가 맡은 일은 트리비아체에서와 다를 바 없었다. 그곳에서 하녀였던 나는 이곳에서도 하녀였다. 귀족 가문의 허드렛일을 하는 수많은 고용인 중 하나.

처음에는 책 속에 들어온 첫날처럼 모든 것이 비현실적으로 느껴졌다. 구석방으로 내던져져 눈이 퉁퉁 부은 상태로 하녀장에게 끌려 다녔을 때는, 모든 게 꿈만 같았다. 하지만 변한 건 없었다. 나는 여전히 책 귀퉁이에 이름 한 번 등장하지 않는 평범한 조연이었다. 기회는 늘 존재한다. 시간이 흘러 리히튼 공작의 변덕이 사그라지면 다시 이곳을 탈출할 수 있을 터였다. 이번에야말로 아주 먼 곳으로, 그 누구와도 함께하지 않고 바로 나 혼자서.

그리 마음을 먹은 후부터, 나는 최대한 말을 아끼고 흔적 없이 행동했다. 윗사람이 시키는 잡일에 열중했다.

그렇게 일주일 무렵이 흐른 뒤에도 공작은 내게 일말의 관심도 두지 않았다.

'역시 날 데리고 온 건 한순간의 변덕이었던 거야.'

마음 깊이 안도할 수 있었다. 그래, 분명 어제까지는 그러했는데….

"너, 붉은 머리."

퍼뜩 정신을 차리고 고개를 들었다. 목덜미 아래로 흘러내리는 식은땀의 냉기가 선연했다.

"네 이름은 지금부터 '수잔'이다."

"네?"

"나는 같은 말 두 번 하지 않아. 각하께서 네 이름을 물으시면 넌 수잔이라 대답해라."

용건만 냉랭하게 뱉은 흑발의 남자가 닫혀 있던 문을 천천히 밀고 나갔다. 수잔. 내 이름은 아그레인이 아닌 수잔. 이런 순간에 알려 줘 봤자 머릿속만 더 혼란스러울 뿐이다. 저녁 일과가 끝난 즉시 이곳에 끌고 온 것으로 모자라서, 새로운 이름을 기억하라니.

집무실의 문이 열렸다. 남자의 눈짓에 따라 조심스레 안으로 발을 디뎠다. 리히튼 공작은 무려 일주일 만에 나를 불러냈다. 무슨 용건일지는 감히 상상하기 어려웠다. 혹시 나를 격려하려는 걸까. 미친놈이어도 자기 울타리 안의 사람들에게는 친절할지 모를 일이었다. 괜한 기대로 가슴이 떨렸다. 그리고 그 떨림은 집무실 내 전경을 눈에 담은 즉시 한 줌의 연기처럼 사라지고 말았다. 무겁게 흔들리는 등불. 금방이라도 몸을 일으켜 이를 드러낼 것 같은 맹수의 그림자. 그리고 바닥에 웅크린 정체 모를 인기척에 의하여.

"인사는?"

리히튼 잉고르드 공작은 어둑한 실내에서도 독보적인 존재감을 자랑했다. 그의 명화 같은 미모는 잔혹한 성정과 비견해 너무나도 이질적이었다. 피 냄새가 코를 찔렀으나 불편한 기색을 내보일 수 없었다. 나는 리히튼 공작과 눈도 제대로 마주치지 못하고 허리를 숙였다. 여기서부터는 자력으로 살아남기 위한 눈치 싸움이었다.

"안녕하세요, 각하. 수잔입니다. 저를 부르셨다고 들었습니다."

저 초주검은 왜 하필, 지금 이 순간 이곳에 있는가? 격려를 기대했던 직전의 내가 멍청하다 못해 우습게 느껴졌다. 차라리 내일 점심 식사가 무엇일지 고민하는 게 더 생산적이었을 텐데. 나는 고급스러운 벨벳 카펫이 깔린 바닥으로 시선을 고정한 채, 공작의 대답을 기다렸다. 드넓은 공간에서 오직 왼쪽 가슴의 심장 소리만 들려오는 기분이었다.

"이게 무엇인지는 알겠나."

등 뒤의 남자가 어깨를 툭 쳤고, 나는 마른침을 삼키며 허리를 폈다. 공작이 가리킨 그것. 모르려야 모를 수 없는 것. 지난 삼 년을 눈칫밥으로 버텨온 나다. 다만 형체를 알아볼 수 없을 만큼 훼손된 모습에 입술이 덜덜 떨려왔다. 고깃덩이와 다름없는 남자의 등을 내려다보며 힘겹게 대답했다.

"트리… 비아체의 막내 도련님입니다."

"막내 도련님? 반역의 무리에게 너무 황송한 표현이로군."

공작의 목소리에는 옅은 비웃음과 경멸, 그리고 감출 수 없는 흥미가 담겨 있었다. 없는 용기를 쥐어짜 공작과 눈을 마주쳤다. 무감각한 청회색 눈동자가 등불의 붉은빛으로 물들어 있다. 나는 곧 그가 말한 흥미의 근원을 이해할 수 있었다. 정확히는 그가 쥔 벽의 장식 검이 내게 내밀어진 순간부터.

"꼬투리만 잡을 순 없지, 고대하던 선물을 개봉할 시간이 다가왔으니까…. 검을 잡아라, 수잔."

이유를 물으려던 입이 열렸다가 다시 닫혔다. 소리가 나오지 않은 탓이다. 물끄러미 날 내려다보던 그가 부드럽게 걸음을 틀어 내 등 뒤로 돌아갔다. 공작은 내 손에 직접 장식 검을 쥐여 주었다. 꿈처럼 몽롱하고 숨처럼 희미한 목소리가 귓등에서 들려왔다.

"내가 너의 새로운 주인이 되었으니, 기념으로 이 정도의 축포는 터트려 줘야겠지. 고작 트리비아체의 것이 무려, 리히튼 잉고로드의 소유가 되었는데."

"저는… 저는 검을 사용할 줄 모릅니다."

어깨를 떨며 웃는 감각이 뺨으로 전달됐다. 순전히 즐거움에 의한 웃음이었고, 그 잔학함에 피부 위로 소름이 돋았다.

"나는 매우 자비로운 주군이야, 수잔. 나의 사랑스러운 개를 위해서라면 넘어간 해가 다시 떠오를 때까지 기다려 줄 수 있지."

검을 쥔 내 손과, 내 손을 쥔 공작의 커다란 손아귀. 죽이라고? 저 남자를? 무려 삼 년간 내가 섬겨 온 남자를?

"물론 그 기다림이 지루한 것과는 별개의 일이다만."

친절하고 상냥한 목소리에 이가 갈렸다. 검을 쥔 손에 힘을 줬다. 대뜸 끌고 와 사람 죽이는 일을 시키고는, 정신 차릴 겨를도 안 주고 협박이라니. 미친놈. 제대로 미친 새끼. 공작이 덜덜 떠는 내 손가락을 부드럽게 쓸었다.

"숨을 가다듬어. 검이 널 휘두르는 게 아니라, 네가 검을 휘두르는 거다."

아니다. 검은 내가 잡고 있었지만 내 손은 그에 의해 휘둘러지고 있었다. 등 위에 실린 무게가 바닥에 웅크린 막내 도련님, 아니 남자에게로 날 밀어냈다.

"귀족 가문에서 일한 하녀치고는 손이 고와. 어릴 적부터 집안일을 돕지는 않았다는 의미지. 평민 태생이 아니었나?"

나는 대답하지 않았다.

"명부에 너의 태생은 남부라 적혀 있었지만 네 억양은 남부의 것이 아니야. 다양한 지방의 억양이 섞여 있지, 그것도 이제 막 배운 수준으로. 트리비아체 고용인들은 참 다양한 출신으로 이루어졌었나 보군. 그들에게서 제대로 된 언어를 배운 건가?"

내 손등을 감싼 그의 손바닥이 마치 얼음장처럼 차갑다. 목소리는 수면을 표류하는 작은 종이배처럼 잔잔하고 고요했다.

"너에 대한 기록은 그게 전부였다. 마치 하늘에서 뚝 떨어진 것처럼."

이자는 머릿속이 어떻게 되어 있기에 말 몇 마디로 나와 트리비아체를 꿰뚫어 보는 걸까. 이윽고 공작이 장난이라도 치듯 단정한 손톱으로 내 손등을 툭, 툭 건드렸다. 긴장을 풀라는 의미가 다분했으나 제정신이 아니고서야 그럴 수 있을 리 만무하다. 나도 모르는 사이에 입술을 씹고 있었는지, 혀에서 피 맛이 났다.

"서로를 알아 가는 재미란 이런 거지."

웃음과 함께 공작의 반대쪽 손이 턱을 타고 올라와 입술 근처를 배회했다. 입술에 난 피가 닦여 나갈 동안 나는 긴장으로 숨 쉬는 법을 잊고 있었다. 뭐지? 얼굴도 보이지 않으면서 어떻게 내가 입술을 씹고 있었다는 걸…. 여기서 더 공작에게 휘둘리다간 무슨 일이 일어날지 모른다. 안 돼. 나는 저 남자를 죽일 수 없어. 막내 도련님은 워낙 성정이 여려, 큰 실수가 아닌 이상 늘 가볍게 웃어넘겨 주던 사람이었다. 바닥을 기고 혀로 신발을 핥을지언정 인간성까지 훼손하고 싶지 않았다. 아무리 상대의 숨통이 끊어진 뒤라 하여도.

"각하."

"이상하군. 개에게 날 부를 혀가 있었던가."

맞아, 나는 개였지. 각고의 고민 끝에 최대한 그의 비위를 맞추어서 다시 입을 열었다.

"…주인님."

몸을 한껏 낮춰 상대방의 기분을 맞춰 주는 건 그렇게 어려운 일이 아니다. 이미 트리비아체에서부터 단련되어 있었으므로. 숨죽이며 살아가는 방책은 물 건너간 듯하니, 지척에서 버텨 낼 방도를 찾아야 한다. 나는 그가 바라는 귀여운 애완견이 되어 주기로 했다.

"이거, 이미 죽은 상태 아닌가요. 숨을 쉬지 않아요. 아까부터 등이 굳어 있던 걸요."

손등을 덮고 있던 무게가 조금 가벼워진다. 곧이어 웅크린 남자의 상태를 확인한 흑발 남자가 나지막한 목소리로 말했다.

"수잔의 말이 맞습니다. 과다 출혈로 사망했습니다."

아주 잠깐의 정적이 흘렀다.

"중요한 걸 간과했어. 뒈져서도 도움이 된다면 그건 빌힐름의 번견이 아니지."

말과 함께 공작이 내 손가락을 하나하나 펴, 잡고 있던 검 손잡이를 앗아갔다. 이상했다. 그와 맞닿은 모든 부위가 동상이라도 걸린 듯 차갑고 시렸다. 머리칼 근처를 맴돌던 숨소리와 등 뒤를 누르던 한기 역시 마찬가지였다. 나는 공작의 품 안에서 벗어난 즉시 튀어나올 뻔한 한숨을 목구멍으로 삼켰다.

"나와 대화하면서 송장의 생사 여부를 확인할 겨를이 있었다, 라…."

천근만근처럼 무거웠던 검을 공작은 고작 한 손으로 손쉽게 다루었다. 장식장 위로 안착한 검을 물끄러미 응시하던 시선이 내게로 향했다.

"네게 곧 할 일을 주마, 수잔. 그때까지 문제 일으키지 말고 얌전히 기다리도록 해."

상이라도 내리듯, 녹녹한 청회색의 시선이 내 뺨을 상냥하게 쓸었다. 가슴이 턱 막힐 정도로 두려웠던 첫인상과 달리, 얇아지는 눈매가 더없이 아름다웠다. 행실과 외모의 괴리감이 이보다 더 클 수 없으리라.

"나가라."

그것으로 공작과 나의 두 번째 만남은 끝이 났다. 정신 차렸을 때, 나는 이미 집무실 밖으로 나와 흑발 남자의 뒤를 따라 걷고 있었다. 끝없이 샘솟는 잡념으로 머릿속이 어지럽다. 그리고 그 잡념은 오직 하나의 결론으로 귀결되었다. 리히튼 잉고르드는 제대로, 정말 제대로 미친놈이다.

"너는 눈치가 꽤 좋군. 그리고 멍청해. 각하의 눈에 띄어서 좋을 것 하나 없다는 걸 알 텐데."

그럼 눈에 띄지 말라고 진작 조언해 줬어야 하는 거 아닌가. 설명도 없이 끌고 와 살인자로 만들려 한 주제에. 나는 공작 못지않게 커다란 남자의 등을 노려봤다.

"그러니 지금 말해 두겠다, 수잔. 이건 오롯이 널 위한 조언이야."

"하세요."

"도망칠 생각은 진작 포기하는 게 좋아. 적어도 사지가 멀쩡한 채 생을 마감하고 싶다면 말이지. 친절한 각하께서도 몰이사냥에는 더없이 잔혹해지시니까."

한마디 툭 던진 흑발의 남자는 계단 아래로 내려가 사라졌다. 나는 그런 남자의 뒷모습을 잠시간 서서 조용히 응시했다. 어느 부분에 딴지를 걸어야 할지 모르겠네. 공작이 친절하다는 묘사에? 아니면 그딴 게 조언이냐며 화를 내야 하는 걸까. 어느 쪽이든 저 남자와도 말이 제대로 통할 것 같지 않았다.

살인을 저지를 뻔했다는 공포와 압박감은 자취만 남은 채 흐릿해진 뒤다. 당연한 일이었다. 막내 도련님은 허무하게 생을 마감했지만, 나는 아직 여기서 멀쩡히 숨 쉬고 있었으니까.

"…틈을 노리는 수밖에."

상대는 그렌페르크 제국의 쟁쟁한 귀족 가문들을 손바닥 위에 두고 노는 남자. 리히튼 잉고르드는 시선을 마주치는 것만으로도 식은땀이 나고, 고작 몇 마디의 대화로 발가벗겨진 기분이 들게 하는 타고난 정복자다. 나는 복잡해진 심정을 대충이나마 정리하고 천천히 계단을 내려갔다. 어쩔 수 없어. 한평생을 바쳐서 충성하는 척해야 해. 그리고 공작이 방심했을 때, 뒤도 돌아보지 않고 도망치는 거지.

'과연 가능할까?'

성공 여부에 의구심이 들었으나, 다른 상책이 있는 것도 아니었다.

흑발 남자의 이름은 베르크네 멜런트. 리히튼 잉고르드 공작을 오래전부터 보좌해 온 보좌관이었다. 베르크네는 말수만큼 표정 변화도 적었지만, 공작에 비하면 매우 인간적인 남자였다. 나는 불타오르는 트리비아체의 후원에서 적발의 기사와 냉혹한 대화를 나누던 그의 모습을 아직 기억하고 있었다. 베르크네와 리히튼 공작은 내가 트리비아체의 하녀 일을 그만두려 했다는 걸 어떻게 알고 있던 것일까. 첩자라도 심어 뒀던 건가?

'의외로 그럴싸한 가정이네.'

잉고르드 가문은 여러모로 기이한 곳이었다.

장대비가 쏟아지던 주말의 늦은 오후, 베르크네가 나를 다시 불렀다. 말없이 시선을 맞추던 그는 내게 등불을 맡기고 저택의 지하 창고로 내려갔다. 뒤따르던 나는 궁금증을 참지 못하고 물었다.

"주인님께서 제게 일을 맡기신 건가요?"

"일? 지금의 네가 무얼 할 수 있다고 그런 소릴 하는지 모르겠군."

"그것도 그러네요."

쏟아지는 빗물 때문인지, 지하에서 풍기는 냄새가 고역이었다. 미로처럼 복잡한 복도를 지나, 베르크네는 석판 위에 사람만 한 인형이 눕혀진 철창 안으로 날 안내했다. 불쾌함에 얼굴이 절로 일그러졌다.

"설마 진짜 시체는 아니겠죠?"

"만져 보면 알 수 있겠지."

"트리비아체의 도련님이라든지."

"궁금하면 직접 얼굴을 확인해 봐라."

확인해 보라니, 그런 용기가 날 리 없다. 석판으로 다가가 몸을 굽힌 베르크네가 나를 불렀다. 난 침만 꿀꺽 삼킬 뿐 움직일 수 없었다. 근 보름 동안 몇 구의 시체를 보고 있는 건지 모르겠다. 계속 이러다가는 사람 죽는 일에 무감각해질 것 같았다.

"수잔. 나는 네게 시간을 할애하고 싶은 마음도, 여유도 없어. 그러니 잡아끌고 오기 전에 이리로 와."

"뭘 시킬 건지 말해 줘요."

"할 줄 아는 거라곤 기껏해야 빨래나 청소가 다인 네게 대단한 일이라도 시킬 것 같나? 어서."

조금 더 상냥하다는 것 외에는 리히튼 공작과 마찬가지로 강압적인 어투다. 그의 말에 힐끔 인형, 아니 시체를 쳐다봤다. 신장과 머리칼의 색으로 봐선 확실히 트리비아체의 막내 도련님은 아니었다. 가까워질수록 코끝을 자극하는 썩은 내가 더 역해졌다. 베르크네는 품에서 단도를 꺼내어 내 손에 억지로 쥐여 줬다.

"사람을 죽이는 일은 네 생각보다 훨씬 쉽다. 특히나 너처럼 어리숙한 여인 앞에선 대개가 방심하지."

무슨 말이야?

"특별한 기술이나 훈련은 필요 없다. 너는 상대가 방심하는, 가장 최적의 순간을 노려야 해."

"나보고 사람 죽이는 일을 배우라고요?"

"네가 살아남을 수 있는 유일한 방법이다."

양쪽 눈꺼풀이 바르르 떨리는 게 느껴졌다. 베르크네의 무뚝뚝한 얼굴을 마주하는 동안 수십 가지의 사유가 머릿속을 복잡하게 휘저었다. 예상하지 못한 건 아니지만, 그래도 이리 갑작스럽게…. 들고 있던 등불은 어느새 지하 바닥 위에 놓여 있었다. 피가 굳어 파랗게 식은 시체를 제대로 응시하지도 못하는 나를 베르크네가 더 가까이 잡아당겼다.

"쓸모없는 자는 각하 곁에 남을 수 없다."

"제 쓸모가 사람 죽이는 일인가 보네요."

"아니."

부정과 함께 처음으로, 대리석 조각처럼 한결같던 그의 표정이 미약하게 일그러졌다. 베르크네는 노골적인 시선으로 내 얼굴을 세심히 훑었다.

"너는 좀 달라. 아무리 생각해도 이해하기 힘든 일이지, 각하께서 왜 너 같은 걸 데리고 오셨는지…."

그 이유에 대해 진정으로 의문을 품은 건 그가 아닌 나다. 베르크네의 말마따나 내가 할 수 있는 일이라곤 고작 방을 치우고 귀부인을 돕는 허드렛일이 전부인데. 이내 더는 고민할 필요 없다는 듯, 고개를 비튼 베르크네가 석판 위의 시체를 내려다봤다.

"그분께서 내게 널 맡기셨으니 나는 내가 할 수 있는 일을 할 뿐이야. 네 목숨을 챙기는 일까지."

"나는 하녀예요. 누굴 죽여야 하는 순간이 오기는 할까요?"

"넌 트리비아체가 그렇게 흔적도 없이 사라질 거라 예상했었나?"

순간, 나는 그의 말에 어떤 답을 내놓아야 할지 혼란스러웠다. 예상했으나 그렇게 이를 줄은 몰랐다? 혹은 전혀 예상 못한 일이었다? 사실 나를 위한 모범 답안은 이미 정해져 있었다. 아주 잠깐 대답을 머뭇거렸을 뿐인데, 그 찰나를 잡아낸 베르크네가 짧게 헛웃음을 뱉었다.

"아아, 그래. 내가 잠깐 잊었군. 너는 예상했었지."

"그런 적 없어요. 나 같은 하녀가 알면 뭘 안다고."

멍청함에 탄복이 절로 터졌다. 거기서 당황하는 티를 내면 안 됐는데. 베르크네는 내 변명에 그렇다 할 반응을 보이지 않았다. 그는 이름 모를 시체의 목 근처로 손가락을 올리며 건조한 목소리로 입을 열었다.

"지금부터 네게 급소를 찌르는 방법에 대해서 알려 줄 거다. 두 번은 없을 테니 잘 기억해."

그의 선언과 함께 나는 삼 년 가까이 사용하지 않았던 머리를 열심히 굴려야 했다. 내게 주어진 일은 퀘퀘하고 습한 지하에서 같은 행위를 지겹도록 반복하는 것이었다. 기억에 의하면 구토도 여러 번 했던 것 같다. 나중에는 속에 남은 것이 없어 쓴 위액만 흘러나왔다. 자극적인 악취에 고통스럽던 후각은 점차 무뎌져 갔다.

노을이 지는 저녁이 찾아오고, 지하를 벗어나자마자 토가 가득한 양동이부터 비웠다. 고작 몇 시간이 흘렀다고 이런 짓거리도 점차 익숙해지고 있었다.

"아그레… 아니, 수잔? 오늘따라 안색이 좋지 않구나."

"속이 쓰려서 식사가 넘어가지 않아요."

"저런. 오늘은 일찍 가서 쉬렴. 병이 나서 며칠 고생하느니 하루 푹 쉬는 게 낫겠다."

다정한 하녀장이 안쓰러운 얼굴로 내 이마를 닦았다. 나도 모르는 사이에 식은땀이 흐르고 있었던 것 같다. 충고는 고마웠지만, 내가 휴식을 허락받은 즉시 한 행동은 저택 뒤로 흐르는 냇가에 뛰어드는 것이었다. 코 근처에 잔상처럼 남은 시체 썩은 내가 물에 씻겨 나가기를 바라는 마음이었다. 그러나 아무리 얼굴을 닦고 팔다리를 닦아도 역한 냄새는 여전했다.

컹, 컹!

갑작스럽게 들려온 소리에 굽히고 있던 허리를 폈다. 양옆으로 흔들리는 시꺼먼 꼬리가 보였다. 떠돌이 개, 아니 늑대의 주둥이 안에 내 머리 장식띠가 물려 있었다. 냇가 근처를 배회하던 늑대는 등을 돌려 숲 안으로 쏜살같이 뛰어 들어갔다. 이게 무슨 낭패지.

'주방의 냄새가 배어 있어서 고기로 착각한 건가.'

구두 신는 일도 잊은 채 늑대의 뒤를 따라 뛰었다. 어째서였을까? 그건 정말 이상한 일이었다. 늑대가 얼마나 위험한 짐승인지 망각했던 것 같다. 그저 머리 장식띠를 찾겠다는 일념하에 홀린 듯 늑대를 뒤따라 두 다리를 놀렸다. 발가락 사이사이로 파고드는 잔디의 감촉이 부드러웠다.

그렇게 늑대의 뒤꽁무니를 쫓다가 숨을 헐떡이며 멈추었을 땐, 나를 괴롭히던 피와 썩은 살의 악취는 흔적도 없이 사라진 뒤였다.

"헉, 헉."

붉은 하늘과 주위를 둘러싼 푸른 활엽수들. 이 숲 안으로 더 깊이 들어가면… 잉고르드에서 나갈 수 있을까? 뜀박질에 거세졌던 심장박동이 더 빨라지기 시작했다. 어느새 나는 다시 정신없이 두 다리를 움직이고 있었다. 이상하리만치 머리가 맑아지는 기분이었다. 좁고 답답했던 시야가 마법처럼 확 트였다. 마치, 이대로 달리기를 멈추지 않으면 저 멀리 떠날 수 있을 것처럼.

타앙!

그때, 거친 총성이 터졌다. 나는 몸을 굳히고 주변을 살폈다. 너무 놀라서 두 다리가 꼼짝도 하지 않았다.

"수잔."

그리고 미풍처럼 불어온 남자의 목소리를 인지한 순간, 심장이 바닥으로 떨어졌다. 아니, 그런 착각이 들 정도로 공포와 충격에 뒷걸음질 쳐야 했다. 나무 뒤편에서 나타난 남자가 들고 있던 무언가를 흙 위에 내던졌다. 내 머리 장식띠를 물고 도망간 늑대의 사체였다.

"정신 못 차리고 헐레벌떡 달려가기에…."

몸을 굽힌 남자가 힘없이 벌어진 늑대의 이빨 사이에서 머리 장식띠를 줍는다. 피와 침으로 흥건해져 새하얀 레이스가 엉망이 되어 있었다.

"도망이라도 치는 줄 알았는데."

곁으로 천천히 걸어온 리히튼 공작이 내게 머리 장식띠를 내밀었다. 노을에 붉게 물든 새하얀 얼굴이 그렇게 황홀할 수 없었다. 나는 금방이라도 펑 터져 버릴 것 같은 심장 소리를 뒤로한 채 두 손으로 물건을 받았다. 도망? 그래, 제정신이 아닌 상태에서 잠깐이나마 그런 생각을 하기는 했지. 늑대가 머리 장식띠를 물고 도망쳐서 다행이었다. 적어도 변명할 거리가 생겼으니까.

"죄송합니다, 주인님. 제 물건을 물고 가서 찾고 있었어요."

다행히 입술 사이로 비집고 나온 목소리는 꽤 멀쩡했다.

"잃어버린 물건을 찾는다는데 죄송할 것 있나."

나의 주장은 사실이었고, 그의 대답도 틀린 것 하나 없었으나 전신을 감싼 긴장은 사라지지 않았다. 이윽고 공작의 차가운 손끝이 냇물과 땀에 젖은 내 이마에 닿아 왔다. 날 향한 진득한 시선이 어딘가로 도피하고 싶게 만들었다. 내가 선 정면의 어딘가를 향하여, 공작이 고개를 틀었다. 그의 시선이 떨어진 틈을 타 축축한 손바닥을 옷으로 닦아 냈다.

"여기서 더 들어가면 늪이 나온다. 숲이 우거져 낮에도 태양이 잘 들지 않고, 굶주린 늑대들이 늘 먹이를 찾아 돌아다니지. 거기서 사흘을 쉬지 않고 걸으면 지오르타 초원이 나타나. 그 너머가 바로 지오르타 백작령이다."

"그런가요? 어차피 저는 갈 일도 없는 곳이네요."

그런 사실을 친절히 알려 주는 이유가 뭘까. 마치 네가 제아무리 발버둥쳐도 이곳에서 벗어날 수 없다는 걸 알리려는 것처럼. 그렇게 여기니 돌연 불안감이 엄습했다. 지금 내 표정은 어떻지? 목소리는 안 떨렸나? 누가 봐도 마음에 없는 소릴 하는 것처럼 들렸을까? 나름대로 멀쩡하게 내뱉으려 노력한 음성이, 그에게는 가소롭게 느껴지지 않았을까? 리히튼 공작은 고개를 돌려 나를 물끄러미 내려다봤다. 반쯤 넘겨진 백금발 아래로 다 식어

가는 땀 한 방울이 맺혀 있었다.

"여기서 사냥을 하고 계셨던 건가요?"

사냥총이 보이지 않는 걸 보아 근처에 말이라도 끌고 온 모양이다. 나는 미친 척 주머니 속의 손수건을 꺼내 그의 이마를 닦았다. 멀끔한 얼굴 근방으로 뻗어진 손가락이 미세하게 요동치고 있었다. 매정하게 내칠 거라 예상했던 것과 달리 공작은 차분하게 가라앉은 눈길로 날 응시하기만 했다.

"해가 지고 있는데 이제 가야 할 것 같아요. 조금만 더 어두워지면 한 치 앞도 구분하기 힘들 거예요."

냇가에 놓고 온 신발도 찾아야 하지만, 무엇보다 그와 단둘이 있는 이 상황에서 한시라도 일찍 벗어나고 싶었다. 리히튼 공작과 함께 있으면 온 신경이 그를 향한다. 그래서 금방 지치고, 단번에 정신력이 쇠했다. 한데 그는 왜 아무런 반응이 없는 걸까. 눈치를 보며 손수건을 쥔 손을 거두었다. 묵묵히 입술을 닫고 있던 그가 날 안아 든 건 그때였다.

"아."

하마터면 비명을 지를 뻔한 입을 양손으로 틀어막았다. 당황을 숨기지 못하는 동안 성큼성큼 수풀 너머로 걸음을 옮긴 공작이 흑색 말 위로 날 앉혔다. 푸르륵거리는 소리와 함께 윤기 있는 갈기가 흔들린다. 그 아래로 풀과 흙투성이가 된 내 발이 보였다. 설마 맨발인 날 배려한 건 아니겠지.

"가는 게 아니라 돌아가는 거다, 수잔."

읊조리는 낮은 목소리와 함께 공작이 내 등 뒤로 올라탔다. 몸이 맞닿는 긴장에 어깨가 바짝 굳었다. 단단한 두 팔이 날 가두고 말의 고삐를 잡아챘다. 풀어헤친 머리칼 사이로 그가 코를 파묻는 것이 느껴졌다. 그 감각이 비단 나의 착각만은 아닐 터였다. 그 사실을 알리듯, 느릿한 숨이 목덜미로 떨어져 내렸다.

"너는 주인 없는 떠돌이 늑대가 아니잖나."

리히튼 공작은 내게 용건이 남아 있는 듯했다. 딱히 따라오라 말을 한 것도, 눈치를 준 것도 아니었으나 저택으로 돌아온 즉시 나는 자연스레 그의 뒤를 따랐다. 집무실 안으로 들어가 문을 닫으면서 미세한 불쾌함과 패배감을 느껴야 했다. 아무런 표현도 하지 않았는데 공작의 의중을 알아채다니? 마치 그에게 천천히 길들여지는 것처럼.

"이리로."

조용히 걸음을 옮겨 공작이 서 있는 장식장 옆으로 다가갔다. 그가 장식장 깊숙한 곳에서 꺼낸 물건은 새끼손가락보다 조금 더 큰 유리병이었다. 조금 불길한데. 유리병 안에는 정체 모를 검붉은 액체가 찰랑거리고 있었다.

"앞으로 사흘간은 하루에 한 번씩 날 찾아와라. 이 독을 받아 가야 하니까."

"독이요?"

"농도가 매우 낮아 다소 시간은 걸리겠지만, 네 몸이 이 액체를 완전히 받아들인다면 웬만한 독에 내성을 갖게 될 거다."

그래, 리히튼 잉고르드는 미친놈이었지. 그것도 아주 제대로 미친놈. 멍한 얼굴로 그에게서 독물이 든 유리병을 받았다. 이걸 주기적으로 섭취해서 내성을 갖게 한다고? 그 과정이 얼마나 끔찍할지, 상상도 하기 힘들었다.

"제가… 이걸 마셔야 하나요? 하루에 한 번씩?"

"무엇이든 할 수 있다고 자신한 주제에 잔뜩 겁이 난 얼굴이군."

머릿속을 정리하는 틈에 그의 손끝이 내 턱을 가볍게 쓸고 멀어졌다. 흠칫, 몸을 빼다가 떨어질 뻔한 유리병을 양손으로 꽉 잡았다. 헛생각이 들기 전에 다시 마음을 바로 했다. 내게 틈을 보이거나, 가벼운 모습을 보이는 건

전부 계산된 행동일 게 분명해. 당장 직전에 사냥당한 떠돌이 늑대의 사체를 떠올려, 아그레인. 그게 네 미래가 될 수 있다고 경고받은 것이나 마찬가지니까.

"얼마나 오랫동안 마셔야 할까요?"

"마땅한 답을 들려주기에는 표본이 너무 적군."

그럼 그들 중 죽은 자도 있었는지 묻고 싶었다. 하지만 입이 열리기는커녕 무거워지기만 했다. 고개를 들자 시야에 들어오는 공작의 모습에 목구멍이 턱 막혔다. 그가 내게 위협을 가하거나 충격적인 행동을 한 건 아니다. 공작은 그저 의자에 편히 앉아 있었고, 이미 해가 다 져 버린 하늘의 푸르스름함이 집무실 안을 뒤덮었을 뿐이었으므로. 살짝 턱을 올린 공작이 나직한 목소리로 물었다.

"할 말이 더 남았나?"

이해할 수 없었다. 오늘의 리히튼 잉고르드는 미친 것치고는 이상하리만치 평범한 남자로 느껴졌다. 며칠 전 선물이라며 살해를 종용했을 때의 그 남자와는 너무나 다른, 이질적인 분위기였다.

"아니요. 그럼 내일 다시 주인님을 찾아뵙도록 하겠습니다."

그렇게 문을 닫고 방으로 돌아가려 했을 때.

"수잔."

"네."

공작이 다시 나를 불러 세웠다. 시선을 서류에 고정한 채로, 잠시 닫혀 있던 그의 입술이 날 향해 열렸다.

"나의 잉고르드는 언제쯤 무너질 것 같나."

그걸 내가 어떻게 알 수 있을까. 우연히 『태양이 흐르는 강』에 빙의했던 시점에도 소설의 끝은 한참 남은 상태였다. 기승전결의 중반부라 다양한 사건이 끊임없이 터지던 시점이었지. 하지만 주인공은 어디까지나 빌힐름 황자였고, 최후의 악역인 만큼 리히튼 잉고르드의 마지막은 정해진 수순이나 마찬가지였다.

그런데 그걸 내게 왜 묻는 거지. 너무나 자연스러운 물음이었기에 하마터면 '그렇게 오래 남지는 않았을 거예요. 당신은 주인공이 성장하는 데 소모될 시련일 뿐이니까.'라고 대답할 뻔했다. 함부로 입을 열지 않은 행위에 안도하는 한편 덜컥 불안감이 일었다. 사라진 빙의자들도 이런 질문을 들었을까?

"저도 잘 모르겠습니다만, 적어도 주인님께서 계시는 지금은 아니지 않을까요?"

나를 불러 세운 것이 무색하게 집무실의 분위기는 고요하다. 더는 아무런 말도 들려오지 않자 조심스럽게 문을 닫고 나왔다.

"하아."

잠시도 안심할 틈을 주지 않는 남자다. 머리가 다 아플 정도로.

다음 날 늦은 점심이 지난 후에야 공작에게서 받은 독을 삼킬 수 있었다. 고민에 고민을 거듭한 선택이었다. 리히튼 공작과의 관계가 어찌 되었든, 지금의 나는 잉고르드의 하녀였다. 독을 삼키면 그에 따른 반응이 올 게 뻔했으므로 오전부터 업무에 지장을 끼치고 싶지 않았다.

"수잔. 안색이 너무 창백한 거 아니니?"

"내가? 딱히 아픈 곳은 없는데."

"어제부터 속이 안 좋았다며. 너무 무리하지 않는 게 좋겠어."

동료 하녀인 레이나의 말에 얌전히 고개를 끄덕였다. 반쯤 미쳐 있는 고용주와 다르게, 잉고르드의 고용인들은 전부 비단결 같은 마음씨를 지니고 있었다. 나는 대충 고개만 주억이고 잘 세탁된 침대 커버를 빨랫줄 위에 널었다. 햇볕이 쨍쨍한 덕에 오늘 빨래는 아주 금방 마를 것 같았다.

'나의 잉고르드는 언제쯤 무너질 것 같나.'

공작은 왜 나에게 그런 질문을 했을까? 스치듯 흘러가던 그의 목소리가 어젯밤부터 잊히질 않는다. 별 의미가 없다고 여기기에는 불편하고 갑작스러운 질문이었다. 물론 그의 가늠하기 힘든 성정을 고려하면 마냥 기이하다고 볼 수는 없을 터였다. 도둑이 제 발 저리다고 하니, 나 혼자 머리를 싸매고 괴로워하는 것일 수도 있었다.

해가 지고 업무가 끝난 후에는 베르크네를 따라 다시 지하의 철창 안으로 들어갔다. 익숙해졌다고 생각했지만 고작 하루가 흐른 것뿐이라 시체 옆에서 숨 쉬는 일이 고역이었다.

"어제도 그렇고… 시체들은 어디서 가져오는 건가요?"

안면 없는 사이에 출신은커녕 이름도 모르는 인물. 아무리 억지로 하는 짓거리라 해도, 시체를 흉측하게 훼손하는 일에 죄책감을 느끼지 않을 수 없다. 시체의 뒤집힌 피부 결을 살피던 베르크네가 한 박자 느리게 입을 열었다.

"너는 잉고르드에 대해 얼마만큼 알고 있지?"

"제가 정치에 무지해서요. 아는 점이라고는 공작님께서 대단하신 분이란 정도가 다죠."

"…그렌페르크 제국은 건국 시기부터 지금까지 철저하게 황위를 중심으로 돌아가는 국가였다."

책에서도 비슷한 문장이 적혀 있었던 것 같다.

"하지만 그것도 선황의 시대까지였지. 수잔. 너는 황제의 국가에서, 황제와 비견되는 수준의 권위를 지닌 자가 있다면…. 그 인물이 받는 견제와 위협은 과연 어느 정도일 것 같나."

길지 않은 문장 몇 개로 베르크네가 묘사하는 인물이 리히튼 공작이란 것을 유추할 수 있었다.

"이들 대부분은 첩자다. 본래는 고문으로 뼈도 못 추리지만, 쓸모에 따라서 지금처럼 사지를 보존할 수 있지."

적어도 무고한 시체들은 아니란 소리니, 잉고르드의 베르크네치고는 꽤 친절한 설명이었다.

"죄책감을 느끼지 말라는 뜻인가요?"

"그리 생각하는 게 널 더 편하게 한다면."

두루뭉술한 답이었지만 이전만큼 냉정하게 느껴지지 않았다. 그렇게 한참 동물의 급소에 대한 일장연설을 들은 후, 어제부터 생각하고 있던 바를 털어놓았다.

"이런 건 별로 효율적이지 못한 거 같아요. 이미 죽어서 움직이지도 못하는 시체를 찔러 봤자 현실과 다르잖아요."

"네게 살아 있는 인간이라도 바치라는 소리냐?"

"끔찍한 소리를 아무렇지 않게 하시네요."

"연습은 오늘로 마지막이다. 어디까지나 네가 최소한의 방법을 익히는 것이 목표였으니까."

벌써?

"내일부터는요?"

단도의 날을 살피는 베르크네의 옆선이 날카롭다. 등불에 비치는 눅눅한 갈색 눈동자가 나를 향하더니, 곧 가벼운 웃음을 흘렸다. 그것도 비웃음에 가까운 형태로.

"듣자 하니 각하께서 네게 유리병을 주셨다지."

그런 시시껄렁한 이야기도 공유하는 건가. 마침 베르크네를 만나기 전에 눈 딱 감고 삼킨 참이었다.

"그렇다면 내일부터는 네 몸 하나 간수하기도 바쁠 거다."

그 말의 저의를 몸소 깨닫게 된 건, 공교롭게도 고작 서너 시간이 흐른 뒤였다. 낮에는 한기에 오들오들 떨리는 것으로 그쳤던 신체가 늦은 오후가 되자 본격적으로 망가지기 시작한 것이다. 구토에 피가 섞여 나왔고 조금 어지럽다 싶으면 코피가 턱 아래로 뚝뚝 떨어졌다.

"수잔, 너…."

얼마나 흉측했으면 내 모습을 본 레이나의 눈가가 걱정으로 붉게 물들 정도였다.

"걱정하지 마. 집안 대대로 내려오는 병이야. 며칠 지나면 금방 괜찮아져."

"혹시 그 병이 요절이니? 안 되겠다. 하녀장님께는 내가 말씀드릴 테니 어서 의사에게 가 봐."

유리창에 비친 내 꼴을 보니 하녀들의 걱정을 마냥 호들갑이라 여길 수도 없었다. 파랗게 식은 안색과 새까만 눈 밑 그늘, 그리고 시한부 인생이라도 선고받은 양 생명이 꺼져 가는 표정까지. 어제 저녁 내가 괴롭힌 시체와 한 치도 다를 바 없는 외양이었다. 혈관 안쪽이 얼어붙어 촘촘하게 수축하는 느낌. 한마디로 표현해 숨 쉬면서 죽어 가는 기분이었다. 혈관 틈새로 퍼져가는 피를 밀어내고 그 자리를 독물이 대신한다. 실제 손목 아래로 보였던 동맥이 불결한 보랏빛으로 변색해 있었다.

"너무 괴로운데 진통제는 없나요?"

다급히 찾아간 내 물음에 대한 베르크네의 대답은 칼 같았다.

"있어도 통할 리 없지. 네 몸의 모든 피가 독소를 머금게 될 때까지 오늘 같은 몸 상태가 지속될 거다. 약의 효과를 바라느니 하늘에 대고 기도하는 게 나아."

리히튼 공작을 찾아가 멱살을 흔들며 외치고 싶었다. 원하는 대로 움직여 준다는데, 멀쩡한 사람을 살아 있는 독물로 만들려 하다니! 이건 고문이나 마찬가지 아닌가.

고통스러운 만큼 밤 역시 길었다. 시계의 초침 소리가 물에 잠긴 것처럼 무겁고 느리게 들리는 것은 물론, 눈을 깜빡일 때마다 베개와 침대 위의 축축함이 짙어졌다. 시야까지 흐릿하니 모든 감각이 바다 속으로 추락하듯 먹먹해져 갔다. 지친 몸은 노곤함을 이기지 못했으나 열과 통증이 극심해질 즈음이면 잠에서 깨어나야 했다. 그렇게 빛이 점멸하듯 정신 또한 켜지고 꺼지길 반복하던 어느 시점에.

"입 열어."

어두운 침실 안으로 나 아닌 누군가의 존재감이 느껴졌다. 침대는 두 개여도 나 홀로 지내고 있는 방이었다. 몽롱한 정신으로 느리게 눈을 깜빡였지만, 새까만 밤 속에서 무언가 보일 리 만무했다.

"입."

입술로 소스라치게 놀랄 만큼 차가운 것이 닿았다. 아니, 뜨거운 것이었나? 무슨 정신이었는지는 잘 모르겠으나 나는 상대방이 바라는 대로 입을 열었다. 무겁고 독한 공기가 메마른 입가 바로 위에서 맴돌았다.

"고통에서 자유로워지고 싶다면, 한 방울도 남기지 말고 전부 삼켜라."

선언과도 같은 목소리와 함께 무언가 내 입술 사이로 흘러 들어왔다. 흐릿한 세상 속에서도 유독 낯선 느낌에 입을 닫으려 했으나, 강인한 힘이 내 턱을 잡고 놓아주질 않았다. 이어서 지독한 액체가 혀 뒤로 밀려들어 가 목구멍 너머로 사라졌다. 잔기침이 나올 정도로 매캐하고, 피비린내가 강하게 느껴지는 액체였다. 혀를 델 것 같은 따가운 감각을 어떻게 참아 냈는지 모르겠다. 심장박동이 점차 거칠어져 제정신을 유지하기 힘들었다.

어느 순간부터 침대를 내리누르고 있던 무게가 한결 가벼워졌다. 이상함을 느끼고 몸을 일으키려 해도 뻣뻣하게 굳은 근육을 움직이기란 쉬운 일이 아니었다. 착각이 아니라면 고통이 조금씩 누그러지는 것 같았다.

그리고 다시 눈을 떴을 때. 방 안에 남아 있던 것이라곤 창문 너머로 밝아오는 어슴푸레한 새벽의 빛이 전부였다.

『태양이 흐르는 강』은 매우 느린 속도로 진행되는 소설이다. 자극적인 맛이 있거나 전개의 짜임새가 뛰어난 글은 아니었다. 다만 뒷 내용을 궁금하게 하는 재주 하나는 뛰어났다. 나는 하루가 멀다 하고 다음 이야기를 기다리고 기다렸다. 글의 독자였던 만큼 중반까지는 소설 속 인물들 각자의 사정을 속속들이 꿰뚫고 있기도 했다. 특히 작중 주인공인 빌힐름 황자의 개인사는 워낙 자주 강조되어 언급하는 것조차 지겹게 느껴질 정도였다.

스스로의 한계를 극복하고 최고 위치에 오르려는 남자. 지천에 깔린 미녀들 사이에서 오롯이 사랑할 한 여자만을 선택한 남자. 어린 시절 헤어진 친척 누이를 찾아 헤매는 남자. 어두운 과거를 등지고 일어서 동료들과 제국을 바꾸려 한 남자. 뻔하고 정직하지만 미워할 수 없는 인물이었지.

그렇다면 리히튼 잉고르드 공작은? 소설의 갈등이 극으로 치닫는 와중에도, 숙적 리히튼 잉고르드의 과거사는 여전히 베일 속에 가려져 있었다. 상황과 대화로 유추할 수 있는 점이라곤 리히튼 공작이 복수심을 품고 있다는 것. 그리고 그 칼날이 빌힐름 황자와 황제를 향하고 있다는 것이 다였다. 내가 아는 미래는 기껏해야 지금으로부터 삼 년까지의 이야기. 그때까지 리히튼 공작과 잉고르드에 대한 비화를 파헤치지 못한다면 목숨을 보전하기 힘들 것이다. 물론, 파헤친다고 해도 내 목숨을 보전할 수 있다는 보장은 그 어디에도 없었지만.

“수잔. 오늘도 안색이 많이 안 좋은데? 너무 무리하는 거 아니니?”

“으음, 전혀. 어제에 비해서 지금은 아무렇지도 않아.”

“정말? 아무리 봐도 움직이는 시체와 다름없어 보여.”

나의 대답과 실제 보이는 상태가 상당히 다르다는 것 정도는 알고 있었다. 실제 서재 거울에 비친 내 얼굴은 유령과 다름없었다. 대충 훑어만 봐도 어제보다 배는 심각해 보이는 안색이다. 그래도 이 정도면 어제에 비해 썩 괜찮다고 할 수 있었다. 새벽의 기묘한 일을 경험한 후부터 전신을 짓누르던 고통이 말도 안 되게 가벼워졌다. 여전히 피 섞인 구토를 했으나 머리만 어지러울 뿐, 거기서 끝이었다. 그때 내 입 안으로 흘러들어 왔던 이름 모를 액체의 효과가 분명했다.

"레이나."

"으응?"

"어두운 새벽에 어떤 남자가 네 방에 찾아왔다고 생각해 봐."

"뭐어? 얘가 뜬금없이 무슨 말이래. 설마 머릿속에도 문제가 생긴 거야?"

침대 시트를 털던 하녀 레이나가 얼굴을 구겼다.

"그 남자가 너에게 무언가를 먹였는데, 다음 날 절대 나을 것 같지 않던 병이 완벽하게 나았어. 어떻게 생각해?"

"너도 참 대중없다. 지금 네 이야기 하는 거니?"

"아니, 그냥 그런 꿈을 꿨어."

마지막으로 과자가 든 양철통을 정리한 레이나가 허리를 폈다.

"길몽인가 보지. 다행이네, 너의 그 안쓰럽다 못해 다 죽어 가는 것 같은 병이 나으려나 보다."

"해몽을 부탁한 게 아니라 그 남자에 대해서 물은 거야."

"남자? 물을 게 뭐가 있담, 네가 골골거리는 게 안타까워서 약이라도 먹이러 왔겠지. 밤에 몰래 찾아간 건… 음. 정체를 숨기고 싶었기 때문이라거나."

목소리는 기억나지 않았지만 들었을 때의 감상은 또렷했다. 정신이 몽롱한 와중에도 나는 분명 리히튼 공작을 떠올리고 있었다. 혹시, 라는 생각이 들어도 역시 말도 안 된다 여기고 만다. 단지 흥미롭다는 이유 하나로 날 죽이지 않은 남자였다. 굳이 그런 수고를 할 리 없어.

"꿈이 아닌 현실이라면 찝찝할 것 같아. 애초에 치료됐다는 보장도 없잖아. 잠깐 괜찮은 걸 수도 있고, 남자 때문에 나은 게 아닐 수도 있으니까. 그런데 이게 그렇게 중요한 문제야?"

"중요하지는 않고, 그냥 꿈자리가 좀 불편해서."

"그렇게 궁금하면 다음에 만날 때 물어보지 그러니. 침대에 눕기 전에 그 남자를 만나게 해 달라고 하늘에 빌어."

레이나와 나는 침대 시트와 세탁이 필요한 커튼을 들고 계단을 내려갔다. 공작 부인도, 어른도 없이 모시는 사람이라곤 공작 한 명밖에 없는 가문인데 할 일은 늘 태산이다.

"오늘 오후부터 나와 마리는 별관 청소를 돕기로 했어. 너는 몸 상태가 안 좋으니까 여기서 잡일이나 하는 게 낫겠다."

그녀의 말에 일층 유리창 너머, 후원 뒤편에 보이는 별관 건물을 쳐다봤다. 이곳에 온 지 한 달이 다 되어 가는 동안 한 번도 들어간 적이 없는 저택이었다.

"별관에는 누가 살아?"

"각하의 손님."

별관에 거주 중인 손님이 내 나이 또래의 젊은 여자란 이야기를 들은 기억이 있다. 찔러도 피 한 방울 흘리지 않을 것 같은 공작과 별관의 아가씨라…. 여인을 두고 빌힐름 황자와 다퉜다는 소문을 생각하면 마냥 비현실적인 조합은 아닐 터였다. 한데 리히튼 공작도 사랑이란 걸 할 수 있나? 영 상상하기 힘들었다.

"손님이라면, 누구?"

"대단한 귀족 가문의 여식이라는 것밖에 몰라. 처음에는 다들 공작 부인이 되실 분이라 생각했었는데… 아무래도 아닌 것 같아. 거의 방치되고 있거든."

"그럴 수도 있는 거야? 손님이라며."

"자의로 잉고르드에 남은 거라 들었어. 각하께서도 억지로 쫓아내지 않으시고. 우리야 자세한 사정을 모르니까…."

하기는. 하녀란 저택의 고용인에 불과하니, 시녀 같은 가신이 아닌 이상 내부 사정을 자세히 알 수 없으리라. 레이나는 내게 빨랫감을 맡기고 저택을 나갔다. 별관으로 향하는 등이 바람에 흔들리는 초원을 지나쳐 멀어졌다. 독물의 여파로 습관처럼 찾아오는 어지러움에 머리를 흔들 때였다.

후원의 정중앙, 노닥거리는 잉고르드의 기사들 사이에서 날 향한 시선이 느껴졌다. 나와 비슷한 적발에 리히튼 공작만큼 큰 신장을 가진 남자였다. 누군가 했더니 트리비아체에서 날 끌고 나온 그 기사다. 나는 순식간에 불쾌한 기분이 되어 몸을 돌렸다. 저 남자에게 반항하다가 부딪쳐 생긴 입 안의 상처가 아직도 남아, 음식을 씹을 때마다 통증을 느끼고 있던 참이었다. 웬만하면 앞으로 계속 마주치고 싶지 않았다.

해가 다 진 늦은 밤에는 베르크네가 나를 찾아왔다.

"수잔."

그가 몸소 내 침실까지 방문한 데는 그만한 이유가 있을 터였다. 나는 환복하려던 도중에 그를 따라 공작 집무실로 올라가야 했다.

"표정이 꽤 괜찮군."

새벽에 있었던 일을 베르크네에게 알려야 할까. 하지만 언젠가는 도망쳐야 하는 상황에서 마냥 그에게 기대는 건 좋지 않을 것이다. 나는 가볍게 고개를 끄덕였다.

"지금만 괜찮은 거예요. 긴장해서 그런가 봐요."

"최대한 자력으로 버티는 게 너에게 이로울 거다. 각하 앞에서도 그 얼굴을 유지하도록 해."

"아픈 티를 내지 말라고요? 노력은 할게요."

일방적으로 독을 주입한 주제에 아픈 티도 내지 말라니. 폭군도 아니고. 나의 물음에 베르크네는 미간만 구겼을 뿐 부정도, 긍정도 하지 않았다.

"유리병까지는 괜찮아. 하지만 그 이상은… 조심하는 게 좋겠지. 각하께서는 빌힐름의 개들이면 몰라도, 가신인 우리의 고통까지 즐기시지는 않는다. 네가 독을 이기지 못하고 각하께 도움을 청한다면 기꺼이 네게 진통제를 넘겨주실 거다."

"통하지도 않을 텐데 요청해서 뭐해요."

한 손에 등불을 쥐고 계단을 오르던 베르크네가 무뚝뚝한 표정으로 날 힐끔 돌아봤다.

"각하께서는 퍽 상냥한 편이시지만, 세심한 요소 하나하나를 설명할 만큼 친절하지는 않으시단 걸 명심해."

그의 입에서 나온 각하는 아무래도 리히튼 잉고르드가 아닌 모양이다. 제정신이 아닌 남자면 몰라도, 내가 아는 공작은 상냥하다는 표현이 어울리지 않았으므로. 난도질당한 막내 도련님의 최후를 함께 목격했으면서도 베르크네는 어떻게 저런 말을 할 수 있는 걸까. 나는 그의 주장을 받아들이기 힘들었다.

"문제는 그 설명되지 않은 요소가 가장 치명적일 수도 있다는 점이지."

집무실 문의 손잡이를 돌리며, 베르크네가 속삭이듯 낮은 목소리로 말했다.

"그러니 그분이 네게 무언가를 제시한다면, 최소한 한 번쯤은 깊게 고민해야 한다. 순간의 판단으로 평생을 후회하게 될지 모르니까."

어쩐지 가볍게 여길 수 없는 조언이었다. 문이 열리고, 베르크네를 따라 공작이 날 기다리고 있을 내부로 걸음을 옮겼다.

"각하. 명하신 대로 수잔을 데려왔습니다."

한창 무언가를 살피고 있었는지 이마를 구긴 채 공작이 고개를 들었다. 처음 보는 얼굴도 아님에도 정의하기 힘든 기묘한 낯설음이 느껴진다. 정말 새벽의 그 남자는 공작이었을까?

"네가 해야 할 일이 생겼다, 수잔."

개라면 주인의 명이 무엇이든 곧이곧대로 따라야지. 나는 짐짓 자신만만한 척하며 고개를 주억였다.

"무슨 일인가요?"

"쉽다면 쉽고, 어렵다면 어려워. 귀한 혈통의 여인이 되어 나를 따라 연회에 참석하면 된다."

귀한 여인이 되어야 한다니. 너무 두루뭉술한 명령이다. 무엇보다 그와 함께 연회에 참석해야 한다는 점이 당혹스러웠다.

"특정 인물을 흉내 내면 되는 건가요?"

"그럴 필요 없어. 어차피 존재하지 않는…."

콰앙!

그 순간 갑작스러운 폭음과 함께 공작 뒤편의 거대한 유리창이 크게 몸을 떨었다. 은하수가 내리는 후원의 지평선 뒤, 건축물이 일부 떨어지면서 거대한 흙먼지가 일어났다.

"무슨…?"

콰앙!

굉음이 재차 울려 퍼졌다. 지천을 울릴 만큼 커다랗지는 않았으나, 정신이 번쩍 들 수준으로는 충분했다. 폭발의 근원은 명명백백했다. 창 너머로 별관의 왼쪽 상층부가 반쯤 무너져서 활활 불타고 있던 것이다. 깜짝 놀라 뒷걸음질 친 나와 달리, 공작의 반응은 무덤덤했다. 마치 귀를 닫고 눈을 감은 것처럼 평정심을 잃지 않았다. 베르크네의 반응 역시 조금 기이했다. 그가 공작의 눈치를 살피기 바쁠 동안 오직 나만이 창문에서 눈을 떼지 못했다. 새까만 연기가 구름을 타고 하늘 위로 올라간다. 활활 타오르는 불길에서 속절없이 무너지던 트리비아체가 연상됐다.

"베르크네."

"죄송합니다. 제가 처리하도록 하겠습니다."

"아니, 내가 가겠다. 너는 너무 물러."

서류 위에 무언가를 휘갈긴 공작이 의자를 밀고 일어섰다. 나는 영문도 모른 채 둘의 뒤를 따라 후원으로 나갔다. 어찌하면 반응이 이토록 허무할 수가 있지? 마치 예상했다는 듯, 또는 익숙한 일이라는 듯 공작에게선 긴장감이 느껴지지 않았다. 다만 그를 쫓는 베르크네의 옆모습은 딱딱하게 굳어 있음이 확실했다.

별관에는 이미 많은 사람이 달라붙어 화재를 진압하고 있었다. 기사, 하녀 할 것 없이 냇물을 나른 덕인지 첫 폭음이 들렸을 때보다는 확실히 불길이 약해진 뒤였다.

"각하."

"킨을 데려와."

안 그래도 까만 잿더미로 망가진 기사의 얼굴이 공작을 마주하자마자 사신이라도 본 양 파랗게 죽어 버린다. 이윽고 멀리서 석양만큼 붉은 머리의 기사가 뛰어왔다. 트리비아체에서 베르크네의 옆에 서 있었던 바로 그 기사였다. 뒤따라온 다섯 명의 기사들과 마찬가지로, 킨이라 불린 남자의 얼굴은 다소 참담한 감이 있었다. 다른 점이 있다면 무언가를 직감하고 받아들일 준비가 되어 보인다는 것.

"킨."

"죄송합니다."

"이토록 쓸모없을 수 있다니. 이제는 웃음도 나오질 않는군."

"죄송합니다."

이들이 별관을 폭발시킨 주범이라도 되는 것일까. 모든 상황이 이해하기 힘들 정도로 빠르고 급하게 흐른다. 한동안 조용하던 공작이 읊조리듯 고요한 목소리로 입을 열었다. 그의 백금발이 불길에 물들어 빨갛게 일렁였다.

"여기서 너희와 노닥일 시간 같은 건 없다. 선택할 기회를 주지, 누구로 할 테냐."

"제 실수입니다. 저를…."

서걱, 하는 찰나의 소음과 함께 피가 튀었다. 이것으로 두 번째였다. 무자비한 살인을 코앞에서 지켜보게 된 것이. 목덜미를 잡고 쓰러진 건 킨이 아니었다. 죽음은 그의 옆에 나란히 서 있던, 끌려오는 내내 불안을 숨기지 못하던 이름 모를 기사를 향했다. 나도 언젠가는 저런 죽음을 맞이하겠지. 실 끊어진 인형처럼, 필요를 잃은 사냥개처럼. 공작이 말했다.

"내부인을 신경 쓰라고 몇 번을 말했는지 모르겠군. 같은 일을 반복하고도 학습할 줄 모른다는 건 상당히 마음에 들지 않는 부분이야. 가르치기도 귀찮으니 알아서 처신해라."

아무도 입을 열지 못했다. 보이는 건 공작의 너른 등과 밤하늘 아래의 백금발이 전부였지만, 그가 이 상황을 상당히 탐탁지 않게 여긴다는 것 정도는 쉬이 알아챌 수 있었다.

"베르크네."

"예."

"에리얼 크로허츠를 저택으로 데려와라. 나머지는 내 집사에게 일임하겠다."

"예."

에리얼 크로허츠. 그 이름을 듣는 순간 바닥을 향해 처박혀 있던 고개가 절로 들렸다. 빌힐름 황자의 왼팔이자 제국에서 상당한 권세를 누리고 있는 가문, 크로허츠 후작가. 지금 이 시점에 언급한 것을 보면 에리얼이라는 인물이 별관에 거주하고 있던 손님일 것이다.

잠깐. 소설 속에도 이런 설정이 있었나?

크로허츠의 여식이 잉고르드를 선택하다니, 기억 속을 아무리 더듬어도 생소한 상황이었다. 그때 나타난 시녀, 피오라가 공작의 곁으로 다급하게 뛰어왔다.

"각하. 크로허츠 후작이 방문했습니다."

약간의 신경질 외에 별다른 감정이 느껴지지 않던 공작의 눈동자 속으로 미세한 한기가 깃들었다.

"에리얼 크로허츠가 위협을 받고, 시기적절하게도 빌힐름의 충견께서 날 찾아왔다… 라."

명백한 비웃음이 그의 새하얀 얼굴 위로 옅은 물감처럼 퍼져 나갔다. 타오르는 검은 연기와 비릿한 피 냄새, 그 위에서 군림하는 리히튼 잉고르드 공작. 문득 트리비아체에서 그에게 목숨을 구걸하던 순간이 떠올랐다. 시야 안으로 들어오는 모든 장면이 그때와 판박이처럼 느껴졌다.

"수잔. 너는 어떻게 생각하지?"

"예?"

"크로허츠에 대해서."

당시의 감정을 가다듬느라 공작의 갑작스러운 물음에 적절한 반응을 보이지 못했다. 어떻게 생각하느냐고? 나야말로 궁금했다. 그는 무슨 생각으로 내게 묻는 것일까?

"잘 모르겠습니다. 크로허츠 가문에 대해 아는 거라곤 명망 있는 핏줄이라는 게 전부라서요."

"정말 모르나?"

"네. 저는 주인님께 거짓말하지 않아요."

공작이 메마른 웃음을 지었다.

"그래, 네가 그렇게 말한다면야…. 피오라. 후작을 응접실로 데려와라."

내 뺨을 스쳐 지나가는 공작의 시선이 따갑다. 또한 깊이를 가늠하기 어려웠다. 계속 이런 질문을 하는 이유가 뭘까. 단순히 나를 떠보기 위해? 아니면, 내가 어떤 존재인지 알고 있어서? 생각하면 할수록 머릿속이 복잡해졌다.

"수잔. 지금은 한시가 바쁘니 각하께서 맡기신 일에 대해서는 차후 이야기를 나누도록 하지."

베르크네마저 공작을 뒤따라 사라지고, 후원에 덩그러니 남게 된 나는 침실로 돌아갔다. 밤이 워낙 어두운 터라 별관 정리는 내일 진행될 듯했다. 그래, 이 일에 더는 신경 쓰지 말자. 어차피 크로허츠와 나는 조금의 접점도 없는 관계니까. 공작은 무서운 남자다. 그리고 나는 여타 빙의자처럼 개죽음을 당할 생각이 없었다.

다음 날은 침대에서 일어나지 못하고 온종일 누워 있어야 했다. 특별한 이유가 있어서는 아니고, 어느 정도는 예정된 상황이었다. 전날 괜찮았던 몸의 상태가 급격히 나빠졌기 때문이다.

'수잔의 몸 상태가 좋지 않은 건 안타까운 일이지만, 이런 식으로 가다가는 잉고르드에서 계속 일할 수 없을….'

'수잔의 신변은 전적으로 각하께서 결정하실 일이야. 실제로 이 아이 한 명 없다고 저택 관리에 문제가 생기지 않아.'

'하긴, 각하께서 데려온 아이….'

중간중간 소란스러움이 느껴졌으나, 몸을 일으킬 여력이 없었다. 새벽의 그 남자가 다시 찾아오길 마음속으로 수십, 수백 번을 바랐음에도 그런 마법 같은 일이 다시 일어나지는 않았다.

이틀이 지나고 해가 질 때쯤 되어서야 비척비척 몸을 움직일 수 있었다. 독을 삼킨 지 나흘이 되던 날에는 적어도 감당할 수 있는 몸 상태가 되었다.

"무슨 일이 있었냐고? 아아. 너 자는 동안 말이지. 음. 별관에서 지내시던 그분 기억나? 그 아가씨가 글쎄 크로허츠 후작가의 여식이었지 뭐니."

"다들 대단한 출신이라 예상하기는 했는데… 그 정도로 대단한 가문이었을 줄이야. 그런데 참 웃겨요. 후작이라는 남자가 우리 잉고르드까지 찾아온 시점 말이에요. 부녀끼리 짠 것도 아니고."

그간 몸 상태가 나빠 끼니를 거르거나 방에서 혼자 식사했기 때문에, 꽤 오랜만에 함께하는 저녁 식사 자리였다. 대화에 귀를 기울이니 내가 침대에서 끙끙 앓고 있던 사이 별관 사건이 어느 정도 마무리된 것 같았다.

"말조심해, 리냐. 그쪽 세계의 이야기는 우리와 하등 상관없는 것들이니 너무 관심을 보이지 말렴."

"부인은 걱정이 많아요. 누가 고용인들이 식사 자리에서 떠드는 이야기를 듣겠어요?"

"다 너를 위한 말이란다. 등잔 밑이 더 어두운 법이니까."

콜렌토 부인의 지적에 리냐가 날 보며 어깨를 으쓱였다. 확실히 콜렌토 부인이 다른 부인들에 비해 유독 조심스럽긴 하지. 우연히 잉고르드 공작저를 방문했는데, 우연히 별관이 무너지는 모습을 보았으니 불안해서라도 제 여식을 데려가야겠다는 건가. 그렇구나. 그가 피를 보면서까지 불쾌함을 표한 이유가 다 있었어. 리히튼 공작은 내가 인지하지 못하는 사이에도 계속해서 빌힐름 황자의 세력과 싸우고 있던 것이다.

크로허츠 여식 때문일까? 아니면 단순히 정적인 후작이 원하는 바를 이루게 했기 때문일까. 어느 쪽이든 리히튼 공작에게 있어 빌힐름이란 존재는 도화선의 불꽃이나 마찬가지인 듯싶었다. 어쩌면 단순히 책으로 접했던 수준보다 더. 나는 하녀장에게 물었다.

"그러고 보니 레이나가 안 보이네요."

"그 애는 별관 담당이었잖니. 지금 그곳을 청소하느라 바쁠 거야. 식사는 했을 테니 걱정하지 않아도 돼. 그 애도 네 건강을 묻더니만… 얼마 되지도 않았으면서 사이가 참 좋구나."

"성격이 잘 맞는 것 같기는 해요."

시끌벅적한 식탁에서 꽤 상쾌한 기분으로 식사를 마치고, 오늘도 독물이 든 유리병을 받기 위해 집무실로 향했다. 버텨야 할 고통을 생각하면 눈앞이 깜깜했으나 그렇다고 그의 명을 거스를 수는 없었다. 이번에는 진통제도 함께 부탁하자. 베르크네가 한 말이니 적어도 헛소리는 아니었을 거야. 마침 도착한 집무실 앞에는 베르크네가 서 있었다.

"베르크네."

"무슨 볼일이지, 수잔?"

그는 마치 호위 기사라도 된 양 문 앞을 지키고 서 있었다.

"찾아뵙기로 한 것도 있고, 공작님께 부탁드리고 싶은 게 있어서요. 별거 아니에요."

다른 사람도 아닌 베르크네가 이곳에서 버티는 건 또 처음 보는 그림이었다. 분명 마땅한 이유가 있겠지. 다소 난감해 보여 조심스럽게 물었다.

"설마 지금은 못 들어가나요?"

"…아니. 너라면 괜찮을 수도."

뜻 모를 소리를 한 베르크네가 문손잡이를 잡았다. 우습게도 공작의 집무실 앞에 서자 유독 통각이 둔해지는 느낌이다. 저 안에서 유쾌한 경험을 한 적이 단 한 번도 없으니까. 너무 움츠러들지 말자. 진통제 정도야 나도 당당하게 요구할 수 있잖아?

"각하. 수잔이 방문했습니다, 들어가겠습니다."

그리고 그 안에 펼쳐진 전경은 공작을 찾아왔던 그날과 별반 다르지 않았다. 아, 조금 다르기는 했다. 적어도 피범벅이 된 시체가 몸을 웅크리고 있지는 않았으니까.

"살려 주세요, 각하! 살려 주세요. 살려 주세요…."

하녀복을 걸친 여자가 바닥에 엎어져 비명에 가까운 울음을 내고 있었다. 한쪽 손에서 번지는 피의 양이 상당했다. 마치 손가락 하나라도 잘린 것처럼. 불길한 느낌은 왜 항상 들어맞는 걸까. 베르크네가 문을 닫았고, 나는 폭력과 무자비함에 다소 무덤덤해지기 시작한 스스로가 한심하게 느껴졌다.

"레이나?"

공작의 앞에서 발버둥 치는 여자가 레이나라는 사실을 알았을 때는 더더욱. 혼란스럽다 못해 거짓말처럼 다가오는 상황이었다. 레이나가 왜 저곳에서 공작에게 목숨을 구걸하고 있는 걸까. 나도 모르게 뒷걸음질을 치고 있었는지, 베르크네의 가슴 위로 뒤통수를 부딪치고 말았다.

"아, 죄송합니다."

입은 열려도 다리는 움직이지 않는다. 잉고르드에서 가장 먼저 말을 걸어 준 레이나. 텃세 속에서 도태되지 않도록 적응을 도와준 레이나. 물음에 언제나 친절히 대답해 주고, 열심히 돈을 벌어서 어머니의 병을 치료하고 싶다던 레이나 제닌. 그런 레이나가 도움이 절실한 얼굴이 되어 날 쳐다보고 있었다.

"수, 수잔! 도와줘! 너, 너는 알잖니, 내가 첩자가 아니란 걸. 나는 그런 무서운 일을 할 수 있는 여자가 아니잖아…!"

무릎으로 기어 온 레이나가 피가 철철 흐르는 손을 들어 나의 치마를 붙잡고 늘어졌다.

"가, 각하께서 무언가 잘못 알고 계셔. 내가 잉고르드에 해를 끼치러 온

비, 빌힐름 전하의 사람이라고 말씀하셨어. 아닌 거 알지, 수잔? 우린 친한 친구잖아. 내가 아니란 걸 알지?"

나는 그녀와 눈을 맞추지 못하고 공작을 향해 고개를 들었다. 리히튼 공작은 이 모든 상황을 관망하듯, 할 말이 있으면 해 보라는 얼굴로 책상에 몸을 기댄 채다. 나의 대처를 기대하고 있는 것이다. 뭘 기다리는 거지? 내가 레이나를 변호하길 바라는 건가? 아니면….

공작의 개가 되었다고 해서 그에게 의견을 피력할 수 있는 모든 기회가 박탈당한 건 아니다. 하지만 그렇다고 하여 레이나가 결백하다는 보장도 없었다. 나는 무얼 선택해야 하는 걸까.

"생각이 많은 얼굴이로군, 수잔."

아주 잠깐의 고민이었을 뿐인데 공작은 지루한 표정으로 집무실 바닥에 깔린 카펫을 응시하고 있었다.

"너는, 본인의 입으로 직접 복종하겠다 약속한 것치고 늘 미지근한 대응을 보이지. 내 말이 틀렸다고 생각하나?"

"…죄송합니다, 주인님. 하지만 저는 항상 진심이었어요."

"복종에서 진심이란 건 그리 중요한 요소가 아니야. 요점은 내 명에 거역할 수 있느냐, 없느냐다."

공작은 의중을 파악하기가 유독 힘든 남자다. 그러나 적어도 오늘은 그의 말에 담긴 의도가, 아니 그가 사람을 복종시키는 방식이 아주 명확하게 보였다. 리히튼 잉고르드는 충성이 아닌 힘으로 상대방을 굴복시키는 인물이라는 것이.

"수잔."

익숙하면서 낯선 이름. 기이하게도 그가 입에 담는 '수잔'은 태생부터 내가 가진 이름처럼 느껴졌다.

"네."

"세상은 네가 생각하는 것보다 훨씬 더 치밀하고, 얄궂게 너를 속이려 하지. 그렇기에 당장 닥친 눈앞의 상황이 오히려 널 새장 안의 새로 만들 수 있어."

"저는 머리가 나빠서 어려운 말은 잘 이해하지 못해요."

그가 바람 빠지는 웃음소리를 냈다.

"그렇다면 어쩔 수 없군. 나의 사랑스러운 개를 위해 친절히 설명하는 수밖에…. 킨."

"예."

인지하지 못하고 있던 인물이 책장과 커튼 사이로 진 그림자 속에서 모습을 드러냈다. 소리 없이 내 앞으로 다가온 남자는 매정한 눈과 그보다 더 매정한 손길로 레이나의 멱살을 잡아끌었다.

"사, 살려 주세요! 저는 아무 잘못도 하지 않았어요. 하늘에 맹세코 결백해요! 수, 수잔, 제발 도와…. 아악!"

얼마 지나지 않아 숨이 턱 막힐 정도로 소름 끼치는 소리가 났다. 킨이 검을 거두자마자 들려온 레이나의 비명은 짙은 고통으로 얼룩져 있었다.

"겨우 손가락 하나의 차이로도 몸의 중심은 망가지지. 이제는 두 쪽 다 넷이니 원상태로 복귀야. 다행이지 않나?"

"각하답지 않은 자비로운 선처이십니다."

"으흑, 흑…. 각, 각하. 뭐든지 할 테니 제발 사, 살려 주세요. 살려만 주세요…."

이제는 미쳤다고 욕하기도 지쳤다.

"그렇게 삶에 미련이 많으면…. 레이나, 턱을 들어야지."

공작의 말에 레이나가 바닥에 박고 있던 얼굴을 번쩍 들어 올렸다.

"지금부터 네게 십 초의 유예를 주지. 너의 생사는 오직 수잔의 선택에 달려 있어. 그 어떤 발언도 용서할 테니 마음껏 혀를 놀려서 수잔을 설득해 봐라."

옅게 그려진 차가운 미소에 적의가 가득했다. 또다. 또 이질감이다. 지금의 리히튼 공작은 나를 안아 안장 위에 올리던 남자와는 완전하게 다른 사람처럼 느껴졌다. 트리비아체가 멸문한 순간, 별관이 무너진 순간, 그리고 지금, 레이나가 첩자로 의심받는 순간. 하나하나 따져 보면 그가 제정신이 아닌 것처럼 느껴진 순간들 모두 빌힐름 황자와 연관되어 있다. 소설 속에서도 둘이 서로 못 죽여 안달이기는 했지만….

상념에서 돌아왔을 땐 울음이 뒤섞인 숨을 헐떡이며, 처절하게 망가진 얼굴의 레이나가 내 팔을 부여잡고 있었다.

"수잔. 이, 잉고르드 공작을 믿어서는 안 돼. 절대, 절대 그래선 안 돼."

레이나의 음성은 무서울 정도로 차분했다. 다만 그녀의 속삭임은 곧장 알아듣기 어려울 만큼의 무거운 헐떡임이 뒤섞인 상태였다.

"나는 네가… 수잔, 네가 저 남자와 정확히 무슨 관계인지는 잘 몰라. 널 생각해서 말을 아끼고 있었지만, 공작이 이런 식으로 무고한 고용인들을 사냥해 온 건 한두 번 있던 일이 아니야…. 저 남자에게 있어 이 세상의 모든 건 자신의 광증을 채울 유희와, 황자를 무너뜨리는 데 이용할 말에 불과하니까."

리히튼 공작의 청회색 눈동자가 정확히 나를 향한다. 그에 대해 뭣도 모른다면 정신없이 홀릴 만큼 완벽하고 황홀한 자태였다. 공작은 레이나가 내게 어떤 말을 속삭이는지 알고 있을까? 짐작이나 할까? 레이나의 말대로 순전히 즐기고 있을 뿐일까? 극심한 혼동이 찾아왔다. 그의 머리를 열어 리히튼 잉고르드라는 인물의 사념을 샅샅이 뒤지고 싶었다.

"수잔, 너도… 너도 그에게 이용당하고 있니? 나, 나는 잉고르드 공작에게서 너무 많은 사람을 잃었어. 저 남자는 사람이라 불러선 안 돼, 무자비한 살인마고 자신의 권력에 취한 미친놈이지! …제발. 부탁이야, 수잔. 날 이곳에서 나가게 도와줘."

공작보다 더 시린 눈빛으로 날 응시하던 킨이 몸을 움직이기 시작한다.

"그렇게만 해 준다면 나의 전부와 빌힐름 전하를 향한 충성심을 모두 걸고…. 수잔, 전하께 널 구해 달라고 반드시 전할게."

그 말을 마지막으로, 레이나는 킨의 손아귀에 속절없이 끌려 집무실에서 사라졌다. 그 뒤를 따랐는지 베르크네 또한 자취를 감추었다. 빌힐름. 정말 지겹도록 나오는 이름이다. 나는 돌연 내 두 다리가 의지와 상관없이 폭풍의 눈 가까이 걸어 들어가고 있음을 깨달았다. 그것도 단순히 리히튼 잉고르드에게 휘말렸기 때문이라 여기기에는 말도 안 되는 속도로.

"나는 한 번 입에 담은 말은 반드시 지킨다. 부담 가질 필요 없어, 수잔. 너는 그저 고르기만 하면 되니까…."

리히튼이 보이는 미소는 순수한 호의에서 빚어진 것처럼 느껴졌다. 평소의 그와는 전혀 다른 모습이었다. 그가 입꼬리를 올리는 일은 보통 타인을 조롱하거나 비웃을 때가 전부였다. 실제 『태양이 흐르는 강』 작중에서도 그런 식으로 묘사되는 일이 태반이었다. 나는 리히튼의 눈동자에 고인 고요한 흥분을 인지하고 몸을 굳혔다. 모든 수를 자신의 손바닥 위에서 가지고 노는 남자가 감정을 갈무리하지 못한다는 건, 그리 긍정적인 신호가 아니었으니까. 그래. 마치 지금처럼.

"주인님. 저는 주인님께서 뭘 원하시는 건지 잘 모르겠어요. 겨우 하녀… 아니, 개에 불과한 제가 첩자로 몰리는 자의 목숨을 무슨 자격으로 좌지우지할 수 있나요?"

공작에게 있어 이 모든 건 유희거리에 불과하다던 말이 머릿속에서 지워지지 않았다. 그 문장을 입에 담던 레이나의 얼굴 위로 짙은 공포가 생생했다.

"무언가 착각하고 있군. 지금 내가 너에게 보여 주고 싶은 건…. 고작 네가 가진 권한에 대해 왈가왈부하는 것이 아니다. 수잔, 넌 표정 변화를 꽤 잘 숨기나 그렇다고 내 눈까지 속일 순 없어."

여느 때처럼 고조 없이 차분한 어투였으나 적어도 그의 시선은 아니었다. 나는 내 이마, 눈, 코, 뺨, 입술 할 것 없이 속속들이 뜯어 살피는 눈빛에 침조차 삼킬 수 없었다.

"이것 봐. 너는 지금 겨우 눈앞에 닥친 상황에도 썩은 잡초처럼 이리저리 휘둘리고 있지 않나."

"누구라도 휘둘릴 거예요."

"옳아. 그렇기에 나는 네가 아주 중요한 깨달음을 얻는 데 도움을 주기로 한 거다. 개와 주인 사이의 신뢰가 바닥이라니. 절대 허용할 수 없는 일이지."

가까이 다가온 그림자가 등불을 가렸다. 더 이상의 대화는 통하지 않을 것이다. 차라리 변명을 하는 게 나을 터였다.

"아니에요, 저는…."

역광 때문인지, 독 때문인지 모를 강렬한 어지러움으로 두 다리의 힘이 풀렸다. 속절없이 무너지는 내 몸을 공작의 팔이 떠받쳤다.

"죄, 죄송해요. 저는 주인님을…."

"수잔."

무언가 목구멍에서 울컥 쏟아졌다. 공작의 새하얀 셔츠 소매 위로 매캐한 비린내를 동반한 핏덩이가 후드득 떨어졌다. 억센 손아귀 힘으로 내 얼굴을 잡아당긴 그가 내 눈동자를 꼼꼼하게 살폈다.

"증상이 두드러진다 했더니… 전이되는 속도가 말도 안 되게 빠르군. 정신 못 차릴 만해."

"아, 곧 괜찮아질…."

말이 채 끝나기도 전에 극렬한 고통이 찾아왔다. 참지 못하고 이를 악물자 날 부축하고 있던 공작이 아주 느릿한 목소리로 물었다.

"고통에서 자유로워지고 싶나?"

그 누구도 고통과 함께하고 싶지 않을 것이다. 내 허리를 받친 손힘이 더 강해졌다.

"대답해."

몰리기 시작하는 통증과 열을 이기지 못하고, 결국 옅게 고개를 끄덕였던 것 같다. 공작이 내 입가로 반대쪽 손을 들이밀었다. 멀쩡하던 하얀 손등에 깊은 생채기가 나 있다. 그냥 깊은 게 아니라 고인 피가 손목을 따라 줄줄 흐를 정도였다. 저 상처는 또 언제 어디서 생긴 걸까. 멍하니 공작을 쳐다보자 그가 상처 난 손으로 내 입술을 툭툭 건드렸다.

"정신 차리고 입 열어. 유리병에 담겨 있던 독물의 원액이 바로 내 피다. 바로 삼키면 네 신경이 마비되어 금방 편안해질 수 있어."

뭔가 대단한 말을 들은 것 같은데, 머리에 제대로 남아 있지 않았다. 그저 삼키면 편안해질 수 있다는 발언만이 부유하는 정신 속에 오롯이 선명했다. 이윽고 뒤집힌 손등에서 내 입가로 무언가 뚝뚝 떨어지기 시작한다. 그의 피였다.

'이걸 삼키라고?'

본능적인 거부감에 입술을 꾹 닫고 고개를 틀었다. 이마 위에서 공작이 코웃음 치는 소리가 들렸다.

"별 같잖은 부분에서 자존심을 굽히지 못하는군."

그리고 무언가 고민하기라도 하듯, 아주 잠깐의 간극 끝에 그가 다시 말했다.

"이건 순전히 너를 위한 거다."

리히튼이 돌연 자신의 입술 안쪽을 이로 짓이겼다. 제 몸을 상하게 하는 일임에도 미간 한 번 구기지 않고 아무렇지 않게 행한다. 얼마나 크게 깨물었는지 새하얀 치아 위로 피가 퍼져 갔다. 리히튼 공작은, 그 상태 그대로 내게 입을 맞췄다. 이미 한차례 피를 토한 터라 피비린내의 역함은 없었다. 다만 나는 코앞에서, 아니 속눈썹이 닿을 거리에서 일렁이는 청회색 눈동자를 멍하니 응시해야 했다.

상황을 정확히 인지하기 전에 입술이 떨어졌다. 혀에 지독한 무언가가 진득하게 달라붙은 것이 느껴진다. 나는 있는 힘을 다해 그 맛을 목구멍 뒤로 삼켰다. 괜찮아, 피를 먹이기 위한 거였어. 그의 손등을 핥는 것보다야 훨씬 나은 처신이다. 아마 그럴 거야.

꽤 긴 시간 정적이 흘렀던 것 같다. 조심스럽게 내 허리를 놓은 그가 장식장으로 다가갔다. 나는 한결 편안해진 몸 상태를 실감하며 공작에게서 그 유리병을 받아 들었다. 킨과 레이나는 집무실에서 흔적도 없이 사라진 뒤였다.

"내 피가 필요하다면 언제든지 찾아와라. 다만 그때는 지금처럼 괜한 자존심을 세우지 말아야 할 거야."

대번 피곤해진 낯으로, 무겁게 한숨을 쉰 공작이 마른세수를 한다. 그를 봐 온 시간 동안 이처럼 지친 모습은 처음이었다. 그것도 이렇게 갑작스럽게. 마치 나와의 입맞춤이 원인이 된 양.

"명심할게요."

이마를 짚은 채 소파로 향한 그가 가죽 위에 무너지듯 앉았다.

"원하는 대로 레이나의 목숨은 보장해 주지. 그래야 네가 이 더러운 세상에서 오직 나만이 옳고, 오직 나만 바라봐야 함을 깨닫게 될 테니까."

백 년이 흘러도 그런 날은 찾아오지 않을 텐데. 리히튼 공작은 대체 무슨 일을 꾸미고 있는 걸까? 아니야. 이제는 궁금하지도 않아. 제대로 된 사정도 모르는 채 휘둘리는 건, 신경이 갉아먹히는 착각이 들 정도로 지치는 일이다.

집무실에서 나온 직후, 나는 의외의 인물과 대면해야 했다. 잉고르드 소속의 기사, 킨이었다. 그는 계단 옆 벽에 기대어 딱딱한 시선으로 날 응시하고 있었다. 이제껏 그래왔듯 자연스레 지나치려 했으나, 오늘은 남자의 반응이 평소와 조금 달랐다. 기대고 있던 몸을 일으켜 길을 가로막고는 대뜸 내 눈을 확인하는 것이 아닌가?

"보아하니 이번에도 손을 벌린 모양이야. 멍청하긴."

이제는 노려보는 것으로 모자라 시비까지 건다. 심리적으로도 육체적으로도 상대할 기운이 나지 않았기에 방향을 틀어 지나쳤다.

"허어, 충고를 해 줘도 무시해? 너 설마 베르크네 씨가 정신 빼놓고 이것저것 받지 말라고 조언해 주지 않은 거냐? 아니면 그 조언을 한 귀로 흘린 건가."

나는 신경질적으로 입을 열었다.

"초면에 말 놓지 마. 안 그래도 당신은 특히 재수 없으니까."

"그건 내 알 바 아니지. 별개로 친히 조언하러 와 주신 몸에게 언사가 상당히 거친데?"

"그거야말로 내 알 바야? 화풀이를 하려면 다른 사람에게나 하지 그래. 졸졸 뒤따라오지 말고."

"너는 뭐가 좋다고 그걸 자꾸 받아먹는 거냐?"

베르크네의 말을 무시하고 자꾸 받아먹는 그것. 깊게 고민할 필요도 없었다. 리히튼 공작의 혈액일 터였다. 공작과 입을 맞추던 순간이 떠오르자 머릿속이 백지장처럼 창백해지는 기분이었다. 걸음을 빨리해 계단을 내려갔으나 킨은 끝까지 내 뒤를 쫓아왔다.

"이 멍청한 여자야. 각하의 독이 어떤 힘을 가지고 있는 줄은 알고 받아먹는 거냐? 그게 순수하게 네 고통을 해방시키기 위해 사용된다고 생각해?"

이어지는 말에 반사적으로 걸음이 멈췄다. 나는 계단 위에 멈춰 서서 킨을 올려다봤다. 이건 또 뭐하자는 걸까. 킨이 한심함과 짜증이 뚝뚝 떨어져 흐르는 얼굴로 입을 열었다.

“쯧, 어려 보이니 모르는 척할 수도 없고. 네가 아무래도 뭘 모르는 것 같단 말이지…. 원액에 가까운 잉고르드 독은 치사량을 섭취할 시 장기를 전부 녹여 버려. 섭취한 자는 하루도 채 안 되어서 고통스러운 죽음을 맞이하는 게 정설이라 보면 된다.”

아무래도 내가 삼킨 독의 명칭이 잉고르드인 것 같았다. 잉고르드 가문의 비독 같은 걸까.

“하지만 그 이하일 때는? 이야기가 조금, 아니 꽤 달라지지. 몸에 심각한 물리적 피해를 입히지는 않으나 환각, 환청, 마비는 물론 극심한 중독 현상을 일으키는 거야.”

“…한 번도 경험한 적 없어.”

“그렇겠지. 유리병 속의 독은 극히 낮은 농도로 희석된 상태고…. 내가 말하는 건 당연히 순수한 잉고르드의 결정체, 다른 말로는 각하의 혈액에 대한 경우니까.”

그 말은 리히튼 공작의 피 자체가 독이라는 소리나 마찬가지였다. 미간을 구긴 킨이 참다 참다 억지로 내뱉듯 이를 악물었다.

“한마디로 말해 줄까? 넌 네 스스로 목에 목줄을 채운 거나 마찬가지다, 이거야. 당장 독이 편안하게 전이되더라도. 그 다음은? 잉고르드는 독 중에서도 가장 강력한 중독성을 지녔어. 존재 자체가 마약이나 마찬가지라고. 설마 잉고르드 없이는 제정신도 유지 못할 껍데기가 되려는 거냐?”

“과장하지 마. 겨우 두 번이었으니까.”

“아아, 그러셨어요. 겨우 두 번이셨어요? 그 두 번이 ‘겨우’였으면 내가 이렇게 지랄하고 있을 것 같으세요? 만에 하나는 없어. 넌 이미 반 이상 강을 건넌 거야.”

술술 뱉는 거친 언사와 함께 킨이 싱긋 미소를 지었다. 마치 내게 묵혀 둔 소릴 바닥까지 다 뱉어 속이 시원한 표정이었다. 하지만 킨의 주장에는 미묘하게 사실과 다른 점이 존재했다. 내가 마신 건 희석된 피가 아닌 리히튼의 피 그 자체였던 것이다. 그의 말이 맞다면 지금 나는 이 자리에 서 있을 수 없었다.

'상황마다 조금씩 다른 건가.'

그는 구겨졌던 진하고 반듯한 눈썹을 천천히 폈다. 단단하게 단련된 손이 내 어깨를 두드렸다.

"아무래도 우리, 평생 이 땅에서 얼굴 마주하며 살아야 할 것 같은데…. 본인이 어떤 우매한 선택을 했는지 정도는 알려야 할 것 같아서 말이지. 그렇게 노려보지 말라고, 친구. 잉고르드에 나만큼 친절한 사람 또 없다?"

이윽고 나를 지나친 킨이 후원으로 향하는 통로 너머로 사라졌다. 평생 이 땅에서 박혀 살아야 할 정도의 중독. 공작이 내게 먹인 그 매캐한 피. 나는 멀어지는 킨의 적발에서 한동안 눈을 떼지 못했다.

무슨 일이 있었냐는 듯, 다음 날에도 해는 떴다. 비척비척 일어나 옷을 갈아입고 침실을 나섰다. 나와 함께 삼 층 손님 침실을 청소하던 레이나는 더 이상 없었다. 새로운 하녀가 올 때까지 혼자서 느긋하게 청소하라는 하녀장의 지시가 내려졌다. 오전 일과가 끝나고, 베르크네와 마주치자마자 가슴 언저리에서 맴돌았던 질문을 건넸다.

"레이나는요?"

고민 끝에 물은 것과 달리 그는 대수롭지 않다는 투로 답했다.

"새벽에 내보냈다. 당분간 저택이 시끄러워질 것 같군."

공작은 뱉은 말을 멋대로 번복하지 않는다. 하지만 이제는 그걸로 전부가 아니란 걸 안다. 리히튼은 거짓말하지 않고 없는 말을 지어내지도 않지만, 나를 기만하는 사람이었다. 의도적이든 아니든 늘 일부만을 알려 내 시야를 암전시키려 했다. 억울하고 아파도 나는 불만을 마음껏 표현할 수 없다. 그와 동등한 위치가 아니니까.

생각하는 것만으로도 정말 많은 시간이 흘렀다. 아주, 몹시 긴 시간이. 문득 정신을 차리니 탁상 위에 놓인 시침이 새벽 세 시를 가리키고 있었다. 나는 몸을 일으켜 베개 밑에 숨겨 놓았던 베르크네의 단도를 꺼냈다.

"가장 완벽한 급소는 목 아래."

연습했던 기억을 살려 날을 베개에 박아 넣었다. 의미 없는 발버둥이 될 것 같지만, 그래도 늘 만약은 존재하므로. 극한으로 몰린 인간은 종종 미친 짓을 하곤 한다. 나에게 극한은… 이 오아시스 없는 사막처럼 답답한 잉고르드에서 평생을 보내는 것이었다. 모르는 게 약이라는 말이 있듯, 킨이 날 위한답시고 폭로한 진실은 오히려 내 두 다리를 벼랑 끝으로 내몰았다. 실낱같던 희망이 처절하게 짓밟힌 것이다. 차라리 그를 죽이고 잉고르드를 벗어나 먼 곳으로 떠나자. 그 누구도 나를 찾을 수 없는, 아주 먼 곳으로.

문은 조용히 열렸다. 맨발로 올라오길 잘했다는 생각이 들었다. 집무실의 문이 밀려나는 소리는 어쩔 수 없다 해도, 걸음 소리는 죽일 수 있었으므로. 리히튼에게 선물할 단도를 쥐고 천천히 안으로 들어섰다. 하지만 불안한 감은 늘 맞아 들어가는 법. 혹시나가 역시나로, 침대는 텅 비어 있었다.

"발소리 죽이는 법을 배워야겠군. 그건 고작 구두를 벗는 일로 해결되는 게 아니거든."

이전처럼 심장이 떨어질 만큼 놀라거나, 손이 덜덜 떨릴 만큼 두려움이 일지 않았다. 모든 걸 내려놓았기 때문일지도 모른다.

"자취를 남기지 않는 법 역시 중요하지. 하나부터 열까지 엉망인 걸 봐선 베르크네가 제대로 알려 주지 못한 모양이야."

그는 달빛이 들지 않는 창가의 끝, 기다랗게 그림자가 진 책장 옆, 고요한 사각지대에 앉아 있었다. 테이블에 보란 듯이 올린 독이 든 유리병과 은색

접시, 그 위로 가지런하게 놓인 금박 초콜릿이 보였다. 처음부터 그곳에 있었다는 듯, 의자에 앉아 등을 기댄 리히튼의 모습은 흡사 어둠과 한 몸 같았다.

"어떻게 알았어요?"

"항상 지켜보고 있으니까."

"왜?"

리히튼은 대답 대신 몸을 일으켜 내게로 걸어왔다. 위압적인 신장이 창문 밖 달빛이 내리쬐는 공간으로 들어선다. 날 향한 시선에 아무런 감정도 담겨 있지 않았다. 나는 그에게 다시 물었다.

"왜?"

너무나도 자연스러운 걸음과 자연스러운 움직임이었다. 물 흐르듯 다가온 리히튼이 단도를 빼앗으려 하기에, 참고 있던 화가 울컥 터져 나왔다. 그의 가슴팍을 밀치고 단도를 더 강하게 쥐었다.

"왜 대답을 안 해? 나한테 뭘 원하는 거야? 대체 얼마나 대단하다고 사람을 이렇게 갖고 노는 건데! 네 놀이에 날 이용하는 게 재밌어?"

"재밌느냐… 라."

무미건조한 목소리와 함께 쥐어서 부러뜨릴 기세로 내 손목을 붙잡는다. 리히튼은 부들부들 떨리는 내 손가락을 하나하나 폈다. 내 무력감을 증명이라도 해 주겠다는 듯, 느릿한 움직임과 무료한 표정으로.

"재미라는 게 뭔지 모르겠군. 흥미가 동한다는 것과 같은 의미인가? 그렇다면 아니라고 대답하는 게 맞겠어. 너는 내게 딱히 흥겨운 존재가 아니야. 날 지옥 끝까지 몰아넣은 악귀라면 모를까."

"악귀?"

단도를 빼앗아 침대 위로 내던진 리히튼이 장식대로 걸어갔다. 거침없는 손길에 휘황찬란한 장식 검이 딸려 나온다. 돌아온 그는 텅 비어 버린 내 손에 검을 쥐여 주었다.

"그렇게 내게서 도망가고 싶나? 직접 두 발을 잘라내면 여기서 기어나가는 걸 허락해 주지."

망연해진 기분으로 그를 쳐다봤다. 하도 어이가 없는 나머지 헛웃음이 나왔던 것 같기도 하다.

아니야. 긍정적으로 생각하자.

저 미친놈에게 고작 두 발을 바치고 도망칠 수 있는 건 절호의 기회야. 리히튼이 쥐여 준 검을 바로 잡고 멀쩡히 선 두 발을 향해 내리그었다.

"하."

한숨과 같은 헛웃음이 흩어진다. 고통은 없었다. 몸이 기울어지는 일도 없었다. 의문이 들었으나 무언가 확실히 썰리기는 했다. 그러니까, 내 다리가 아닌 그의 손바닥이.

"약한 자에게는… 삶의 종말을 맞이할 권리조차 주어지지 않지."

남자의 피는 검었다. 마치 지옥에서 활활 타오르는 불의 재처럼. 날을 타고 흘러내린 피가 카펫 위로 떨어졌다. 강한 탄내가 진동했다. 그의 악력이 내게서 검을 앗아 갔다. 날카로운 검날이 그의 커다란 손바닥을 더 깊게 파고들었다.

"이참에 계속해 봐."

그가 피범벅이 된 검을 자신의 셔츠에 문질러 닦았다. 고작 두세 번 닦아 내는 행위에 흉측한 잔상이 제대로 지워질 리 만무하다.

"몇 번이나 시도할지 궁금하니."

목구멍 아래 깊숙한 곳에서 끌어올려, 거칠게 씹어 내뱉는 목소리. 고깃덩이가 된 손이 내게 다시 검을 주었다. 뜨거운 피를 한차례 적신 후였음에도 그가 내게 맡긴 검은 뼈가 시릴 만큼 차가웠다. 리히튼은 내게 화를 내고 있었다. 나는 잉고르드에 온 이래 처음으로, 그가 감정적일 수 있다는 사실을 알게 되었다. 조롱과 비웃음이 그가 가진 전부가 아니란 것을 처음으로 알게 되었다.

하지만 그것들이 이제와 무슨 소용이란 말인가. 검을 더 강하게 쥐었다. 그렇게 하지 않으면 미끄러질 것 같아서. 겁을 먹고 포기해 버릴 것 같아서. 이윽고 다시 검을 휘두르려던 찰나.

“아아, 그래. 이제야 알 것 같군. 너는 죽으면 돌아갈 수 있을 거라 생각하는 건가.”

두 눈과 두 귀에 피가 쏠리는 착각이 일었다. 처음에는 그가 무슨 말을 하는지 이해할 수 없었다. 그러나 그것도 잠시의 일이었다. 고개를 들었다. 검에 눈을 고정한 채, 그가 시를 읊듯 말했다.

“그리 생각하기에 내 앞에서 시위하는 것이겠지. 안온한 너의 세계로 돌아가기 위하여.”

“…갑자기 무슨.”

“쉿. 진정해, 수잔.”

“네가 그걸 어떻게….”

억지로 무시해 왔던 지독한 현실감이, 거대한 해일이 되어 날 집어삼킨다. 감히 그 누구에게도 내보일 수도, 들을 수도 없던 진실이었다. 입에 담게 되더라도 그 상대가 리히튼 잉고르드가 될 거란 상상은 추호도 하지 못했지. 다리에 힘이 풀려 그대로 바닥에 주저앉았다. 설마, 설마라는 가정이 있을 수 있나. 그래도 설마 리히튼이…. 나를 따라서 몸을 굽힌 그가 답지 않게 상냥한 어조로 타이르듯 속삭였다.

“나 역시 그동안 네게 묻고 싶은 말이 정말 많았어. 하나하나 세면 보름을 훌쩍 넘길 정도지. 수잔, 너는 스스로가 누구이고 무엇인지 진지하게 고민해 본 적 있나? 너와 나의 만남이 불운과 우연의 집합체라고 여기는 건가?”

그 말에 어지러웠던 머릿속이 차갑게 굳었다.

'날 지옥 끝까지 몰아넣은 악귀라면 모를까.'

내 착각이 아니다. 리히트은 마치 오랜 예전부터 날 잘 알고 있었다는 듯 묘사하고 있지 않은가. 나는 그의 어깨를 붙잡고 물었다.

"너, 나를 알아?"

기다란 백금색의 속눈썹이 느릿하게 팔랑거린다. 리히튼은 내가 본 웃음 중 가장 이상한 미소를 지었다.

"아주 잘 알지. 네 스스로보다 더."

리히튼은 아그레인에 대해 알고 있다. 그렇겠지, 난 이 약해 빠진 육체의 진짜 주인이 아니니까. 그리 여기니 모든 것이 간단해졌다. 리히튼 잉고르드와 아그레인은 과거에 인연이 있는 사이고, 차후 『태양이 흐르는 강』에 적힐 예정이었던 것이다.

당장 닥친 상황에 적응하느라 많은 사실을 간과하고 있었던 것 같다. 이건 나와 리히튼의 이야기가 아니라, 아그레인과 리히튼의 이야기라는 것을. 따라서 리히튼이 나와 같은 처지에 놓인 바깥 세계의 인물이라는 건… 그래, 바보 같은 생각이지. 돌연 모든 것이 덧없게 느껴졌다.

'너는, 죽으면 돌아갈 수 있을 거라 생각하나?'

무슨 의미일까. 단순히 아그레인의 고향을 의미했던 걸까? 절대 그럴 리 없었다. 분명 무언가가 더 존재한다. 늘 그러했듯, 리히튼은 내게 선택적으로 정보를 흘리는 게 분명했다.

"조금 더 지켜보려 했는데…. 네 상태를 보아하니 아무래도 무리일 것 같군. 좋아. 네가 친히 목숨을 걸고 내게 왔으니 그 성의를 무시할 순 없지. 나와 내기를 하자, 수잔. 번지르르한 말이 아닌 서로를 걸고."

서로를 거는 내기. 그를 죽이는 것이 나의 목적이었음은 이미 망각한 후였다.

"내기는 내가 널 완벽하게 길들일 수 있는가, 없는가에 대하여. 네가 이기면 모든 진실을 알려 주지. 궁금한 게 많을 거라 생각하는데…. 안 그래? 살아 있는 독으로 변해 버린 네 몸, 그리고 내 피로 인한 중독, 모두 완벽하게 치료해 주겠어. 그리고 다신 네 옆에 얼씬도 하지 않으마."

"헛소리하지 마. 내가 네 그 유창한 혀 놀림에 또 넘어갈 거 같아? 내기에서 내가 지면? 뻔해, 그걸 빌미로 더 지독하게 개처럼 부려 먹겠지. 난 도박은 안 해."

"아니, 해."

리히튼의 새까맣게 그늘진 청회색 눈동자가 내 눈을 뚫어지라 응시했다.

"내가 이기더라도, 네가 원하는 건 무엇이든 들어 주지. 제국을 달라면 제국을 주고, 하늘을 무너뜨리라면 하늘을 무너뜨릴 거야. 대신, 빌힐름만은 선택해선 안 돼."

마지막 문장에는 등이 쭈뼛할 정도로 살벌한 기운이 감돌았다. 그러나 그 점을 제외하고도, 리히튼의 설득은 어딘가 많이 이상했다. 지든 이기든 내가 원하는 대로 해 주겠다고? 이런 것을 과연 내기라 할 수 있는 걸까. 그 어떤 바보가 들더라도 리히튼이 손해임을 인정할 텐데.

"그렇게 해서 네가 얻는 건?"

"그건 해 봐야 알겠지."

리히튼이 내 손을 잡아 일으켰다. 피가 묻지 않은 말끔한 손으로. '해 봐야 알겠지?'라니. 참으로 그답지 않은 말이었다.

"네가 할 일은 하나야. 우리의 내기가 완전히 끝날 때까지 오직 나만 따르고, 내게서 눈을 떼지 않는 것. 시간이 흐르면 그 끝에서 무엇이든 얻을 수 있을 테지. 그야말로 손해 볼 일 없는 조건 아닌가?"

그의 유연한 목소리는 메꾸어지지 않는 불안의 틈을 아주 완벽히 공략했다. 스스로 목숨을 끊어 내는 것으로 끝나지 않는다면? 그렇다면 나는 그 후 어찌해야 하는가. 죽는다고 나의 세계로 돌아갈 수 있으리란 보장은 없다.

나에게 필요한 건 막연한 도피가 아닌 확실한 도피였다.

그가 내게 제안한 순간부터, 나에게는 다른 선택지가 없었다. 나의 길은 앞도 뒤도 벼랑이다. 그러니 한 번 더 리히튼의 꿀 발린 말에 넘어가는 것도, 그런 것도 어쩌면….

"왜 나야?"

내 손을 움켜쥔 힘이 언뜻 강해진 것 같았으나, 아주 잠시의 일에 불과했다. 뒷걸음질 쳐 그림자 안으로 몸을 숨긴 리히튼은 금방이라도 사라질 듯 위태로워 보였다.

위태롭다고? 그렌페르크 제국의 황제 다음으로 제일가는 권력자이자, 황자 빌힐름과 알력을 다투는 그가? 푸르스름한 눈가에 날 선 안광이 스쳤다. 리히튼은 귀를 기울여야 겨우 알아챌 희미한 목소리로 읊조리듯 말했다.

"거창한 이유는 없어. 그저 내가… 기나긴 시간을 오직, 너만 갈망하고 살아왔으니까."

Episode 2.
메어리

하녀의 일과는 특별한 일정이 생기지 않는 이상 늘 똑같다.

새벽 다섯 시 삼십 분에 기상해 간단한 준비를 마치고, 고용인들과 아침 식사를 한 후 고용주의 기상을 돕는 것이 첫 번째 일이다. 그렇게 영주, 귀부인, 가문의 자제들이 모두 기상해 침실을 비우면 하녀의 오전 일과가 시작된다. 침실의 침구, 방 정리를 비롯해 로비 청소, 응접실 청소 등 맡은 바에 따라 착실히 일하다 보면 어느새 정오가 가까워졌다.

고용주가 점심 식사를 마친 낮에는 하녀들 또한 천국 같은 휴식을 즐길 수 있었다. 저택에서 일하는 하녀들의 봉급은 서민 입장에선 꽤 후한 편이며, 지체 높은 가문일수록 대우가 좋았다. 또 그러한 가문은 대체로 연줄을 통해 사람을 구했다. 특히나 잉고르드처럼 그렌페르크 제국의 내로라하는 가문이라면 더더욱.

"메어리? 네게 주어진 일은 우리 업무 중에서도 가장 쉽고 간편하단다. 처음에는 이 일만 하다가, 익숙해지면 추가 일거리를 배분할 거야. 당연히 네 봉급도 그에 걸맞게 오르겠지."

"네, 네."

한데 그런 잉고르드에 내가 들어오게 되다니! 떨리는 가슴을 부여잡고 잉고르드의 하녀장, 콜렌토 부인을 따라 계단을 올라갔다. 제국 변방의 자작 가문과는 비교도 안 될 거대한 저택, 화려한 내부. 그 모든 것을 이루는 휘황찬란한 자태에 벌써부터 입이 바짝 탔다. 같은 귀족 가문이어도 부의 크기가 이렇게 차이날 수 있다니. 과연 나 같은 초라한 아이가 발을 들여도 되는 걸까.

"함께 일하게 될 파트너는 수잔이야. 너보다 넉 달 일찍 들어온 하녀지. 모난 데 없이 유연한 성정이니 친해지기 쉬울 거란다. 되도록 많이 물어서 이것저것 빨리 배우렴."

"네."

"아, 그리고…."

수잔이라니, 이름부터 상냥함이 물씬 풍긴다. 하루빨리 잉고르드에 적응해서 고향 친구들에게 자랑해야지! 나는 귀를 활짝 열고 모든 조언을 받아들일 자세로 콜렌토 부인을 응시했다.

"수잔은 우리와 조금 다른 위치이니…. 적당히 눈치를 보는 게 네게도 이로울 거다."

"무슨 말이죠? 조금 다른 위치라니요?"

"함께 지내다 보면 자연스레 알게 되겠지. 그럼, 수고하도록 해."

몰락한 귀족 가문 출신이기라도 한 건가. 그런 경우가 종종 있다지만, 대개 하녀보다는 시녀 일을 한다고 들었다. 그럼 눈치를 봐야 하는 이유가 뭘까. 콜렌토 부인의 마지막 말이 신경 쓰여 곧장 일을 돕기로 약속한 침실에 들어가지 못했다. 차라리 신경을 완전히 끄자, 메어리. 몰락한 귀족 가문이면 뭐 어때? 지금은 같은 하녀 신분인데! 나는 용기 있게 침실 안으로 걸음을 옮겼다. 그리고 들어서자마자 보이는 적발의 여인에게로 달려가 허리를 숙였다.

"안녕하세요! 오늘부터 함께 일하게 된 메어리입니다. 잘 부탁드려요!"

사람 관계에서 첫인상만큼 중요한 게 또 없다고 했어. 한데 내가 너무 갑작스레, 또 시끄럽게 인사한 탓일까? 대답은 한 박자 늦게 들려왔다.

"아. 네가 레이나를 대신해 들어왔다던 그 애구나. 잘 지내보자, 난 수잔이야."

귀가 간지러울 만큼 상냥하고 부드러운 목소리였다. 그에 나는 불안했던 마음을 잠식시키며 숙였던 고개를 번쩍 들었다.

"네, 네. 잘 부탁드려요, 수잔 선배."

"선배? 여기서는 그런 징그러운 호칭 안 써. 그냥 수잔이라고 불러."

"그, 그런가요? 바로는 힘들 것 같은데…. 그럼 익숙해질 때까지만 선배라고 부를게요."

편한 대로 하라는 듯 작게 웃은 수잔 선배가 날 등지고 침대 옆으로 걸어갔다. 그녀는 조금, 아니 상당히 묘한 분위기를 가진 여성으로, 눈에 띄게 고운 얼굴을 지니고 있었다. 나는 구겨진 여름용 베개를 펴는 선배의 얼굴을 조금 멍해진 기분으로 쳐다봤다.

수잔 선배의 피부는 하얗다 못해 생기가 느껴지지 않을 정도로 창백했다. 가만히 눈을 감고 앉아 있으면 숨이 끊긴 시체처럼 보일 것 같았다. 으음. 시체는 너무 적나라한 표현이니 인형으로 바꾸자. 장인이 만들어 낸, 생명체의 활기가 느껴지는 대리석 조각. 이 정도면 꽤 그럴싸한 묘사일 거라 확신했다. 그녀를 인형으로 비교하는 이유는 단순히 차갑고 비인간적인 분위기 때문만이 아니었다. 피부색과 대비되는 강렬한 적발도 적발이지만, 눈에서 생기가 느껴지지 않는 이유도 컸다. 선명한 녹색 눈동자가 잘 닦인 유리구슬처럼 느껴질 정도였으니까. 그런데 막상 침구 정리를 도우며 마주한 수잔 선배의 눈은…. 뭐랄까, 마냥 녹색이라 하기에는 오묘한 감이 있는 것 같기도 하고.

"수잔 선배. 선배처럼 눈동자 색이 특이한 사람은 처음 봐요."

태양빛을 받은 그녀의 눈동자는 녹색보다 녹회색에 가까웠다. 이상하지. 그 주위의 흰자는 깨끗하지 않고 다소 얼룩덜룩한 느낌을 주는 것 같았다. 마치 안개에 가려진 수풀처럼 몽롱하고 기이한 빛깔로. 가만히 살펴보니 눈 깜빡이는 횟수도 보통 사람들과 비교해 현저히 적었다. 이 선배, 진짜 사람 맞아? 알고 보면 뱀파이어 같은 게 아닐까?

"괴물 같지는 않고? 나는 보기 흉해서 거울 볼 때마다 눈을 못 마주치겠더라."

"괴물이요? 세상에 그렇게 예쁜 눈을 지닌 괴물이 어디 있다고 그래요?"

깜짝 놀라 반문하자 선배가 희미한 미소를 지었다. 예의상 웃어 주는 기분이 드는 걸 보면 아무래도 건들지 말아야 할 부분을 건든 모양이었다.

"그 사람이 들으면 무슨 반응일지 궁금하네."

선배가 말하는 그 사람은 누구일까. 침구가 다 정리된 후, 전체적으로 방의 상태를 다시 확인한 선배가 내게 입을 열었다.

"메어리. 저택 구조는 다 알고 있니? 우선 이 방은 리히튼 공작 각하의 침실이야."

생각지도 못한 사실에 나는 깜짝 놀라 바보처럼 말을 더듬었다.

"여, 여기가요? 죄송해요. 저는 그것도 모르고…."

어쩐지 믿기지 않게 고풍스럽다고 했어. 벽지, 바닥에 깔린 카펫, 의자, 액자 할 것 없이 전부 보는 것 자체만으로도 기세가 죽는 최상급이다. 특히 천장에 수놓인 벽화는 한참을 서서 감상해야 할 정도로 섬세하고 고고했다. 전에 일하던 저택에서는 눈을 씻고도 찾아볼 수 없는 풍경이었다.

"각하의 침실과 집무실은… 웬만하면 나 혼자 청소하게 될 거야. 너는 그동안 다른 사람들과 함께 서쪽 삼 층 방을 치우면 돼. 아마 서른 개 조금 안 될걸."

"혹시 이유가 있나요? 공작 각하와 관련된 사항들은 숙지해 두는 게 좋을 것 같아서요."

"이유? 이유라…."

잉고르드 저택의 장점은 모실 고용주가 공작밖에 없다는 점이다. 어차피나 같은 말단 하녀야 그분을 직접적으로 도울 일은 없겠으나, 고용된 입장에서 고용주의 눈치를 살피는 건 매우 중요한 일이었다. 무엇보다 리히튼 잉고르드 공작의 악명은 변방 촌구석에서 자란 내게도 익숙할 정도였다. 눈에 잘못 들어 봉변당하는 것보다 알아서 대처하는 게 좋을 것이다. 긴장하며 기다렸던 것과 달리, 짧은 고민 끝에 보인 수잔 선배의 반응은 이가 시릴 만큼 싸늘했다.

"그런 거 없어. 단순한 고집이야."

고, 고집? 공작 각하를 그런 식으로 폄하하다니…. 과연 제국 전역에 악명을 떨치는 리히튼 공작도 팔은 안으로 굽는 걸까. 어쩌면 저택의 고용인들과는 퍽 부드러운 사이일지도 모른다. 정말로, 어쩌면.

"그, 그럼 다른 조언해 주실 만한 사항은 없나요?"

마지막으로 기울어진 탁자 시계를 바로 한 선배가 무뚝뚝한 얼굴로 날 돌아봤다.

"메어리. 너 혹시 첩자니?"

첩자? 절대 아니라고 외치려 했으나, 덜컥 겁이 난 탓인지 목구멍이 막혔다. 내 얼굴을 훑던 수잔 선배가 작게 고개를 저었다.

"그것만 아니면 됐어. 여기서 잘 생활할 수 있을 거야."

"저 처, 처, 첩자 아, 아니에요."

"그럼 다행이고."

진짜 아닌데. 내가 콜렌토 부인을 통해 낙하산으로 들어와서 그런 의심을 받는 건지도 몰라. 첫인상이 최악으로 박힌 건가 싶어, 시무룩해진 기분으로 반쯤 쫓겨나듯 각하의 침실을 나왔다.

다행히도 이곳에서의 일은 생각보다 훨씬 더 수월했다. 수잔 선배에게 저택 구조 및 청소 일과를 배운 후에는 점심식사를 위해 일 층으로 내려갔다. 빵을 뜯으며 친한 척 좀 하려고 했는데, 선배는 볼일이 있다는 말과 함께 식사에 참여하지 않았다. 다른 고용인들의 반응을 보니 끼니를 자주 거르는 듯했다.

"잉고르드는 고명한 귀족 가문답게 기사들도 하나같이 훤칠하네요."

식탁 옆 너른 창문 너머로 키 큰 청년들이 담소 나누기에 바쁘다. 갑주를 걸치지는 않았으나 단단한 풍채와 분위기만으로도 기사임이 분명해 보였다.

"뭐, 그런 감이 없지 않아 있기는 하지?"

그중에서도 특히나 눈에 띄는 남자가 있었으니, 수잔 선배보다 더 밝은 적발에 진하고 선명한 인상을 지닌 기사였다. 고풍스러운 대리석 조각처럼 생겼네.

"저분은 누구신가요?"

"저분?"

"저어기, 적발에 키가 크신 기사님이요."

창밖으로 고개를 돌린 콜렌토 부인이 눈을 가늘게 떴다.

"아, 킨 경을 말하는 거구나. 너도 알다시피 잉고르드의 검은매 기사단을 지휘하는 기사단장은 각하이시고… 킨 경은 부기사단장쯤 되지."

"네? 말도 안 되게 젊어 보이시는데, 그게 가능해요?"

"뭐, 확실히 능력 있기는 해. 능력은."

누가 들어도 오직 능력만 있다는 투였다. 젊은 나이에 부기사단장이 될 만큼 능력 있고 훤칠한 키에 남부러울 것 없는 외모라. 멍하니 킨 경을 쳐다보고 있자, 옆으로 다가온 하녀가 킥킥 웃음을 터트렸다.

"저래 보여도 사람 머리를 사과 따듯 떨어뜨리는 남자야. 너무 가까이 하지 않는 게 좋을걸. 아니면 어린 나이에는 위험한 남자에 더 끌리려나?"

너무 비현실적인 설명이라 그런지 반감이 들지는 않았다. 그도 그럴 것이 박한 평가치고 매섭게 느껴지지 않는 인상이었으니까. 얼마 지나지 않아 정원으로 수잔 선배가 나타났다. 양손에는 구정물이 든 양동이를 들고 있었는데, 어쩐지 날이 바짝 선 사나운 분위기였다.

'혼자 다른 방 청소라도 하신 건가?'

킨 경과 대화를 나누던 선배는 말이 오가는 내내 기분이 상당히 안 좋아 보였다. 그리고는 무언가 잘 풀리지 않았는지, 내려놓았던 양동이의 물을 킨 경에게 그대로 부어 버렸다. …물?

"어머."

딱 봐도 구정물인데! 수잔 선배는 물이 뚝뚝 떨어지는 기사를 뒤로하고서 아무렇지 않게 저택으로 돌아왔다. 나는 이글이글 타오르는 킨 경의 시선과 눈을 마주치고 싶지 않아 황급히 딴짓하기 시작했다.

대체 무슨 사이기에 저렇게나 살벌한 거람. 수잔 선배가 걸음을 옮긴 곳은 이제 막 식사가 끝나 가는 이곳, 주방이었다. 양동이를 대충 닦고 구석에 몰아넣은 그녀는 내 앞에 앉아 식은 밀크티를 찻잔에 부어 마셨다. 마냥 유약하게 느껴졌던 첫인상은 착각이었던 걸까? 의외로 불같은 성격일 수도. 나는 그 불에 기름을 붓고 싶지 않아 얌전히 남은 베이컨을 찍어 먹었다.

"수잔."

내가 깨끗하게 비운 접시를 치우고 막내답게 식탁을 닦으려 하던 시점에 낯선 남자가 부엌을 찾아왔다.

"베르크네 씨?"

"잠시 바깥으로."

그건 내게 있어 퍽 놀라운 일이었다. 시종일관 무뚝뚝한 표정을 유지하던 수잔 선배의 표정이 잠시나마 편안하게 풀어졌던 탓이다. 그녀를 찾아온 인물은 짧은 흑발의 선한 인상을 지닌 남자였다. 묵직한 목소리이기에 킨 경과 유사한 느낌일 줄 알았더니, 판이한 외양이었다.

아무리 그래도 그렇지 킨 경을 대할 때와는 너무 상반되잖아? 수잔 선배가 사라진 것을 확인하고 옆에서 차를 즐기는 하녀에게 속삭였다.

"혹시 수잔 선배와 저 남자분…. 서로 그렇고 그런…?"

내 물음에 눈을 동그랗게 뜬 하녀가 찻물을 뱉으며 별안간 커다랗게 웃음을 터트렸다.

"뭐? 아하하하! 다들 얘 좀 봐, 수잔과 베르크네 씨가 연인이냐고 물어보네!"

그렇게 우스운 물음이었던 걸까. 나는 얼굴이 발개진 채 머쓱한 표정을 지었다.

"흐음. 그래도 잘 생각해 보니까 꽤 그럴싸하기는 해."

"오늘 내내 지켜봤는데, 메어리의 눈치가 상당히 매섭더라고. 일 적응 참 잘하겠어."

방금만 해도 비웃었으면서 눈치가 매섭다니, 이해할 수 없는 말이었다. 식탁 끝에 앉아서 담배 연기를 뱉은 콜렌토 부인이 지나가듯 덧붙였다.

"수잔은 베르크네 씨를 만나러 나간 게 아니야. 각하를 뵈러 간 거지."

각하. 부인의 조언도 그렇고 수잔 선배의 반응도 그렇고. 확실히 리히튼 공작과 선배 사이에는 무언가가 있다. 그 사실을 콜렌토 부인도 알고 하녀들도 알고 모두가 알지만, 굳이 입에 담지 않는 데는 마땅한 이유가 있을 거라 생각했다. 이럴 때는 주위 분위기를 따라서 적당히 넘어가는 게 최고지. 하지만 입이 근질거려 참기가 너무 힘든데…. 결국 작게 헛기침을 하며 참아 두었던 궁금증을 스리슬쩍 꺼내 놓았다.

"혹시 수잔 선배의 출신이… 귀족인가요?"

예상되는 반응은 두 가지. 어림도 없는 소리 말라며 직전처럼 배를 부여잡고 웃거나, 모르는 척 얼버무리거나. 한데 정작 하녀들이 보인 반응은 저 둘과 상이했다.

"우리도 잘 몰라."

어깨를 으쓱이는 하녀를 시작으로 대수롭지 않은 투가 여기저기서 쏟아졌다.

"그 애는 각하께서 데려오셨거든. 그래서 콜렌토 부인도 처음에는 경계를 꽤 하셨지, 핏덩이 같은 계집애에게 자리를 뺏기는 게 아니냐면서 말이야."

콜렌토 부인이 작은 미소와 함께 재떨이 위로 재를 털며 웃었다.

"그렇게 궁금하면 직접 물어보지 그러니. 어디서 뭘 하다 왔는지."

"으음, 그 정도는 아니에요. 저는 그냥 수잔 선배가 각하와 개인적인 친분이 두터워 보이기에…."

말끝을 흐리며 남은 차를 입에 삼켰다. 그런 날 뚫어지라 응시하는 콜렌토 부인의 표정이 상당히 미묘하다.

'할 말이 있으시면 제발 말해 주세요!'

내가 자리에서 일어서지도 못하고 끙끙대자, 퍽 안쓰러웠는지 부인의 입에서 연기 대신 한숨이 흘러나왔다.

"웬만하면 그 말, 수잔 앞에서는 꺼내지 않는 편이 좋을 거야."

"아! 제, 제가 너무 방정맞았죠? 죄송해요. 앞으로 더 조심할게요."

그 말을 하시려던 거구나. 지적받아 우울했지만 그래도 문제점을 알았으니 다행이다. 확실히 내가 하고 싶은 말을 자제 못하고 너무 쉽게 꺼내기는 하니까.

"그렇다기보다는… 그래. 조심해서 나쁠 것 없지. 어차피 너도 계속 지내다 보면 알게 될 테니."

아리송한 말과 함께 콜렌토 부인이 내 어깨를 두드렸다. 두고 보면 어떤 관계인지 파악할 수 있다는 뜻인 건가. 설마 수잔 선배가 공작 각하의 정부라거나. 아니, 아니지. 이런 예측은 당사자들에게 실례니까.

잉고르드에서의 첫 휴식 시간은 궁금증만 남긴 채 끝났다. 나의 오후 일과는 별관 침실을 청소하는 일로, 수잔 선배가 아닌 다른 하녀들에게서 배워야 했다.

"이 건물은 지어지는 중인가요? 들어오면서 보니 왼쪽 부근이 공사 중이던데요."

"얼마 전에 사건이 좀 있었거든. 다친 고용인들도 한둘이 아니었고. 여러모로 소란스러운 달이었어."

건물이 무너지기라도 했던 걸까? 하녀들의 표정이 좋지 않아 자세하게 묻지 못했다.

잉고르드의 일과는 그것으로 끝이었다. 수십 명의 고용인을 둔 대저택답게 적당히 바쁘고 적당히 여유로운 일상이었다. 모두가 들어오지 못해 안달인 이유가 있었던 거야. 나는 콜렌토 부인의 고향 친구라는 대단한 지위를 지닌 어머니가 매우 자랑스러워졌다.

노을이 산등성 너머로 완전히 넘어가고 늦여름의 한밤이 찾아왔다. 저택의 구조도 읽힐 겸, 건물 내 꺼지지 않는 등불이 있나 확인하러 다니던 때였다. 주변이 이상하게 환하다 싶었더니 응접실 안에서 불빛이 일렁이고 있었다.

"불이 안 꺼졌나…?"

바닥 위, 흔들리는 노란 불빛 옆으로 기다란 그림자가 일렁인다. 나는 조심스레 응접실 안으로 들어가 그림자의 주인을 확인했다. 가장 먼저 보인 것은 벽난로를 가리고 선 훤칠한 등이었다. 불처럼 뜨거운 색의 머리칼이다 싶었는데, 자세히 살피니 불순물 하나 없이 깨끗한 백금발이다. 곧 가벼운 셔츠를 걸친 남자가 내게로 천천히 고개를 틀었다. 콧등이 높고 이마 골격이 뚜렷해 얼굴 안으로 명암이 짙게 졌다.

"처음 보는 얼굴이군."

정말, 뭐라 해야 할까. 이토록 아름다운 남자는 생에 본 적이 없었다. 숨 쉬는 것을 잊을 만큼 선명하면서, 살이 에는 서늘함을 지닌 존재. 그러나 본능적으로 느껴지는 압박감에 자연스레 뒷걸음칠 수밖에 없는 존재.

두 눈이 박힌 사람이라면 직감할 수밖에 없다. 이 남자가 바로 그 유명한 리히튼 잉고르드 공작이라는 사실을.

"이, 인사드립니다. 이번에 들어온 메어리 이디스라고 합니다."

나는 그간 머릿속에 홀로 상상하고 있던 리히튼 잉고르드라는 인물을 한 줌도 남기지 않고 싹 지워 버렸다. 대신 그 자리에 눈앞의 남자를 채워 넣었다. 학살자, 충의 없는 신하, 주인 잡아먹는 번견 등 세간에 퍼진 다양한 악명들과 실제 리히튼 잉고르드는 너무나 판이한 존재였다. 아니, 정정한다. 실제 리히튼 잉고르드의 외견과는 너무나 판이했다.

"새로운 하녀라면 수잔의 파트너인가."

"네."

확실히 수잔 선배와 리히튼 공작 사이에는 무언가가 존재한다. 그렇지 않고서야 이리도 자연스레 그녀의 이름이 나올 수 없었다. 선배와 가까운 척을 좀 하는 게 미래를 위해 이롭겠지. 나는 열심히 머리를 굴려 겨우겨우 한마디를 덧붙였다.

"수, 수잔 선배가 많이 가르쳐 주셨어요. 정말 좋은 선배예요."

그에 공작이 보인 반응은 단출했다. 한쪽 입꼬리를 들어 올리며 헛웃음을 뱉은 게 다였다. 서신을 읽고 있었는지, 필기체로 가득한 편지지가 사방으로 찢겨 벽난로 안으로 떨어진다. 가볍게 손을 턴 공작이 다시 날 응시했다.

"수잔의 방을 아나?"

"네."

"가서 내가 불렀다고 전해라."

이 시간에? 설마 둘 사이의 관계가 정말로…. 나는 당황한 티를 못 숨기고 더듬더듬 입을 열었다.

"어, 어디로…."

그러나 공작은 내 말이 채 끝나기도 전에 등을 돌려 휙 사라졌다. 나는 그가 사라진 자리에 서서 허망하게 벽난로를 쳐다봤다. 방금 내가 꿈을 꾼 건가.

불을 끄고 고용인의 구역으로 돌아가 수잔 선배의 침실로 향했다. 가장 안쪽에서 오른쪽 문, 가장 안쪽에서 오른쪽 문. 행여나 다른 사람들의 개인 시간을 방해할까, 조심조심 걸음을 옮겨 선배의 침실 손잡이를 잡아당겼다.

"저어, 수잔 선…."

쾅.

문이 거세게 닫히고, 정신 차릴 겨를도 없이 어딘가로 끌려갔다. 나는 어느새 어두운 방 안 침대에 눕혀져 천장을 쳐다보는 상태였다. 그것도 목을 내리누르는 날카로운 단도와 함께. 헉. 나도 모르게 숨이 멈췄다.

"죄, 죄, 죄송해요!"

"메어리?"

어두웠던 시야가 급격하게 밝아진다. 날 누르고 있는 무게와 단도의 주인은 다름 아닌 수잔 선배였다. 등불을 켠 그녀는 내 얼굴을 꼼꼼하게 확인한 후 목에서 천천히 흉물을 거두었다. 세상에, 하마터면 그대로 목이 찔려서 죽을 뻔한 것이다! 겁이 덜컥 나 후드득 쏟아지는 눈물을 닦으며 떨리는 목소리로 사죄했다. 너무 놀라서 눈물이 멈추지 않았다.

"저, 정말 죄송해요. 흐윽. 저는 그냥, 그냥 수잔 선배에게 드릴 말씀이 있어서…. 흑…."

"울지 마. 다음부터는 그렇게 기척을 죽이려고 하지도 말고."

"흡, 훌쩍. 네에…."

나는 그냥 피해 주지 않으려고 살짝 문을 연 것뿐인데, 확실히 노크를 할까 말까 고민하기는 했지만…. 그래도 수잔 선배가 문제 있으면 언제든 찾아오라고 했었으니까. 시간이 조금 더 흐르니 공포감과 억울함이 어느 정도 진정됐다. 그래, 확실히 나의 실수였다. 전에 일하던 저택에서의 습관을 완전히 뜯어고쳐야 할 듯싶었다.

"가, 각하께서 선배를 부르셨어요. 전 그 말을 전해 드리러 온 거고요."

내 말에 물을 삼키던 선배가 짜증스러운 손길로 앞머리를 넘겼다. 그리고 무언가를 참아내듯 두 눈을 꾸욱 감고 기다랗게 숨을 뱉었다. 한참이 지나 눈을 뜬 그녀는 서랍을 뒤적여 자그마한 무언가를 꺼내 내게로 던졌다.

"먹어."

"이, 이건…?"

"초콜릿."

설마 이 포장지, 금박인 거야? 나는 입을 떠억 벌린 채 금박으로 포장된 초콜릿과 수잔 선배를 번갈아 쳐다봤다.

"가, 감사합니다."

조용히 침실로 돌아온 나는 선배에게 받은 초콜릿을 서랍 안 보물 상자에 고이 넣어 두었다. 이건 나중을 위해 아껴 둬야지. 생각지 못한 선물에 입가에서 웃음이 떠날 생각을 않았다.

'그런데 각하와 수잔 선배는 대체 무슨 관계인 걸까.'

응접실에서 마주한 리히튼 공작과 수잔 선배의 반응을 되새겨 봐도 그럴싸한 가정 하나 잡히지 않는다. 선배의 반응을 보면 정부는 절대 아닌 것 같은데, 정말 아리송하단 말이야. 아무래도 시간이 흐르면 자연스레 알게 될 거란 콜렌토 부인의 말이 명답인 듯싶었다.

Episode 3.
악연

내 일과는 특별한 일정이 생기지 않는 이상 대체로 똑같다. 새벽에 눈을 뜨면 새로운 파트너와 함께 침실을 청소하고, 정오 즈음 리히튼의 집무실을 정리한다. 오전 일과 때 함께 처리하면 될 일을 꼭 나중에 따로 청소하게 하는 걸 보면 기어코 날 괴롭히려는 속셈일 터였다. 고립된 공간에서 리히튼과 단둘이 보내야 하는 시간 자체가 내게는 고역이나 마찬가지니까. 힘겹게 마무리를 하고 돌아오면 고용인들의 식사 시간은 항상 끝물이곤 했다.

그래도 오늘은 그나마 숨통이 트이는 날이었다. 되도 않는 귀족 사교 예절을 배우느라 고상한 척 식기를 드는 연습도, 무도회에서 춤추는 연습도 대강이나마 끝마친 상태였다. 리히튼이 내게 출신 모를 왕녀 노릇을 대신해 달라 명령하지만 않았어도 조금 더 편안하게 하루를 보낼 수 있었으리라.

"수잔 선배, 그거 아세요?"

여느 때처럼 늦은 점심 식사를 마치고 식기를 정리하려던 때였다. 새로 들어온 하녀, 메어리가 내게 바싹 몸을 대며 목소리를 낮추었다.

"엊그제 저택에서 귀족 분들의 사교 모임이 있었잖아요. 그중에 유독 젊고 잘생겼던 쳄벨 자작 기억하세요?"

기억하기 싫어도 기억할 수밖에 없는 귀족이었다. 내 생에 그 남자만큼 하녀들에게 치근덕대는 귀족은 처음 봤으니까.

"오늘 새벽에 그 자작이 선배 앞으로 서신을 보냈지 뭐예요."

"서신?"

"네. 콜렌토 부인이 고민하시다가 우선 각하께 말씀드렸대요. 그런데 각하께서 그 이야기를 들으시자마자 서신도 뜯지 않고 벽난로에 불을 지펴 쑤셔 넣으셨다네요. 이런 일이 처음이 아니래요."

그런 일이 있었나. 나는 물기를 대충 닦은 찻잔에 차를 부었다. 리히튼의 얼굴이 어땠을지 안 봐도 뻔한 그림이었다. 경멸이 가득한 시선이었겠지.

"수신자에 분명 '친애하는 수잔 양에게'라고 적혀 있었어요. 혹시 그 자작…."

언제까지 계속할까 싶어, 짜증스레 쳐다보자 메어리가 짧게 헛기침을 했다. 하지만 그녀가 입을 닫아 봤자 근처에 남아도는 입은 한둘이 아니었다.

"시종들에게 몇 번 묻기는 했었다지? 저 매혹적인 하녀의 이름이 무어냐고. 흐음. 뭐라 했더라…. 아, 사연이 느껴지는 눈매에 대비되는 선명한 녹안에 빠져들었다며 홀로 장문의 시를 읊었대. 참 징글맞은 묘사기도 해라."

사연이 느껴지는 눈매? 이건 단순히 장기간 잠을 뒤척이면서 생긴 색소 침착이다. 독이 완전히 전이된 후부터 깊게 잠들지 못하고 중간중간 깨는 일이 잦아졌기 때문이다. 인상이 침침해지는 건 물론, 최근 들어 성격이 더 예민해진 듯하여 일부러 말수를 줄이고 있었다. 고용인들에게 신경질을 부리고 싶지 않았으니까. 내가 반응하지 않고 조용히 차만 마시자, 옆의 또 다른 하녀가 눈을 얇게 뜨며 날 살폈다.

"확실히, 수잔이랑 눈이 마주치면 조금…."

한두 명 입을 열기 시작하자 이제는 우르르 몰려 말을 거든다.

"시선을 못 떼겠다고 해야 하나?"

"맞아. 그런 느낌 있기는 해, 몸이 굳고 빨려 들어가는 기분? 눈동자에 생기가 없어서 그런가. 처음 왔을 때만 해도 지금과는 전혀 달랐는데 말이야."

"그때는 적어도 건강했지. 지금은 워낙 위태위태해서 눈을 뗄 수가 없어."

"요즘 악몽도 자주 꾼다며? 수잔, 내가 준 약은 챙겨 먹고 있니?"

어느새 부엌은 날 동정하는 하녀들로 분위기가 어두워졌다. 솔직히 말하면, 날 애처롭게 여기는 그들의 시선이 마냥 나쁘지는 않았다. 나도 사람인지라 애정을 갈구할 수밖에 없다. 미친놈의 삐뚤어진 관심이 아닌 순수한 호의가.

킨은 고용인들 앞에서 유독 빈틈을 보이는 나를 약아빠진 계집애라고 불렀다. 알게 뭔가? 리히튼이 트리비아체를 멸문시키지만 않았어도 애초부터 이런 일은 없었을 거다. 내 건강에 대한 잡담이 무르익어 갈 때 즈음 베르크네가 부엌으로 내려왔다.

"수잔."

자연스레 몸을 일으키고 부엌을 나섰다. 그가 날 찾아오고, 한차례 고개를 돌린 내가 잔말 없이 베르크네를 따라나서는 건 이제 잉고르드에서 당연한 풍경이 되었다. 그들 중 누구도 알지 못하겠지. 베르크네에게 불려간 내가 어떤 일을 하는지.

"이제 더는 수업이 없는 것으로 알고 있는데요."

"다른 일이다. 각하께서 부르셨어."

리히튼은 최근, 아니 근 몇 달간 사나흘에 한 번씩 날 불러 놓고 시답잖은 물음을 던지곤 했다. 독에 적응한 후의 몸 상태, 다른 고용인들과의 관계는 물론 저택 밖으로 외출을 하고 오면 어디서 무얼 했는지 하나부터 열까지 열거하도록 만들었다. 내가 바라보는 모든 세상을 장악해 자신의 손바닥 위에 두려는 것처럼 느껴졌다.

"킨과 그만 으르렁거려. 내가 군이 한마디 해야만 멈출 건가?"

"아니요. 그 재수 없는 놈이 좀 사람다워지면 멈추지 않을까요."

"하여간 어느 쪽 하나 물러서려 하질 않는군."

고개를 저은 베르크네는 나와 함께 집무실로 향하지 않고, 곧장 삼 층으로 사라졌다. 어느 순간부터 리히튼이 날 찾을 때마다 슬그머니 사라져 독대를 유도하고 있다. 단순히 귀찮아서인지, 아니면 따로 리히튼의 언급이 있었는지는 모를 일이었다.

똑똑.

리히튼과 마주하는 순간이 살 떨릴 만큼 두려웠던 시기도 있었지. 하지만 이제는… 뭐랄까, 마냥 두렵지는 않았으나 불편한 감은 여전했다. 가슴이 턱 막힌 것처럼 답답하고 길들여지지 않은 맹수를 코앞에 둔 기분이 된다. 평소처럼 노크 직후 문을 열었지만 리히튼의 모습은 보이지 않았다. 나는 문을 닫고 집무실 내부를 아주 느리게 살폈다. 아니나 다를까, 가죽 소파 위로 흐트러진 백금발이 눈에 들어왔다.

"주인님."

깨워야 했지만 정작 그를 향한 발걸음은 조심스러워진다. 이렇듯, 리히튼은 종종 날 불러 놓고 곁잠에 들 때가 있었다. 올라오기까지 그리 긴 시간이 걸리는 것도 아닌데. 부르면 곧장 일어났던 것과 달리 오늘은 유독 꼼짝도 하지 않았다.

"주인님."

두 번째 부름에도 답이 없다. 죽었나 싶다가도 그런 멍청한 생각을 하는 스스로가 그렇게 바보 같을 수 없었다. 나는 흘러내린 머리칼을 쓸어 올리며, 소파 위로 기다랗게 누운 리히튼을 내려다봤다. 아마 이토록 무해하고 평화로운 외모는 또 없지 않을까. 창백한 낯 위로 쏟아지는 백금발을 보자니 괜히 속이 뒤틀리는 기분이었다. 그래, 모든 것을 잊기라도 한 듯 안온해진 얼굴이 괘씸했다.

"리히튼."

마치 마법의 주문이라도 된 양 꿈쩍도 안 하던 눈꺼풀이 천천히 뜨였다. 그림자가 진 리히튼의 눈동자는 본래의 색보다 훨씬 더 어둡고 무거운 빛을 품고 있다. 착각일 게 분명했으나 아주 잠깐, 우리 사이의 시간이 멈췄던 것 같기도 하다. 무슨 생각으로 그의 이름을 불렀느냐 물으면 마땅히 답할 구실은 없었다. 그냥, 그러고 싶어서. 눈 깜빡임을 뒤따라서 바위에 쇠 긁히듯 거친 목소리가 리히튼의 입을 통해 나왔다.

"괜히 자극하고 싶지 않으면 함부로 부르지 마."

나는 대답하지 않고 가만히 제자리에 서 있었다. 자극은 내가 아니라 그 쪽이 한 것 같은데.

피곤함이 가득한 얼굴을 거칠게 쓸어내리고, 리히튼이 몸을 일으켰다. 소파 옆으로 튀어나와 있던 기다란 다리가 제자리를 찾는 것도 금방이었다. 먹다 남은 커피로 목을 축인 그는 손가락을 까딱여 나를 불렀다. 정말 개라도 부르는 듯한 손짓이었다. 불만 가득한 의사를 피력하면 또 어떤 피곤한 상황이 찾아올지 몰랐기에, 얌전히 맞은편 의자로 가서 자리를 잡았다.

리히튼이 내게 건넨 것은 고급스러운 양피지로 만들어진 서신이었다. 아. 나는 올 것이 왔구나, 하는 심정으로 적색 문장이 찍힌 봉투를 받아 들었다.

"연회는 사흘 후. 잉그르드를 떠난 시점부터 네 이름은 베아트리체 아덴로지아 케일이다. 남대륙 케일 왕국의 제 22왕녀. 친모는 폐위된 상태고. 왕위 쟁탈에서 밀려난, 철딱서니 없는 열아홉 살 여인이지."

무려 사 개월 전부터 리히튼이 입에 담았던 그 연회였다. 나는 이 연회에 참석하기 위해 백 일이 가까운 기간 동안 귀족 소양을 익혀야 했다. 연회에 관한 상세한 정보는 전해 들은 적도, 들을 생각도 없었다. 어차피 개라는 건 시키는 대로 할 뿐이니까.

"실존 인물이 아닌 것치고는 신상 정보가 꽤 상세하네요."

"실존 인물이었어, 작년에 행방불명되기 전까지는. 케일 왕국은 워낙 극남쪽에 있는 국가라 제국과 교역이 전혀 없고 정보도 극미한 상태다. 전통적으로 왕가의 여인들은 혼인 전까지 베일을 쓰고 행동한다. 얼굴을 보일 일 없으니 편하게 행동해도 돼."

말은 저리 해도 연회 내내 옆자리에서 떨어뜨리지 않을 게 분명하다. 리히튼은 내가 자신의 영역 밖으로 나가는 것을 극도로 경계했다. 이미 잉고르드 독이라는 목줄을 걸고 있으면서 말이지. 그의 병적인 집착은 내가 어찌한다고 해결될 게 아니었다. 잠에서 깬 직후 내내 인상을 구기고 있던 그가 소파 등에 몸을 기대며 날카롭게 벼린 목소리를 냈다.

"문제는 불참 의사를 밝혔던 황자가 다시 참석하겠다고 말을 바꿨다는 점이지."

빌힐름 황자. 서신의 내용을 읽던 난 힐끔 시선을 들어 리히튼을 살폈다. 황자와 연관된 일에서는 특히나 더 비인도적인 행위의 자제를 모르는 그였다. 다가오지도 않은 미래에 나는 벌써부터 등골이 오싹해지는 기분이었다.

리히튼이 느리게 눈을 껌뻑이며 말했다.

"알아 둬, 수잔. 내가 옆에 없을 때는 반드시 황자를 멀리해라. 무슨 방법을 동원해서라도."

"힘들면요? 그 사람 얼굴에 샴페인을 붓고 도망가도 되나요?"

"돼. 내 말을 잘 듣는다는 전제하에."

요점이 무엇인지 아직 파악할 수 없었다. 그만큼 빌힐름 황자가 위험한 인물이란 뜻일까? 하지만 빌힐름을 주인공으로 한 소설, 『태양이 흐르는 강』을 보아 온 내게 그리 위협적인 경고가 되지 못했다. 독자의 시점에서 작중 최악의 악당은 눈앞의 리히튼 잉고르드였으니까.

"내일 바로 잉고르드를 떠난다. 준비하고 있도록."

"네."

갑작스러운 일정이었지만 그리 놀랍지만은 않았다. 반쯤 모든 걸 내려놓고 지내 왔기 때문일지도 몰라. 리히튼의 옆에 자석처럼 붙어 있기만 하면 될지, 아니면 그 외 다른 역할을 수행하게 될지에 대해서도 그리 궁금하지 않았다. 하라면 하고, 말라면 마는 거잖아. 리히튼의 연인 역할만 아니면 무엇이든 할 만할 것 같았다.

다만 궁금한 점은 있었다. 레이나는 황자에게 무사히 도착했을까? 도착했다면 정말 나의 이야기를 그에게 전했을까. 모든 일에 무덤덤해졌을 줄 알았기에, 설마 밤새 잠을 뒤척일 거라곤 생각하지 못했다.

몇 달 만에 잉고르드를 벗어나는 거지. 나는 침대에 누워 새벽을 보내는 내내 수천, 수만 가지의 다채로운 상상을 했다. 공작에게서 멀어졌을 때, 미친 척 먼 곳으로 도망가는 그림. 살아 돌아온 트리비아체 백작이 날 데리고 돌아가는 그림. 임무가 끝나도 아무렇지 않게 잉고르드로 돌아오는 그림까지. 그곳에는 레이나 제닌도 있었다. 빌힐름 황자 옆에 당당하게 서서 날 구하러 왔다고 선언하는 그녀가. 그러나 이 각양각색의 상상들은 전부 자조로 끝났다. 멍청하기는… 너도 알고 있잖아, 그 정도로는 리히튼에게서 절대 도망칠 수 없다는 걸.

"베아트리체."

리히튼의 부름에 굳어 있던 표정을 부드럽게 풀었다. 시야가 좁아질 정도로 환하게 웃으며 두 손을 그러쥐었다. 베아트리체 아덴로지아 케일. 오늘부터 일주일 간, 나는 케일 왕국의 제 22왕녀가 되어야 했다.

"말씀하셔요, 리히튼. 아아! 오늘 날이 참 화창하지요? 나가서 산책하기 참 좋겠어요. 식사는 하셨나요? 입맛에 맞으셨어요?"

한마디라도 더 하기에 바쁜 내 입술을 그는 감흥 없이 응시했다.

"하아… 이동하는 데만 네 시간이 걸린다고 들었어요. 속이 든든해야 문제없이 제 시간에 도착할 거 아니에요. 평소처럼 끼니를 거르셨을까, 걱정되네요."

"준비를 마쳤다면 이제 나가도록 하지요."

그 리히튼에게서 경칭을 다 듣게 될 줄이야. 등 뒤가 오싹해질 만큼 어색했다.

"그건 드셨다는 말씀이시죠?"

리히튼은 대답 없이 손을 내밀었다. 나는 그의 팔에 팔짱을 끼고 몸을 바짝 붙여 걸었다. 리히튼 잉고르드 공작과 더없이 가깝고, 사랑스러운 연인이 되어서. 하필 가장 아니길 바랐던 연인 노릇을 해야 한다니. 나는 왜 이리도 재수가 없는 걸까.

다행히 그는 내가 만들어 낸 베아트리체라는 인물에 큰 불만이 없는 눈치였다. 다만 잉고르드의 고용인들은 대뜸 나타난 공작의 연인에 적응하지 못하고 있었다. 그들에게 나는 구불거리는 금발에 필요 이상으로 해맑은 성격을 지닌 외국인에 불과했다. 금발로 염색하고, 하얀 베일로 얼굴을 가린 덕에 '베아트리체 놀이'는 생각보다 더 쉬웠다.

"마음에 드실지 모르겠어요, 주인님. 제 나름대로 그럴싸하게 만들어 봤는데."

저택을 벗어나 마차 앞에 도착하기 전, 그의 귓가에 작은 목소리로 속삭였다.

"무엇이 마음에 드느냐고 묻는 건지 모르겠군."

"베아트리체요."

대답하기 무섭게 그의 팔이 내 허리를 감싸 안았다. 벗어날 수 없는 강한 힘이 상체를 올가미처럼 옥죄면서 품 안으로 끌어당겼다. 리히튼의 심장박동이 지척에서 들려오는 느낌이었다.

"마음에 차지 않을 리가 없잖습니까. 무려 나의 하나뿐인 연인인 그대를."

리히튼은 아무렇지 않게 걸음을 이었지만, 적어도 내게는 쉬운 일이 아니었다. 그의 절제된 숨은 나의 얇은 피부막 안으로 긴장감을 주입한다. 전신이 긴장한다는 건 참으로 피곤한 일이다. 새삼 이 베아트리체 놀이가 내게 얼마나 번거로운 놀이인지 다시 깨달을 수 있었다.

"당신이 원한다면 마차를 두 대 가져가도록 하겠습니다."

"어머나, 이렇게 갑자기? 저와는 같은 공간에 있고 싶지 않으신가요?"

시종이 마차의 문을 열고 나는 리히튼의 에스코트를 받으며 안으로 올라탔다. 내리쬐는 태양 아래에서 서리만큼이나 차가운 청회색 눈동자가 나를 비췄다.

"그럴 리가. 그저 내 욕망이 넘쳐서, 그대를 흩뜨릴까 염려하기 때문이지."

미친놈이라서 그런 걸까. 마음에도 없는 말을 아무렇지 않게 내뱉는다.

'아닌가. 이제는 마음에 없는 소리라고 단정 지을 수도 없지.'

나를 향한 리히튼의 이유 모를 집착을 생각하면 마냥 헛소리라 치부하기도 어려웠다.

"낭만적이신 분. 농담 그만하고 어서 마차에 올라타세요."

"농담? 내 말이 농담이라고 생각하는 겁니까?"

손을 잡아 빼려 해도 리히튼은 놓을 생각이 없어 보였다.

"농담이 아니라면 더 좋지요. 지체하지 말고 한시 바삐 들어오시래도요? 당신에게 하고 싶은 이야기가 산더미예요."

잡힌 손을 끌며 재촉하자, 가만히 서 있던 리히튼이 결국 마차 안으로 들어왔다. 가식으로 한껏 달아올라 있던 공기는 문이 닫힌 즉시 사라졌다. 나는 열과 성의를 다해 까르르 소리 내 웃던 입꼬리를 다시 늘어뜨렸다. 어쩐지 출발하기 전부터 지쳐 버린 기분이다.

"주인님, 저는 도착하기 전까지 조금만 쉴게요. 혹시 주의해야 할 점이 있을까요?"

"일정이 끝나기 전까지는 주인님이라고 부르지 말도록. 습관처럼 나올지도 모르는 일이니."

"알겠어요. 조심할 테니 염려 마세요."

리히튼의 표정이 어땠는지는 나도 모른다. 말이 끝나자마자 눈을 감았으니까. 시야가 어두워지자 턱 막혔던 숨이 그나마 트이는 기분이었다. 이렇게 작고 좁은 공간에서 그와 단둘이 있어야 한다니, 장담컨대 선잠도 들지 못할 터였다. 하지만 그것만으로도 어디인가. 사 개월 전에 비하면 지금의 나는 정신적으로 퍽 자유로운 편이었다.

'거창한 이유는 없어. 그저 내가… 기나긴 시간을 오직, 너만 갈망하고 살아왔으니까.'

미친 척 그를 죽이기 위해 침실로 숨어들어 갔던 그날. 그날 이후, 리히튼의 비인도적이면서 강압적인 행위는 놀라우리만치 사그라졌다. 완전히 사라진 것은 아니었지만, 그것만으로도 내게는 엄청난 변화였다.

우리 사이의 긴장감은 그대로였다. 리히튼은 내게서 항상 보이지 않는 무언가를 앗아 가려 했고, 나는 내주는 것처럼 보이기 위해 최선을 다했다. 그래도 언젠가는 이곳을 떠날 수 있을 거란 작은 희망과 함께.

"각하. 호텔에 도착했습니다. 짐은 현재 옮기고 있는 중입니다."

마차가 멈춘 지역은 제도에서 가장 가까운 국경인 말타. 우습게도 그와 내가 참석하는 연회는 크로허츠 후작의 생일 연회였다. 별관이 무너져 크로허츠 여식이 대피하던 날, 놀라운 우연으로 잉고르드를 방문했던 그 인물의 생일 연회. 정적을 직접 초대하고, 또 그 초대에 응하는 건 대체 무슨 문화일까. 기억을 더듬어 보면 『태양이 흐르는 강』에서도 이런 풍경이 잦았다. 서로를 감시하기 위해 더 가까이 두려는 것일지도 모른다.

"리히튼. 우리 방은 따로 쓰나요?"

"안타깝게도. 왕녀 전하의 명예를 지켜드려야 하니까."

"베아트리체 아덴로지아 케일에게 명예가 어디 있나요? 내가 가진 건 당신의 사랑이 전부인데."

"참으로 감동적인 고백이군요."

호텔의 샹들리에 아래를 걸으며 리히튼이 작게 웃었다. 누가 봐도 고혹적이고 눈부신 미소였지만, 내겐 가당치도 않단 표정으로 느껴질 뿐이다. 일렬로 늘어서서 허리를 숙인 호텔리어의 수는 수십 걸음을 반복해도 끝나지 않았다. 역시 잉고르드의 리히튼이구나. 국경지대라고 해서 그의 위엄이 약해지지는 않았다. 우리가 오른 엘리베이터는 호텔의 최상층으로 향했다.

"킨은 오늘 하루 네 방 앞에서 대기할 거다. 무슨 일이 생기면 소리 질러서 그를 불러. 멍청하게 혼자 해결하겠단 생각은 일절 말아."

"주인… 당신은요?"

"제정신이 박힌 놈이라면 감히 내 방에 침입할 생각은 안 하겠지."

우리의 걸음은 가장 안쪽의 방문 앞에서 멈췄다.

"베아트리체."

"네."

몸을 돌린 그가 나와 시선을 맞췄다. 지금 이 순간, 눈앞의 남자는 호텔 앞에서 사랑을 속삭이던 리히튼 공작이 아니었다. 내 목줄을 지닌 잉고르드의 주인이자, 공작 리히튼이었다.

달칵.

그가 막 입을 열려던 순간, 등 뒤에서 부드럽게 문이 밀리는 소리가 들렸다. 리히튼의 유리알 같은 눈동자가 내 뒤편으로 향했다. 이렇게 커다란 호텔을 그와 나만이 사용할 리 없지. 얼굴 모를 방문객의 발걸음이 점차 멀어져 간다.

"안타깝게도 오늘은 선약이 많아, 그대와 함께 도심을 구경하지 못할 것 같습니다."

예의 낯선 이를 경계하는 어투에, 나 역시 방긋 웃어 주며 대꾸했다.

"저도 오늘은 푹 쉬고 잠들 생각이에요. 그래야 연회를 후회 없이 즐길 수 있지 않겠어요? 오늘 하루는 내가 미친 듯이 보고 싶어도 참아요, 리히튼."

그는 마지막 인사라도 하듯, 날 부드럽게 품 안으로 이끌었다. 전신으로 느껴지는 리히튼의 온기는 한파가 휩쓸고 간 것보다 훨씬 더 차갑고 서늘했다.

"그렇다면 딱 한마디만 하도록 하지요. 내 울타리 안에서 멀리 벗어나도 됩니다, 베아트리체."

대수롭지 않은 척하려 해도 딱딱하게 경직된 입매가 느껴진다. 이윽고 리히튼이 가진 것 중 가장 따뜻한 체온이 내 귓가에 닿았다. 그러니까, 그의 입술이.

"영원히 자유로울 자신이 있다면."

"…그런, 서운한 말하지 마세요. 그럴 생각 없어요. 내가 가기는 어딜 간다고."

"내가 없더라도 좋은 밤 보내기를."

경고를 담은, 무덤덤하면서도 살벌한 청회색 눈동자가 오롯이 내 얼굴을 향했다. 아니, 오히려 그는 내게 도망치라 종용하고 있을 수도. 몰이사냥을 즐기는 리히튼의 성정을 고려하면 오히려 그게 더 어울렸다. 나는 리히튼의 바람대로 얌전히 방에 들어갔다. 잉고르드의 공작이 예약한 방답게 실내는 마치 또 다른 성을 방문한 듯 호화로웠다. 내부를 둘러보고 서재에 배치된 서적을 읽는 동안 시간은 빠르게 흘렀다. 근래에 내가 이렇게 여유로웠던 적이 있었던가? 꿈꾸는 것처럼 현실감이 없었다.

우스운 일이었으나, 나는 리히튼을 기다리고 있었다. 선약이 쌓였단 소릴 듣고도 은연중 그가 날 찾아올 거라 여겼기 때문이다.

'주인 기다리는 개새끼도 아니고.'

자괴감이 느껴지지 않는 걸 보면 이미 익숙해질 만큼 익숙해진 모양이었다. 어느 순간부터는 나도 모르게 깜빡 잠들었던 것 같다. 베일도 채 벗지 못한 상태였다.

그리고 불청객은 자정이 훌쩍 넘은 시간에 찾아왔다.

"읏!"

"쉬이. 조용히."

잉고르드 독에 중독된 후, 나는 단 하루도 숙면을 취한 적이 없었다. 온몸을 감도는 한기와 예민해진 감각은 나의 정신을 깊은 잠의 수렁에서 헤어나도록 했다. 죽음이야말로 진정한 휴식이라 생각될 만큼 고단한 시간이었지. 그러나 오늘만큼은 변한 체질에 감사함을 느꼈다.

"지금부터 입도 뻥긋하지 마. 숨소리라도 내면 평생 경험하지 못할 고통이 무엇인지 맛보게 해 주지."

복면을 두른 남자가 단도를 들어 내 목을 위협했다. 침대 위에 바짝 엎드리며 베일 아래의 얼굴을 미친 듯이 주억였다. 이미 인기척이 들린 순간부터 베개 아래의 단도를 움켜쥔 상태였다. 생에 두 번째로 느끼는 생명의 위협. 기이하게도 공포보다는 놀라움이 먼저 들었다. 왜 이렇게 마음이 평온할까? 리히튼이라는 악마 옆에서 몇 달을 버틴 결과로 봐야 하나.

"지금부터 묻는 말에만 고개를 젓거나, 끄덕인다."

"읍… 흑…."

"질질 짜는 건가? 왕족의 자존심이고 뭐고 다 갖다 팔았군. 걱정 말라고, 고귀하신 아가씨. 조용히 군다면 아픔은 없을 테니까."

덤덤한 심리와 반대로 양쪽 눈에서는 눈물이 쉴 새 없이 흘렀다. 새삼 베일을 쓰고 잠든 것이 천만다행이라 생각했다. 무표정으로 눈물만 줄줄 흘리면 누가 봐도 수상해 보일 테니까.

"혹시 모르니 미리 말해 두지. 나에게는 네 말의 진위를 알 수 있는 마도구가 있으니, 되도록 사실만 고하는 편이 좋을 거다."

베르크네는 말했다. 겁먹고 유약한 여인 앞에서 경계를 풀지 않을 남자는 없다고. 그리고 내게 주어진 기회는… 상대가 긴장을 푸는 그 순간이 전부일 거라고.

"리히튼 공작에게 협박을 당하고 있다면 고개를 끄덕여라."

나는 곧장 고개를 주억였다. 협박? 장담하는데 침입자는 내가 어떤 취급을 받으며 명줄을 유지하는지 모를 것이다. 얼마 지나지 않아 목선을 타고 떨어진 눈물이 침입자의 손등에 닿는 것이 느껴졌다. 지금의 내 몸은 순도 높은 잉고르드의 독 그 자체. 눈물이라고 해서 다를 바 없다.

"사실이군…. 역시 그분의 말씀이 옳았던 건가."

치이익.

곧 남자의 손등에서 살갗이 타는 냄새가 나기 시작했다. 창밖에서 투과된 달빛에 침입자의 일그러진 이마가 보였다.

"이게 무슨…?"

목을 짓누르고 있던 힘이 허술해짐을 느꼈다. 침착하자. 베르크네가 말한 것처럼 기회는 한 번밖에 없어. 그렇게 팽팽했던 긴장이 순식간에 무너지고, 베개 밑의 단도를 손에 쥔 순간.

"손을 거둬라, 젠."

멀지 않은 곳에서 낮게 읊조리는 음성이 들려왔다. 허공에 흩어질 만큼 고요하고 작은 울림이었으나, 이상하리만치 선명하게 꽂히는 목소리였다. 그 한마디에 내 목을 압박하고 있던 검날이 자취를 감췄다.

“무례를 용서하십시오, 베아트리체 왕녀. 진실과 거짓을 구분하기 위해서는 어쩔 수 없었습니다.”

떨어지는 은하수 빛 아래로 남자가 걸어들어 왔다. 인뜻 갈색으로 착각할 만큼 짧고 짙은 금발에 또렷한 붉은색 눈동자. 리히튼이 스치기만 해도 몸이 덜덜 떨리는 냉기의 소유자라면, 눈앞의 남자는 반대였다. 남자는 나와 리히튼에게선 눈 씻고 찾아볼 수 없는 선명한 생동감을 온몸에 두르고 있었다. 하나에서 둘로 늘어나 버리다니. 반응 없이 어깨를 부르르 떨고 있자, 그가 다시 입을 열었다.

“진정하시길. 왕녀를 해할 마음은 전혀 없었습니다.”

진심을 다해 사죄하는 눈빛과 멀찍이 떨어져 날 진정시키려는 행동. 남자의 번지르르한 외양과 태도 모두 범인이라 여기기에는 넘치는 감이 있었다. 무엇보다 날 위협한 침입자를 말 한마디로 쫓아내지 않았는가?

“우리는 당신을 구하러 왔습니다.”

“구해? 뻔뻔한 소릴 아무렇지 않게 지껄이는군. 구하는 게 아니라 죽이려고 왔겠지. 지금 당장 나가지 않는다면 소리를 지르겠어.”

킨은 대체 어디서 뭘 하기에 여태 감감무소식인가. 소리치기 위해 여러 번 입을 벌렸으나, 쉬이 고성이 튀어나오지 못했다. 구하러 왔다는 남자의 말이 내 목구멍에 모래를 쑤셔 넣고 있었다. 혹시나 하는 마음에 수개월이 지나도록 못 버리고 있던 바람이었다.

“우리는 아주 오랫동안 잉고르드를 눈여겨 왔습니다. 리히튼 공작의 사상, 행보, 그의 최측근과 정부의 출신까지. 그를 둘러싼 모든 것을 감시해 왔지요.”

"그렌페르크의 정쟁 같은 건 내 알 바 아니야."

"아니요. 당신이 그와 함께 움직이는 이상 남의 일이 될 수 없습니다. 특히 왕녀처럼 아무런 기조도 없이, 어느 날 돌연 나타난 존재라면 더욱더."

"그래서 이번에는 날 감시하러 왔다는 건가? 지금 그의 정부가 바로 나이니까?"

아무렇지 않은 얼굴로 제 할 말을 하는 것을 보면, 남자 역시 내가 소리치지 않으리란 걸 눈치챈 듯싶었다. 리히튼에게는 이제껏 대체 몇 명의 여자가 있었던 걸까. 충분히 예상한 일임에도 기분이 미약하게 가라앉았다. 남자는 진중한 얼굴로 고개를 저었다.

"감히 그 누가 왕녀에게 정부라는 호칭을 붙일 수 있겠습니까?"

"하. 마음에도 없는 소리는 필요 없어. 사실이라면 무슨 변명이라도 해 보지 그래? 이 야심한 시각에, 케일 왕국의 왕녀인 이 몸의 침실을 급습한 이유가 무엇이란 말인가?"

"리히튼 공작이 우리의 적이기 때문입니다."

리히튼 공작의 적. 그 짧고 강렬한 문장에 윤곽만 잡혔던 남자의 얼굴이 더 자세히 눈에 들어왔다. 곧고 반듯하지만 날카롭지 않고 부드럽게 떨어지는 콧대. 단단하고 또렷한 턱선이 눈에 띄었다. 무엇보다 무게감 있으면서도 선한 분위기가 인상적이다. 다만 그 분위기를 짙은 적색 눈동자가 더 강렬하게 받쳐 주고 있었다.

'그분이라면 마땅히 충성을 바쳐도 모자람 없는 분이오.'

'쇠락하는 그렌페르크 제국의 유일한 희망!'

책 속의 구절이 떠오르는 동시에, 머릿속을 가리고 있던 암막이 거두어졌다.

"빌힐름."

남자는 『태양이 흐르는 강』의 주인공이자, 그렌페르크 제국의 황자였다.

리히튼이 홀로 먹이를 모는 포식자라면 이 남자는 무리를 이끌어 가는 우두머리였다. 어느 쪽이든 마주하는 내 상황이 최악이란 건 달라지지 않지만.

본능적으로 뱉어낸 이름에 침대 옆에 서 있던 복면의 남자가 다시 검을 빼 들었다.

"왕녀. 당신이 우리 제국의 상황을 어디까지 알고 있는지는 모르겠으나, 가능한 제 이름은 입에 담지 마십시오. 당신이 위험해지니까요."

빌힐름은 남자를 제지시키며 아주 차분한 어조로 내게 경고했고, 동시에 제안했다.

"우리는 당신이 필요합니다, 베아트리체 왕녀."

"내가 그쪽의 무얼 믿고?"

"우린 이미 리히튼 공작에게 억류된 가신들을 여럿 구한 적 있습니다. 지금도 그들은 우리의 보호 아래 자유를 누리며 살고 있지요."

"그 말도 거짓이면?"

"어차피 왕녀의 상황에서는 밑져야 본전일 텐데요. 공작의 잔혹함은 겪어봐서 알 것 아닙니까."

"당신을 돕다가는 그 잔혹함을 내가 겪게 되겠지."

"그럴 일은 없을 겁니다. 우리를 도와준다고 약속만 한다면, 당장 내일 연회에서 왕녀를 데려갈 생각입니다. 공작의 손이 뻗치지 않는 안전한 곳으로."

이상했다. 실제 소설에서는 빌힐름이 이렇게 적극적으로 리히튼을 견제하지 않았다. 제국에 피바람이 부는 것은 지금으로부터 몇 년이 더 흘러야 한다. 한데 이런 식의 전개는… 다른 빙의자들의 개입 없이는 일어날 수 없는 일 아닌가. 머리가 아팠다.

"지금 당장 답을 요구하는 건 아니니, 걱정하지 마십시오. 충분히 심사숙고해야 할 일임을 알고 있으니까요. 내일 연회에서 기다리겠습니다."

그는 내 대답을 듣지도 않고 반쯤 열린 테라스의 창문 너머로 몸을 던졌다. 마치 어떤 선택을 할지 이미 알고 있다는 듯 망설임 없는 움직임이었다. 그때, 침실의 문이 거칠게 열렸다. 이제 막 사라진 빌힐름을 따라 걸음을 옮기던 자가 제자리에 멈춰 섰다. 나 역시 반사적으로 벌떡 일어서 열린 문 쪽을 바라봤다.

"빌힐름의 개새끼들은 경우도, 때도 없이 몰려들기 바쁘지."

방문자는 다름 아닌 킨이었다. 감정 없이 파리한 얼굴을 확인하자, 기억한 구석 구겨 놓았던 트리비아체에서의 그날이 수면으로 떠올랐다. 그래, 그때도 저 눈이었지. 킨은 평소 마주해 온 낯과 비교도 안 될 정도로 살벌한 분위기였다. 그는 남자가 빌힐름의 사람임을 아는 듯했다. 그렇다면 이들이 날 회유하려 한 사실 역시 알고 있을 수 있다. 리히튼이 의심할지도 몰라. 나는 본능적으로 베개 아래에서 쥐고 있던 단도를 휘둘렀다.

"큭!"

당황한 복면인이 검을 빼는 것보다 킨의 발길질이 더 빨랐다. 심문도 뭐도 없었다. 킨은 아주 능숙한 움직임으로 남자의 목을 그었다. 분수처럼 튀어 오르는 핏물과 함께 카펫이 붉게 물들어 가기 시작했다.

내가 찔렀어. 내가 사람을 찔렀다.

"하아, 하아…."

"초보치고는 꽤 강단 있는 결정이었어. 칭찬해 주지, 수잔."

공교롭지만 전혀 즐겁지 않은 칭찬이다. 정말로, 내가 이 남자를 찌른 거야. 손바닥에 감겨 오던 심장박동은 딱딱하게 굳은 시체를 찔렀던 것과 차원이 다른 감각이었다. 나는 손끝에 생생한 기억을 지우기 위해 아무렇게나 입을 열었다.

"어떻게, 어떻게 알고 온 거야?"

"각하의 방에서 소란스러운 소리가 들렸으니까."

킨은 침대 위의 이불을 끌어모아 내 머리와 어깨를 덮었다.

"그게 내 방을 들어온 거랑 무슨 상관인데?"

"쯧. 오늘도 변함없이 멍청하구나, 수잔. 그걸 내가 일일이 설명해 줘야 하다니. 각하께서 습관처럼 하시는 말이 하나 있지. 세상에 잉고르드의 주인을 직접적으로 노릴 만큼 무지한 놈들은 없다고. 그러니 각하에게 초대하지 않은 방문자가 있다는 건… 굳이 말하지 않아도 알아들었겠지?"

그들의 진짜 목표는 나였다는 소리다. 베르크네의 말이 맞았다. 사람 찌르는 기술 같은 건 시간 낭비인 줄 알았는데, 어떻게 해서든 쓸모가 생기는구나. 표현하기 힘든 황망함이 전신을 덮쳤다.

정신을 차리니, 어느새 그의 손에 이끌려 복도를 거닐고 있었다. 킨은 반대편 복도 끝의 또 다른 방으로 들어갔다. 구조가 조금 다르다는 것 빼곤 내게 주어졌던 방과 똑같은 크기였다. 그는 나를 가장 안쪽의 침대로 내던졌고, 옆 침대의 이불까지 전부 모아 내 몸을 덮었다.

"지금 뭐 하는 거야?"

"역시 너는 못 미더워. 내가 방을 지킬 테니 입 닥치고 잠이나 자라."

"자라고? 여기서?"

"네 임무는 오늘보다 내일이 더 중요해. 밤을 꼬박 새서 일을 그르칠 생각은 아니겠지."

"말은 참 쉽구나. 누구는 살면서 처음으로 사람을 찔렀는데…."

"이제 그만 받아들이지 그래?"

까칠한 어조와 함께, 킨이 발버둥 치며 일어난 내 몸을 다시 침대 위로 내리눌렀다. 고작 한 뼘의 거리를 두고 우리는 서로를 노려봤다. 늘 봐 오던 신경질적이고 가벼운 얼굴이 아니었다. 음성에도 조롱보다는 진중함이 더 짙게 깔려 있었다.

"전혀, 놀라울 정도로 아무렇지 않잖아."

나는 조용히 숨만 내쉬었다.

"처음 봤을 때부터 그랬지. 트리비아체에서 말이야… 수잔, 너는 이상할 정도로 침착해. 겁을 먹으면 입술을 덜덜 떨지만 그것도 아주 잠시의 일 아닌가? 네게 타인의 죽음이란 이용할 수 있는 것과 이용할 수 없는 것으로 나뉠 뿐이야. 아닌 척해도 내게는 보여. 음습하기로는 베르크네 씨보다 한 수 위로군."

"함부로 말하지 마. 누구든 절벽에 내몰리면 나처럼 변하기 마련이야."

"글쎄… 과연 그럴까? 예의 보통 사람 노릇은 그만 둬. 넌 처음부터 우리와 같은 존재였어. 각하께서 그 본능을 일깨워 주셨을 뿐."

그 말에 갑자기 정수리로 열이 확 뻗쳤다.

"닥쳐, 네가 나에 대해 뭘 안다고 떠들어? 산수도 제대로 못하는 깡통 머저리가!"

"다 선배의 조언이니 감사하게… 윽!"

쓸데없는 소릴 더 떠들기 전에 그의 어깨를 깨물었다. 인정사정없이 고기 씹듯 물어 버린 탓인지, 킨이 재빠르게 몸을 일으켰다. 재수 없게 누가 누굴 가르치고 난리야? 킨보다는 뒷골목 떠돌이 개에게 한 수 배우는 것이 더 유익할 것이다.

"하… 각하께 주인님, 주인님 거리더니 정말 개새끼 다 됐군."

"알았으면 좀 꺼져 줘, 킨. 그 수다쟁이 혀를 씹어서 다 녹여 버리기 전에."

위협이 채 끝나기도 전에 신경질적으로 걸음을 옮긴 킨이 쾅 소리를 내며 문을 닫았다. 나는 굳게 닫힌 문을 노려보다가 천천히 입가를 쓸었다.

퍽 근래에 알게 된 정보였는데, 잉고르드에서 독에 완전히 감염된 존재는 나와 베르크네밖에 없었다. 잉고르드에서 평생 살아야 하느니 뭐니 떠든 주제에 킨은 독의 정체만 알 뿐 그 힘과 완전히 무관했다. 이는 억지로 입을 맞추거나 내 피를 먹이면 혀와 입천장을 다 녹여 버릴 수 있단 의미였다.

"물에 피라도 타서 먹여야 하나. 그럼 며칠 간은 조용할 텐데."

내가 처음부터 너희와 같은 존재였다고? 코웃음도 나오지 않는 헛소리였다. 애초에 난 이 소설 속 인물도 아니었어. 책 속으로 들어오기 전까지만 해도 나는, 나는.

…나는 어떤 사람이었더라? 머릿속의 등불이 훅 꺼지면서 암전이 찾아왔다.

'됐어. 중요한 일도 아니니 나중에 생각하면 돼.'

피곤해서 그런 거야. 두통이 이는 고민을 포기하고 몸을 구부려 누웠다.

"왜 이렇게 조용하지."

마치 심해에 잠긴 것처럼. 빌힐름이 날, 아니 베아트리체를 만나러 왔다는 걸 리히튼이 모를 리 없었다. 그런데도 왜 찾아와 닦달하지 않는 걸까. 숨어든 빌힐름의 잔당을 심문하기 바빠서? 별일 아니라 여기기 때문에? 나는 개에 불과하니까?

'제국을 달라면 주고 하늘을 무너뜨리라면 무너뜨리겠어. 대신, 빌힐름을 선택해선 안 돼.'

그럴 리가 없다. 내게 그를 선택하지 말라며 신신당부를 했는데. 역시 저 방에 숨어든 자를 고문하느라 바쁜 것일 터였다. 얼마나 고통스러울까. 나는 들려오지 않는 비명을 상상하며 눈을 감았다.

"전하."

벌써 다섯 번째 부름이었다. 안절부절못하던 시녀가 식은땀을 뻘뻘 흘리며 내 옆으로 다가왔다. 반복된 말로 혹여 날 기분 상하게 하지는 않을까, 무척이나 조심스러운 움직임이었다.

"여섯 시 십칠 분입니다."

"네가 뭘 모르는구나. 약속 시간에 맞춰 나가는 일이 얼마나 촌스러운 일인데."

"각하께서 기다리고 계십니다, 왕녀 전하."

"사랑하는 이를 기다리는 시간만큼 즐거운 때가 어디 있겠느냐? 이제 곧 나갈 테니 그만 재촉하렴."

베아트리체 놀이는 생각보다 꽤, 아니 상당히 즐거웠다. 메인 홀에서 날 이십 분 가까이 기다리고 있을 리히튼을 생각하면 입가에 저절로 미소가 피었다. 이럴 때가 아니면 언제 그를 골려 보겠는가. 나는 정확히 삼십 분을 채운 후 몸을 일으켰다. 베일로 얼굴을 가린 만큼 시종의 도움을 받아 걸음을 이어야 했다. 해가 지는 시간대의 호텔은 휘황찬란한 샹들리에로 곳곳이 환했다.

"리히튼!"

아. 공교롭게도, 곧장 그에게 뛰어들 수가 없었다. 나를 기다리고 있던 남자가 눈을 마주치기 어려울 정도로 고고한 신사였던 탓이었다. 가벼운 실내복이나 피 묻은 셔츠만 보아 온 내게 그의 격식 차린 모습은 너무나도 낯선 풍경이었다.

창백한 안색과 그보다 더 하얀 백금발. 더해서 호수 위에 낮게 깔린 안개 같은 눈동자 색이 그를 비현실적으로 돋보이게 했다. 이 세상에 존재하는 모든 이목이 그에게로만 쏠리는 착각이 들었다. 저 아름다운 얼굴로 정적의 가슴에 칼을 꽂겠지. 나는 한 박자 늦게 리히튼의 앞에 섰다.

"아름답군요."

그건 내가 해야 할 말 같은데. 우리는 나란히 호텔의 홀을 걸었다.

"조금 늦었다고 화내는 건 아니겠죠? 미안해요, 조금이라도 더 완벽하게 보이고 싶은 마음에."

"애타기는 하더군."

"어머, 애탔어요? 내가 나오질 않아서?"

"그대는 존재 자체만으로도 날 애타게 만들지. 그걸 알고서 날 괴롭히니, 왕녀는 참으로 고약한 분이십니다."

진심이라고는 털끝만큼도 느껴지지 않는 어투였다. 그러면서 낯간지러운 말은 잘도 하는 게 참 아이러니하다.

"사람은 누구나 확인받고 싶어 하잖아요. 나의 연인이 내게 진심인지, 나에게 얼마나 안달이 나는지."

"확인받으면 내면의 욕구라도 충족되는 모양이로군요."

"마음 한구석이 아주 풍족해지지요. 아, 나는 이 사람에게 사랑받고 있구나. 우리는 서로 사랑하는구나, 하는 안도감에 말이에요."

말은 그럴싸해도 못 느낀 지 오래되어, 이제는 헛것처럼 다가오는 감정이었다. 트리비아체에선 이 세상에 적응하기 바빴고, 잉고르드에 온 이후에는 내 몸 하나 간수하기 바빴다. 몸에 독을 품게 된 것으로 모자라 어제는 사람까지 찔렀지. 이런 내가 누군가를 사랑하는 날이 오기는 할까. 사랑하기는커녕 받을 날도 영영 오지 않을 것 같았다.

홀 중앙에 가까워질수록 사람은 점점 늘어났다. 그들 중 대부분은 연회에 참석하는 귀족이라, 하나같이 공작새처럼 화려하게 치장한 모습이었다.

"왕녀의 마음이 일방적이라면?"

대뜸 날 향한 물음에 리히튼에게로 고개를 돌렸다. 그의 시선이 베일의 촘촘한 틈으로 파고들어, 내 얼굴을 하나하나 뜯어 살폈다.

"당신은 과연 일방적인 사랑에 지쳐 굴복하는 사람일지, 아닐지 궁금하군요."

"굴복? 포기할 거냐는 물음인가요? 글쎄… 그런 고민은 필요 없을 것 같네요. 내게는 영원한 사랑 리히튼이 있으니까?"

"모범 답안이로군."

"리히튼은요? 리히튼은 일방적인 마음에 굴복하는 남자인가요?"

"물을 필요가 있나 싶습니다. 내게도 영원한 사랑은 당신밖에 없는데."

그의 대답은 더 생각할 가치도 없다는 듯 자연스러웠다.

"보통 사람은 연인이 있는 이의 옆자리를 탐내지 않죠. 당신도 상대방의 옆자리에 이미 누군가 있다면, 혹은 없더라도 절대 당신의 것이 될 수 없다면. 다른 사람들처럼 포기할 건가요?"

"가져야지. 어떻게 해서든."

착각이었을까. 리히튼의 음성에는 미세한 한숨이 깃들어 있었다.

"그리고 길들여야겠지, 어떻게 해서든 말입니다."

누가 될지는 몰라도 리히튼의 사랑을 받게 될 여자는 여러모로 피곤해질 게 뻔했다. 피곤한 것으로 끝날까. 어쩌면 지옥으로 추락하는 게 더 나을 수도.

잉고르드의 마차는 호텔 앞, 가장 가깝고 넓은 자리를 차지하고 있었다. 남들처럼 이러저러한 대화에 바빴던 우리는 마차에 오른 즉시 입을 닫았다. 누가 먼저랄 것도 없이 실내는 숨 막힐 정도로 고요해졌다. 어제 빌힐름이 찾아온 걸 아냐고 물어볼까? 그 생각만 몇 분을 했는지 모르겠다. 얼마나 긴 고민이었으면 결론을 내리기도 전에 목적지에 도착할 정도였다. 연회가 열리는 크로허츠의 저택은 어두워지는 하늘 아래에서 화려하게 빛났다.

"제가 황자 외에 조심해야 할 사람이 또 있을까요."

마차에 내린 직후, 꽃향기 그윽한 연회장 입구를 거닐며 속삭였다. 개미조차 듣지 못할 아주 작은 목소리로.

"황자 측 인물들."

"여인 중에서는요?"

"어차피 내일이면 멀어질 텐데, 무얼 그리 걱정하는 거지?"

"실수하면 안 되니까요."

"그런 자세로도 충분해. 조심하되 겁먹을 건 없어. 너는 내 연인 자격으로 함께하는 거니까."

리히튼 잉고르드의 연인이니 마음 편히 있으란 건가. 역시 대단한 자신감이었다. 하늘이 흐릿해진 탓에 리히튼 옆으로 더 바짝 붙어 걸어야 했다. 베일을 쓰면 이런 점이 번거롭다. 그렌페르크 제국에선 보편적인 차림도 아닌 터라, 주변의 시선이 더 노골적이었다.

"리히튼 잉고르드 각하와 베아트리체 아덴로지아 케일 왕녀 전하 입장하십니다!"

우렁찬 외침과 함께 문이 열렸다. 시끌벅적했던 분위기가 잠시나마 조용하게 가라앉는다.

"아."

귀족들의 연회는 이런 풍경이구나. 천장에 걸린 샹들리에는 눈이 아플 만큼 환했고, 이리저리 뒤섞인 향수가 확 풍겨왔다. 구애하는 새처럼 화려하게 치장한 남녀가 곳곳에 즐비했다. 그들이 몸에 건 보석과 천은 평민 입장에서 구경조차 하기 힘든 물건들이었다. 테이블을 장식하는 꽃 역시 온실에서나 구해올 수 있는 값비싼 꽃이다. 주방에 앉아 하녀들과 차만 마셨던 내겐 낯설 수밖에 없는 세상이었다.

"당신의 역할을 잊지 마십시오, 왕녀."

"리히튼을 열렬히 사랑하는 역할 말이죠? 그거라면 걱정하지 마세요."

계단을 천천히 내려가는 동안, 이곳저곳에서 작게 속삭이는 목소리가 들려왔다. 독으로 인해 오감이 예민해지지 않았다면 절대 알아차릴 수 없을 속삭임이었다.

"케일? 흐응. 설마 남쪽에 있는 그 작은 왕국?"

"한데 얼굴에 큰 흉터라도 있는 걸까요. 베일을 쓰고 계시는군요."

"왕가의 여성이 바깥 활동에서 베일을 쓰는 건 케일 왕국의 전통이에요.

우리 입장에선 아주 고리타분한 전통이죠. 촌뜨기인 왕녀에겐 또 어떨지 모르겠네."

"대단하신 리히튼 공작 각하. 이젠 하다하다 외국 여성까지 들이셨군."

"난 보름에 걸지."

"너무 안전하게 가시는 거 아니에요, 백작님? 그럼 난 이틀에 걸겠어요."

베아트리체의 출신이 남쪽에 위치한 작은 왕국이라 그런 걸까. 반응은 호의나 적의보다 무시에 가까웠다. 그래, 이런 느낌이란 말이지. 귀족들은 리히튼을, 아니 그 옆에 선 나를 마치 철창 속 신비의 동물이라도 보는 양 유심히 살폈다. 몇몇은 얇은 베일 속의 얼굴을 보기 위해 안간힘을 쓰기도 했다.

"각하."

잉고르드 가문은 그렌페르크 제국의 개국공신이면서 제국에서 가장 넓은 땅과 호화로운 재산을 소유한 가문이다. 부, 명예, 권력. 무엇 하나 부족함이 없는 가문인 만큼 사방에서 사람들이 몰렸다. 땅 위에 핀 단 한 송이 꽃에 몰려든 꿀벌들처럼.

"귀하신 분과 인사를 나누어도 될는지요."

빌힐름 시점에서 서술되는 리히튼은 제국에서 가장 잔혹한 악마다. 그러나 그런 모습은 어디까지나 정적에게만 보이는 숨겨진 내막에 가까웠다. 『태양이 흐르는 강』 속 연회장에서 묘사되는 리히튼은 늘 사람들 사이에 둘러싸인 인기인이었다. 학살자라는 그의 이명에 상반되게도, 리히튼을 따르는 귀족은 그렌페르크 제국에 널려 있었다. 당장 내 옆에 선 그의 표정만 해도 잉고르드에서와 달리 여유가 흘러 넘쳤다.

"그래도 되겠습니까, 왕녀?"

"물론이죠. 저야말로 리히튼의 친우들과 한시라도 빨리 즐거운 대화를 나누고 싶은 걸요. 나는 케일 왕국에서 온 베아트리체예요. 따분하게 왕녀 취급할 필욘 없답니다."

어디서 많이 본 얼굴의 남자가 내 손등에 입을 맞추었다.

"저는 콜린 가문의 쳄벨입니다. 제국어가 놀랍도록 유창하셔서 깜짝 놀랐습니다."

"이 정도야 왕족의 기본 소양이죠. 만나서 반가워요, 쳄벨 자작."

누군가 했더니 그 쳄벨 자작이었다. 내게 서신을 날렸다고 했지. 리히튼이 회수해 갔다던 소식이 그 서신의 마지막 행방이었던 게 기억났다. 리히튼의 옆자리는 생각했던 것보다 훨씬 더 지루했다. 대화의 반은 연회장에 대한 소감이었고, 나머지 반은 뒷담화였다. 그리고 종종 튀어나오는 리히튼을 향한 무한한 찬양까지. 나는 그의 옆에서 인형처럼 서 있기만 했다.

"목소리만 들어도 얼마나 아름다운 외모를 지니셨을지 상상이 갑니다."

내 베일을 향한 아쉬운 소리 또한 시도 때도 없이 터졌다. 이거 미안해서 어쩌지. 베일 아래의 얼굴은 경국지색이 아닌, 시체처럼 창백한 낯의 천박한 하녀인데.

"각하. 잠시 드릴 말씀이…."

"그러지. 왕녀, 잠시 자리를 비워도 되겠습니까?"

예정된 물음에 나는 밝은 미소로 고개를 주억였다.

"물론이에요. 이곳은 화려하고 시끄러워서 혼자 놀기에도 부족함이 없어 보이네요."

"문제가 생기면 언제든지 부르시길."

가볍게 껴안은 그가 한 늙은 귀족과 함께 자리를 떴다. 리히튼이 사라지자 내 주변은 마치 보이지 않은 벽이라도 세워진 듯 텅 비었다. 물론 줄어든 관심과 달리 은근슬쩍 훑는 시선은 여전했다. 아는 이라고는 단 한 명도 없는 새로운 세계. 리히튼은 내가 여기서 무얼 해도 상관없다고 했다. 그렇다면….

"미안한데, 저 적색 머리칼의 여성이 누구인지 물어봐도 되나요?"

조심스레 다가가 말을 트자, 둥그렇게 모여 한참 웃기 바빴던 귀부인들이 고개를 들었다. 아름답고 청초한 꽃송이들. 똑같은 사람임에도 잉고르드의 고용인들과는 너무나 다른 분위기였다. 귀부인들은 탐탁잖은 시선으로 내가 가리킨 방향을 응시했다. 그곳에는 독보적인 존재감을 뿜는, 열화처럼 붉고 뜨거운 적색 머리칼의 여인이 서 있었다. 나는 입술 위로 가려진 얼굴에 대한 위화감을 줄이기 위해 더 밝게 웃어 보였다.

"이곳과는 이질적으로 다른 분위기의 여인이라서요. 보아하니 외국인이라기보다는…."

귀부인들의 눈동자에는 경계가 가득했지만, 다행히 매정하게 등을 돌리진 않았다.

"실례가 될까 싶어 함부로 입을 열지 못하겠네. 왜, 저희 아버지께서 총애하던 귀부인이 저런 분위기였거든요. 눈에 띌 정도로 화려한 단색 드레스에, 천장까지 닿을 것 같은 모자 깃까지."

그다지 대단한 거짓말도 아니었는데 냉랭했던 분위기가 조금이나마 부드럽게 풀렸다.

"어머. 혹시 제가 뭣도 모르고 입방정을 떤 거라면…."

"쟈스민 백작 부인이어요."

"폐하의 정부죠. 그것도 아주 천박한 뒷골목 땅바닥 출신의."

리히튼이 준 연회 참석인 리스트 속 묘사와 완벽하게 들어맞는 여자라 했더니, 예상했던 인물이 맞았다. 쟈스민 부인은 우리가 훔쳐보고 있단 것도 모르는 채 옆의 시종을 신경질적으로 밀어냈다. 나는 그녀에게서 시선을 떼지 않으며 물었다.

"혹시 황제 폐하의 아이를…?"

내 기억이 맞다면, 쟈스민 백작 부인은 황제의 아이를 갖지 않는다. 이 연회의 주인인 크로허츠 후작의 아이라면 모를까. 그 사건을 빌미로 가문이

폭삭 내려앉았던 걸로 기억한다. 어떻게 밝혀졌더라. 크로허츠 가문 대대로 내려오는 목 뒤의 커다란 반점 때문에 밝혀졌었나?

"다들 쉬쉬하지만 결국 그럴 거라 보고 있죠. 하루 종일 침대에 붙잡고 놔주질 않는다던데, 아이가 안 생기고 배기겠어요?"

"예의범절 같은 건 하나도 모르는 천박한 여잘 대체 왜 총애하시는지, 참."

"식탁 앞에선 트림 하느라 바빠, 연회장에선 경박하게 소리 내어 웃느라 바빠. 그 입 안에 든 음식물을 볼 때마다 얼마나 기분이 더럽던지."

눈치를 살피던 귀부인들이 서서히 목소리를 줄였다. 부채를 팔랑거리는 세기가 이전보다 훨씬 강했다.

"흠흠. 뭐어, 그런 이야기들이 있답니다."

"어차피 늘 그러했듯, 한 달도 가지 않아 버려지겠지만. 그때는 배 속의 아이만 불행해지겠지요."

할 말은 다해 놓고서 이제 와 체면을 차린다. 그래도 마냥 어색했던 분위기는 어느 정도 잠잠해진 상태였다. 그들의 표정을 자세히 살피던 나는 작은 목소리로 중얼거렸다. 물론 다 들으라는 의도였다.

"흐음…. 제가 예상했던 것과 좀 다르네요. 크로허츠 후작과 함께 있는 모습을 본 것 같은데."

"네?"

"아니. 확실치는 않아요. 그렌페르크에 오면서 이곳저곳 구경하느라 바빴거든요. 그때 본 남녀를 생각하면 후작과 백작 부인이 떠올라서."

부채로 입을 가린 채 눈을 크게 뜬 귀부인들이 서로에게 눈짓했다. 누구 하나 나서서 진짜냐고 물어보길 바라는 분위기였다. 지어낸 이야기이므로 여기서 더 깊게 파고들면 곤란하다. 나는 화제를 돌리는 척, 진심으로 묻고 싶었던 질문을 던졌다.

"빌힐름 전하께서 그리도 대단하시다던데, 여러모로 눈엣가시겠어요."

그에 주위를 살피던 귀부인 한 명이 낮은 목소리로 입을 열었다. 입에 담기 위험한 말이면 자제해도 될 텐데, 굳이 속삭이는 친절함이란.

"전하께서는 크게 신경 쓰지 않으시지만, 그분의 최측근들은 다르죠. 황성은 이미 후계자 싸움으로 치열한데…."

그럴 일은 없을 것이다. 낳아 봤자 황제의 아이는 아닐 테니까.

"그러나 심성도 능력도 그분에게 견줄 사람은 아무도 없어요."

"옳은 말씀이에요. 빌힐름 전하는 황제가 될 재목이시거든요. 전 모르겠지만, 남편이 그리 말하더라고요."

"가장 중요한 건 얼굴이 완벽하시다는 점이에요."

"오호호! 그럼요, 그게 가장 중요하죠!"

빌힐름의 외모를 언급하는 귀부인들의 얼굴에 대낮의 태양이 떴다.

"한데, 아까 케일에도 비슷한 일이 있다고…."

귀를 쫑긋 세운 여인들이 날 향해 고개를 돌렸다. 단순히 시선을 끌려고 한 소리였는데. 결국 이번에도 있지도 않은 추문을 억지로 지어내 그들의 욕구를 충족시켜야 했다.

홀의 분위기가 무르익어감에 따라 귀부인들이 넘기는 술잔 또한 늘어났다. 어느새 우리는 십년지기라도 된 양 하하호호 웃으며 떠들기에 바빴다. 귀족들의 알고 싶지 않은 사생활들이 마르지 않는 샘물처럼 끊임없이 터져 나왔다. 그러던 중, 테이블 뒤편에 서 카드 게임을 구경하던 그때. 장신의 남자가 내 어깨를 치고 지나가면서 몽롱했던 정신이 제자리를 찾았다.

"아."

"어머나, 괜찮으셔요? 예의 없게 사과도 없이 가버릴 건 뭐람."

"애인에게 차이기라도 했나 보죠."

여인들이 남자의 흉을 대신 봐주는 동안 나는 허리를 숙여 떨어진 물건을 주웠다. 오래되었지만 관리가 잘된 압화 펜던트였다. 남자의 물건인 듯싶어 주위를 둘러봤으나, 펜던트의 주인은 어느새 저 멀리 나아가 있었다.

"잠시만 실례할게요."

한걸음, 한걸음 옮기기가 이렇게 피곤할 줄이야. 술과 마약, 그리고 단 디저트 속에 파묻혀 있던 탓에 머리가 어지러웠다. 나는 정신도 차릴 겸 남자를 따라 사리를 벗어났다. 화려하고 시끄러운 홀과 달리 기나긴 복도에는 정적이 내려앉아 있었다. 몸에 한기가 일 만큼 차갑고 어두운 공간이었다. 한참 동안 샹들리에 아래에 있던 탓일까? 눈앞에 이어지는 길이 유독 더 까맣고 스산했다.

"어젯밤 드린 제의는 생각해 보셨습니까?"

갑작스러운 목소리에 걸음을 멈추고 몸을 돌렸다. 달빛이 떨어지는 창가 앞에, 내 어깨를 치고 멀어졌던 남자가 앉아 있었다.

'하.'

전신에 흐르는 피가 순식간에 식는다. 이런 뻔한 수법에 걸려들 줄이야. 날 기다리고 있던 남자는, 다름 아닌 빌힐름 황자였다.

"누가 들으면 밤 정이라도 든 사이인 줄 알겠네요. 도통 무슨 말씀을 하시는 건지 영 모르겠군요. 저는 그저 물건을 떨어뜨리신 것 같아 돌려 드리려 왔답니다."

나는 방긋 웃으며 붉은 작약이 장식된 펜던트를 보여 줬다.

"본인 물건, 맞죠?"

"예, 맞군요. 감사합니다. 소중한 물건인데 하마터면 영영 잃어버릴 뻔했습니다."

생각보다 더 뻔뻔하네. 창틀에 기대고 있던 몸을 일으켜, 빌힐름이 내게서 펜던트를 받아 갔다. 가벼운 움직임이었으나 눈동자는 여전히 내 베일에 고정된 채였다. 너무나도 나직한 시선이라 천을 뚫고 시선이 마주친 듯한 착각이 들었다.

"다음부터는 조심하세요. 소중한 물건을 함부로 하시면 안 되죠. 그럼 전 이만."

"아시는지 모르겠지만, 베아트리체 왕녀는 십 년 전 혈우병으로 사망했습니다."

이렇게 될 줄 알았다. 그래, 처음부터 펜던트가 어디에 떨어져 있든 무시했어야 했다. 아니지. 정신 차리려고 따라 나온 게 화근이라면 애초에 홀에서 주는 대로 받아 마시면 안 됐다. 등을 반쯤 돌린 채 가만히 서 있자 그가 말을 이었다.

"…라고 알고 있었는데 말입니다. 왕녀께서 몸소 말타에 나타나셔서 얼마나 놀랐는지 모릅니다."

리히튼은 주도면밀한 남자다. 이미 죽은 여자의 이름을 내게 줬을 리 없다. 그리 생각하자 빌힐름의 발언이 진실인지 거짓인지 판단하기가 어려웠다.

"대국의 후계자이셔서 그런가, 초면에 굉장히 무례하시네요. 제가 어떤 대답을 하길 바라시는 건가요? 눈앞에 있는 베아트리체는 움직이는 시체라고? 아니면, 가짜라고?"

"왕녀."

"제국은 다 이런 식인가요? 안면도 없는 이가 무례하게 아는 척하지 않나, 멀쩡한 사람을 시체로 만들지 않나!"

"입 닥쳐."

처음에는 빌힐름에게서 나온 욕지기인가 했다. 하지만 귓가에 들려온 사포처럼 거친 어투와 달리 그의 얼굴은 여전히 진중했다. 얼마 지나지 않아, 내 목 아래로 차가운 쇠붙이가 밀려들어 왔다. 마치 어젯밤처럼.

"감히 저분 앞에서 겁도 없이 날뛰다니. 간사하게 혀 놀리지 말고 네 주제를 알아라."

격양된 감정에 들들 끓는 목소리였다. 나는 갑작스레 등장한 인물이 바라는 대로, 얌전히 입을 닫아 주었다. 정면에서 마주하는 빌힐름의 얼굴은 딱딱하게 경직되어 있었다.

"카인. 검을 물려라."

"제가 어찌 그럴 수 있겠습니까? 젠장, 주군은 너무 안일하십니다. 고작 하루가 지났는데 벌써 잊으신 겁니까? 이 여자가 젠의 등에 검을 꽂아…!"

"왕녀께서는 이미 부인하셨다. 여기서 더 무례하게 군다면 마땅한 대가를 받아야 할 거다."

카인. 누구인지 기억났다. 그는 빌힐름에게 충성을 맹세한 호위 기사였다. 내 목에 검을 들이민 카인의 숨이 점차 거칠어졌다. 그 정의롭고 올곧은 빌힐름이 이런 곳에서 함부로 겁박할 리 없지. 그런 것치곤 어젯밤의 일이 마음에 걸리기는 했지만. 긴장감 속에서 날 향한 위협이 거두어졌다. 소설 속에서도 이와 비슷한 장면이 종종 등장했었다. 빌힐름을 향한 과격한 충성심 때문에, 제멋대로 구는 가신이 하나둘 생겨난 탓이다. 카인 역시 그들 중 하나였다. 잉고르드의 주종 관계에 익숙해진 탓일까. 빌힐름의 허락도 없이 멋대로 행동하는 태도가 마음에 들지 않았다.

"먼 나라까지 와서 이런 취급을 받게 될 줄은 몰랐네요. 지금 많이 불쾌한 상태인데, 이만 돌아가 봐도 될까요?"

이렇게 위험할 때는 되도록 끝까지 잡아떼야 한다. 그러나 상대는 내 바람만큼 녹록치 않았다.

"불편하셨을 왕녀의 심정, 충분히 이해합니다. 그러나 이는 국가의 안전과 직결되는 사안입니다. 왕녀의 신분이 확인되면 즉시 물러나도록 하겠습니다."

개소리하고 있네. 어젯밤 날 회유하기 위해 몰래 침실까지 쳐들어왔으면서. 그냥 끌고 가려는 속셈일 게 분명했다.

"고작 그런 걸…."

나는 허공에 멈춘 혀를 조용히 내렸다. 고작 그런 것에, 황자인 네가 움직이냐 물을 수 없었다. 그런 말을 하면 이제껏 발뺌한 게 다 헛수고가 되지 않는가. 그러나 이대로 끌려간다면 어떤 꼴을 면할지 짐작하기 어렵다. 등줄기를 따라 흐르는 식은땀이 느껴졌다. 지금 당장 리히튼에게로 가야 해. 상황은 내 선에서 마무리하기에 너무나 멀리 와 있었다. 나는 급히 몸을 돌렸다.

"이게 어딜…!"

그러나 그것도 금방 실패하고 말았다. 도망치려는 내 팔을 카인이 잡아챈 것이다.

펄럭이는 베일 아래로 살벌한 카인의 시선과 마주쳤다. 팔 근육이 으스러질 것만 같은 지독한 악력이었다.

"…아그레인?"

동시에 빌힐름에게서 넋이 사라진 음성이 들려왔다. 아그레인… 아그레인이 누구 이름이었지? 아아, 그래. 나도 참 머저리다. 세상에 잊을 게 따로 있지, 아그레인은 내가 차지한 몸의 진정한 이름이잖아.

"그럴 리가. 누이가 어째서 리히튼 공작 옆에…."

한데 그 이름을 빌힐름이 어찌 아는 것일까. 진중하면서 견고한 그의 표정이 와르르 무너졌다. 복도 등불에 일렁이는 적안은 이미 반쯤 이성을 잃은 상태였다. 고작 몇 초 사이에 복도의 공기가 급변했다. 무엇에 홀리기라도 한 양, 허망한 눈빛의 빌힐름이 내게로 손을 뻗었다.

"읏."

도망치려 했으나 안 그래도 강한 카인의 악력이 더욱 세졌다. 커다란 빌힐름의 손이 내 얼굴, 아니 베일을 향해 다가올수록 심장박동 소리 또한 커다랗게 귓등을 울렸다. 발끝에서 올라오는 불안이 순식간에 전신으로 퍼져 갔다. 이 느낌은 대체 뭐지. 리히튼에게서 느꼈던 감정이 원초적인 본능에 의한 공포라면, 빌힐름은 어쩐지 그 반대의 느낌이었다. 학습된 본능에 의한 공포.

'제국을 달라면 제국을 주고, 하늘을 무너뜨리라면 하늘을 무너뜨리마. 대신, 빌힐름만은 선택해선 안 돼.'

그때의 그 리히튼의 목소리가 머릿속을 엉망진창으로 어지럽혔다. 처음에는 왜 그런 대중없는 소릴 하나 했다. 만약, 내 몸의 주인인 아그레인이 리히튼 뿐만 아니라 빌힐름과도 관련된 인물이라면? 하지만 그럴 확률은 지극히 낮았다. 아그레인은 책 속에서 잠깐의 묘사도 없는 먼지 중의 먼지다. 숨겨진 관계는 리히튼만으로 족했다. 흔한 이름인지 아닌지는 모르겠으나 동명이인에 불과할 것이다.

"거기까지."

빌힐름과 나 사이로 끼어든 목소리에 이제 막 베일을 감아쥔 빌힐름의 손이 멈췄다. 『태양이 흐르는 강』의 주인공이라 여기기 힘들던, 이유 모를 욕망과 기대로 물들어 있던 시선이 느리게 이성을 되찾았다. 고막을 터트릴 것 같던 심장 소리가 마법처럼 가라앉기 시작한다. 이윽고 목에 닿았던 검보다 더 차가운 냉기가 내 허리를 끌어당겼다. 살아생전 이 남자에게 고마움을 느끼게 될 줄은 몰랐는데. 뒤통수가 아릴 만큼 시린 감촉이었음에도, 급격한 안도감이 전신을 뒤덮었다. 나는 이 안도감이 몸서리치게 싫었다. 내가 정말 리히튼에게 길들여진 것 같아서.

"설마 이런 음습한 곳에서 왕녀의 베일을 벗기려 할 줄이야. 황자씩이나 되시는 분이 그러셔야겠습니까? 최소한 나라 망신이 되지 않게 체통을 지키셔야지요."

팔을 쥐어짜고 있던 힘이 저 멀리 사라졌다. 나는 욱신거리는 팔을 부여잡고 리히트의 가슴에 머리를 기댔다.

"리히트…. 아아, 이제야 오시면 어떡해요? 너무 두려웠어요!"

으득.

카인에게서 이 가는 소리가 들렸다. 얼마 지나지 않아 허리를 붙잡고 있던 리히트의 손이 떨어졌다. 그는 내내 카인에게 붙잡혀 있던 나의 팔을 아주 조심스럽게 잡아 올렸다. 어깨에 소름이 돋을 정도로 끔찍하리만치 부드러운 손길이었다. 잠시간 온 세상의 시간이 멈춘 것 같았다. 숨도 내쉬기 힘든 무거운 침묵 끝에, 내 팔을 내려놓은 리히트이 말했다.

"설마… 그런 무례를 범하고도 아무렇지 않게 입을 다무시는 겁니까. 제가 아는 빌힐름 전하는 그럴 분이 아니신데 말입니다. 명예와 신뢰를 중시하던 그렌페르크의 황자는 어디로 가신 건지."

리히트의 작은 코웃음 소리는 텅 빈 복도에서 유독 크게 들렸다. 글자로만 접하던 둘의 신경전을 코앞에서 구경하는 날이 오다니. 리히트의 존재감이 워낙 비대한 탓에, 이전까지의 공포감은 씻은 듯이 사라졌다. 대신 그 자리에는 칼로 벼른 듯한 긴장감이 채워졌다.

"무례하시군요. 황자 전하 앞에서 예의를 차리십시오, 공작 각하."

금방이라도 검을 내뺄 표정이 되어, 카인이 리히트을 향해 외쳤다. 책을 보면서 늘 생각했었다. 카인은 왜 자꾸 나서서 분위기를 위험하게 만드는가, 하고 말이다. 마치 지금처럼. 그것도 잔악무도의 원천인 리히트을 눈앞에 두고. 빌힐름은 확실히 호수 같은 포용력의 소유자였다. 카인 같은 자를 내치지 않고 옆에 두는 것을 보면. 하지만 리히트은 아니다.

"그 눈은 장식인가."

리히트은 포용하지 않고 지배하는 남자다. 안 그래도 낮은 음성이 심해로 침전하는 쇳덩이처럼 눈에 띄게 무거워졌다. 그는 나를 등 뒤로 밀고 느릿한 움직임으로 한 발자국 내딛었다.

"빌힐름 전하와 잉고르드 공국의 왕인 내가 대화를 나누는데, 어느 안전이라고 주둥이를 놀리는 거냐. 하긴… 주제파악 못하고 왕녀의 옥체에 손을 댈 정도인데. 대가리가 안 굴러갈 만해."

"전하께서는 제국을 위해서 해야 할 일을 하셨을 뿐입니다."

"장식이 맞았군."

그리고 눈 한 번 깜빡하는 사이에, 장면이 순식간에 뒤바뀌었다.

"컥!"

카인의 신장은 작지 않다. 그러나 그것도 나나 다른 평범한 사람들에게나 해당되는 일이다. 눈에 띄게 큰 신장을 지닌 리히튼 앞에서는 그조차도 한 뼘 이상 차이가 났다. 그러니까, 리히튼이 기다란 팔로 카인의 목을 움켜쥐는 것쯤은 아주 손쉬운 일이었다.

"장식이 맞다고 하니, 가만둘 수 있나. 네 방 장식장에 자랑스레 걸 수 있도록 두 쪽 다 빼 주마. 지금 당장."

리히튼의 목소리는 저녁 식사 메뉴라도 읊듯 건조하며 무덤덤했다. 카인은 그의 팔목을 붙잡고 발악을 했으나, 안타깝게도 리히튼의 팔은 꿈쩍도 하지 않았다. 같은 성인 남자임에도 어떻게 저리 차이날 수 있을까. 심지어 상대는 황자의 호위 기사인데.

"커, 헉."

"아, 고마워할 필요는 없어. 이 정도 마음 씀씀이야 내게는 별것 아니니."

창백해지는 카인의 안색이, 마치 지난날의 나를 보듯 처참했다. 미친놈. 베아트리체 연기를 하느라 이틀간 잠시 잊고 있었던 것 같다. 리히튼은 리히튼이라는 사실을. 제국의 황자 앞에서 그의 호위 기사를 아무렇지 않게 위협하는 존재. 이게 바로 잉고르드 공작의 위치구나. 현시점에서 빌힐름의 세력은 그리 크지 못하다. 소설 속 빌힐름이 왜 그리 고전해야 했는지 다시 한번 깨달을 수 있었다.

"공작. 그만하십시오, 카인의 실수는 내가 대신 사과하겠습니다."

기다렸다는 듯 리히튼이 팔을 거두었다. 그를 마주하는 빌힐름은 생각보다 훨씬 차분했다. 상대와 자신의 차이를 마땅히 받아들이는 얼굴이었다.

"쿨럭, 쿨럭…."

"고의는 아니었습니다. 죄송하다는 말씀밖에 드릴 수가 없군요. 카인, 당장 사죄드려라."

"하아, 큭…. 죄송합니다, 각하. 부디… 용서해 주십시오."

이보다 더 억울할 수 없단 얼굴로, 카인이 허리를 숙였다. 내 팔을 아주 으스러뜨릴 듯 잡더니, 꼴좋네.

"전하. 사과는 제가 아닌 베아트리체 왕녀께 하셔야 하지 않겠습니까."

말과 함께 리히튼이 반쯤 가리고 서 있던 내 시야에서 완전히 물러섰다. 면목 없다는 듯 고개를 푹 숙인 카인 옆, 빌힐름이 조용하게 입을 열었다.

"왕녀, 정말 죄송합니다. 입이 두 개라도 할 말이 없습니다."

"입 발린 사과 따위는 필요 없어요. 내 베일을 벗기려던 파렴치한 남자들이 어디 한둘이었어야죠. 하아. 됐으니 어서 빨리 이곳을 벗어났으면 해요, 리히튼."

빌힐름. 『태양이 흐르는 강』을 읽으면서 늘 응원했던 주인공. 수많은 역경을 헤치면서 동료를 모으고, 점차 강해져 가는 그를 진심으로 응원했었다. 지금이야 리히튼이 옆에 있으니 매정하게 대한다지만, 앞으로의 전개를 생각하면 머릿속이 복잡했다. 이곳이 소설 속인 이상 악역이 주인공을 이길 수는 없다. 나는 어쩌면 리히튼에게서 도망칠 수 있는 절호의 기회를 놓친 것일 수도 있었다. 하지만 이제 와 후회해 봤자 늦었다. 그렇게 리히튼의 팔을 붙잡고, 밤보다 더 어두운 복도를 향해 걸어갈 때였다.

"잠시 멈춰 주십시오, 왕녀."

다소 급한 감이 느껴지는 빌힐름의 목소리가 내 발목을 잡아챈 것이다.

"염치없는 부탁이란 걸 알지만… 잠깐의 시간을 내주실 수 없습니까?"

등을 돌려 마주한 그의 표정은 속을 가늠키 어려웠다.

"하."

"당신이 아닌 왕녀에게 물은 겁니다, 공작."

리히튼도 바로 옆에 있으니, 무슨 볼일인지나 한번 들어볼까. 어차피 베아트리체는 내일부터 없는 인물이니까. 리히튼은 내 판단을 타박하지 않았다. 천천히 움직여 빌힐름의 앞으로 나아가는 동안에도. 품에서 펜던트를 꺼낸 빌힐름이 뚜껑을 열어 내 얼굴 앞으로 내밀었다. 몇 분 전에 내가 주워서 돌려준 그 압화 펜던트였다.

"오래전 제가 잃어버린 아이입니다. 혈육은 아니나, 친동생 같은 아이지요. 언뜻 확인한 왕녀의 얼굴이 제 아이와 너무도 비슷했습니다. 실례라는 걸 알지만… 왕녀만 괜찮으시다면 베일을 한 번만 올려 주실 수 있으십니까?"

자그마한 면적 안에 그려진 소녀는 기껏해야 열일곱 즈음 되어 보였다. 구불구불한 갈색 머리칼에 짙은 녹안을 지닌 사랑스러운 아가씨. 설마 이 소녀가 아그레인이라는 건 아니겠지.

"머리 색부터가 다르지 않나요? 나는 금발인데 전하의 소녀는 아주 선명한 갈색 머리칼이군요."

"그런 건 중요하지 않습니다."

내려앉은 목소리에서 깊이를 가늠할 수 없는 진득한 집착이 느껴졌다. 그래 봤자 내 머리카락은 적색인 것을.

"그거 참 웃기네. 내 얼굴을 확인하면 사라진 아가씨가 돌아오기라도 하나요?"

"거절하셔도 됩니다."

"아니요. 내가 죄인도 아닌데 도망칠 필요 없죠."

여기서 도망치면 오히려 더 의심스러울 것이다. 허락을 받기 위해 힐끔 리히튼의 얼굴을 훔쳐봤다. 정작 리히튼은 내가 아닌 빌힐름을 응시하고 있었다. 그것도 기분이 영 좋지 않다는 분위기를 풀풀 풍기면서.

괜찮겠지. 이름도 같고 눈동자 색도 같지만, 머리색이 다르잖아. 설마 나겠어. 그래, 설마. 리히튼으로도 모자라 빌힐름과 엮이고 싶은 마음은 추호도 없었다. 심지어 그들에게 접근한 빙의자들 모두 흔적도 없이 사라지거나, 사교계에서 매장되지 않았는가. 나는 지체 없이 베일을 들어 그에게 얼굴을 보였다. 다른 이유는 없었다. 빌힐름을 통해 직접 아니라는 걸 확인받고 싶었다.

"어떤가요. 자세히 봐도 아그레인이라는 분과 많이 닮은 것 같나요?"

이왕이면 실망한 표정을 지어 주면 안 될까? 그러나 지루한 극단이라도 관람하듯, 빌힐름의 얼굴에는 아무런 감정도 떠오르지 않았다.

"리히튼이 아닌 남자에게 민낯을 보여 주는 건 처음이에요. 기분이 참 이상하네."

붉은 눈동자가 내 이목구비 하나하나를 집요하게 뜯어 살핀다. 겨우 얼굴 하나 내보이는 일인데 불안감이 엄습했다. 천적에게 자발적으로 허점을 내보인 기분이 들었다. 이만하면 충분할 것이다. 빌힐름이 더 자세히 훑기 전에 베일을 내렸다. 흐릿한 천의 존재는 안 그래도 어두운 시야에 암막을 덮었다. 빌힐름의 눈빛은 그 암막조차 뚫어 내는 끈질김과, 집요함을 지니고 있었다.

기이하지. 그의 얼굴에는 그 어떤 감정도 담겨 있지 않은데. 고대했던 존재를 만난 희열도, 고대했던 존재가 아니었음을 깨달은 실망도. 그 어떤 감정도 떠올라 있지 않은데. 그럼에도 빌힐름은 베일의 존재 따위 인지 못한다는 듯 오롯이 나의 눈을 마주하고 있었다. 머리가 어지러워. 다소 거친 숨을 내쉬며 리히튼의 한쪽 팔을 움켜쥐었다. 나도 모르는 사이에 숨이 턱 막혀 있던 것이다. 리히튼은 순순히 내게 팔을 맡겼다. 그가 무슨 생각을 하고 있는지 모르겠다. 찰나의 적막이 그렇게 길게 느껴질 수가 없었다.

"왕녀."

빌힐름의 시선이 리히튼을 쥐고 있는 내 팔로 향했다.

"실례가 되지 않는다면, 한 가지만 더 부탁 드려도 되겠습니까?"

"아니요. 하지 마세요."

"왕녀의 손을 한 번만 잡아 봐도 될는지요."

"싫어요."

내 허락이 떨어지지 않았는데도 그는 나의 손을 향해 손을 뻗었다. 무서웠다. 빌힐름이 아니라, 그에게 알 수 없는 두려움을 느끼는 내가 무서웠다.

"리히튼."

이제 그만 가자고 말해 줘, 더는 이곳에 있고 싶지 않아. 나는 마지막 구원이라도 된 양 리히튼의 팔을 잡고 늘어졌다. 장갑 아래의 손가락 사이사이가 식은땀으로 축축했다.

"사랑스러운 나의 베아트리체. 빌힐름 전하께서는 당신에게 이해할 수 없는 미련이 남은 모양입니다."

그의 반대쪽 손이 내 손등을 덮었다. 천장 아래에서 날 내려다보는 얼굴에는 무한한 애정, 안심시키려는 안온함, 거부하기 힘든 위압이 한데 공존했다.

"그대를 새장 밖으로 날아간 애완조처럼 취급하는 것이 내 마음에 들지는 않으나…."

뒷말은 없다. 그러나 그의 눈빛에는 언어가 있었다. 내 귓가에 빌힐름이 바라는 대로 행동하라 명하는 것이 들렸다.

'왜?'

다시 숨이 거세졌다. 하지만 리히튼은 내가 기댈 수 있는 유일한 인물이었고, 내게 그를 거부할 권리는 존재하지 않았다. 나는 마치 어른의 말을 억지로 뒤따르는 어린아이가 된 기분을 느껴야 했다. 신경질적으로 장갑을 벗고 빌힐름을 향해 내밀었다. 그가 나의 손등을 바라본다. 그러나, 바라보는 것으로 끝이었다.

"죄송합니다, 왕녀."

한 발자국 다가온 빌힐름이 찢어 버릴 기세로 벗겨 놓은 장갑을 가져갔다.

"부디 용서해 주시길. 그렇게까지 질색하실 줄은 몰랐습니다."

달빛보다 창백한 손등이 그의 움직임 아래에서 서서히 모습을 감춘다. 그가 내 손에 장갑을 완벽히 끼우기까지는 그리 긴 시간이 소요되지 않았다.

"앞으로는 그렇게 억지로, 꾸역꾸역 역겨움을 참아 가며 행동하실 필요 없습니다."

"내가, 역겨워했다고요?"

보란 듯이 미간을 와락 구겼다. 킨도 그렇고, 하나같이 내 속이 훤히 읽힌다는 듯 지껄이는 게 마음에 들지 않았다. 그거야말로 역겨웠다.

"그런 적 없어요. 걱정은 고맙게 받을게요."

"누군가를 마냥 경계해야 할 일도 없을 겁니다."

나는 구겼던 미간을 더 일그러뜨렸다.

"무슨 말을 하는 건지 모르겠어요. 우리 지금 같은 대화 하고 있는 거 맞나요?"

빌힐름이 싱긋 웃었다. 보는 이로 하여금 신뢰를 주는 미소. 책 속 어느 구절에 적혀 있던 묘사 그대로의 웃음이었다.

"곧 다시 뵙겠습니다."

미안한데 그럴 일 없을 거야. 나는 잉고르드를 벗어날 때까지 잉고르드에만 갇혀서 살 예정이거든.

"아."

미련 없이 등을 돌렸던 빌힐름이 돌연 걸음을 멈춰 섰다.

"왕녀의 친우가 왕녀를 많이 그리워하더군요. 한 번쯤 만나러 찾아오십시오. 저 역시 환영할 테니."

레이나. 머리가 물속에 잠긴 듯 멍해졌다. 레이나, 날 배신하지 않았구나. 거짓말하지 않았어. 나와의 약속을 지켰어. 약속을 지켰는데…. 결국 빌힐름은 내 정체를 알고 있었다. 처음부터? 아니야, 레이나가 내 외양을 알렸다 하더라도 지금 나는 염색까지 했다. 그렇다면 베일을 벗은 뒤에? 고작 길바닥에 널리고 널린 녹안이라는 사실 하나로?

누군가 내 팔을 이끌었다. 나는 퍼뜩 정신을 차린 후 리히튼의 안색을 확인했다. 굳이 그럴 필요도 없었다고 여겨질 정도로, 무덤덤하다 못해 무감각한 얼굴이었다.

"찾아갈 일 없어요."

내 혀에 담긴 말이었으나 한없이 어색하게 느껴졌다. 비루한 변명 같지 않은가. 버려지는 게 무서워서가 아니다. 그의 곁에 있는 동안은 오직 그의 명을 따르는 충직한 존재가 되어야 하기 때문이다. 그래, 그 이유라서야. 리히튼은 배신자를 살려 두지 않으니까.

"절대 없을 거예요."

한 번 더 못 박듯 말하자 조용히 걸음만 옮기던 리히튼이 나지막한 목소리로 나를 불렀다.

"수잔."

어둠의 그림자로 감싸진 복도의 저 끝. 환희와 행복에 젖은 연회의 노란색 빛이 점차 가까워진다.

"우리의 내기를 잊은 건 아니겠지."

그 한마디가 기점이었다. 이유 모를 불안감으로 쿵쿵 뛰던 심장이 서리태풍이라도 몰아친 것처럼 차갑게 가라앉았다. 아아. 울컥 솟은 화에 입술이 찢기는 이 기이한 기분이란.

'내기는 내가 널 완벽하게 길들일 수 있는가, 없는가에 대하여.'

내게 장갑을 벗으라고 명령했으면서. 그랬으면서 내게 길들여지지 말라고 조언을 하다니. 수치심에 비아냥거리는 목소리가 절로 나왔다.

"참 친절하시네요. 덕분에 까맣게 잊고 있던 사실을 다시 떠올렸어요. 역시 모든 숙녀가 애타게 욕망하는 대단한 신사다우셔요."

"쓸데없이 기운 빼며 자극하지 마."

"자극한 건 당신이잖아요!"

인정한다, 내가 그에게 화낼 하등의 이유가 없다는 것쯤. 어쩌면 나는 빌힐름이라는 존재에게서 느꼈던 혼돈을 리히튼에게 풀어내고 있는지도 모른다. 아니면 이조차 초라한 변명일 수도. 그러나 이것만은 확실했다. 리히튼의 별것 아닌 한마디는 나를 화나게 만들었다. 연회장에 가까워지자 은밀한 시선과 함께 복도를 배회하는 연인들이 하나둘 나타나기 시작했다. 그들 사이에서는 리히튼과 나 역시 사랑을 속삭이는 한 쌍의 남녀에 불과했다.

"쉬이."

주위를 의식한 리히튼이 내 어깨를 감싸고 품 안으로 더 가까이 당겼다.

"황자 때문입니까? 필요 이상으로 흥분했군요. 내가 계속 옆을 지킬 테니 화를 가라앉히시길."

사랑스러운 연인을 달래는 양, 더없이 상냥하고 차분한 음성이 귓가에 맴돈다. 날 응시하는 표정, 태도, 걸음, 시선, 분위기 그 모든 것이 완벽했다. 지금 눈앞의 그는 완벽하게 날 사랑하는 남자였다. 정말 완벽하게.

"리히튼."

"말씀하시죠."

"당신은 연기를 정말 잘해요. 나도 나름 대로 꽤 소질이 있다 여겼는데, 당신에 비하면 새 발의 피였네요."

그 누가 이자를 카인의 눈알을 도려내려던 남자와 동일시할까. 누가 이자를 트리비아체의 멸문을 주도한 남자로 생각할까. 이럴 때의 그는 다른 사람 같다. 그래, 광증이라고 말한 레이나의 표현과 한 치의 오차도 없었다.

"둘 다 나입니다, 베아트리체."

떠돌이 개를 쫓아서 도망가던 나를 데려왔던 그때. 그때의 리히튼도 마치 지금 같았지. 나를 절대 놓지 않을 것처럼 굴지만 때때로 그마저도 연기처럼 느껴질 때가 있다. 그래서 그를 장시간 상대할 때는, 몸속의 피가 모두 빠져나가는 듯한 착각이 들었다.

"둘 모두 당신을 사랑하는 나라고 생각하면, 아주 편해질 겁니다."

광증. 눈부신 샹들리에 아래로 들어서며, 나는 그리 오래되지 않은 기억을 수면 위로 꺼냈다.

'각하께서 제게 바라는 게 무엇인지 모르겠어요.'

무슨 일을 하던 중이었더라. 선명하게 떠오르지는 않지만, 여느 날처럼 잠들지 못한 밤이었다. 유령처럼 저택을 떠돌다 우연히 마주친 베르크네에게 대뜸 그런 소리를 털어놨었지. 새벽이었던 탓에 명치 아래로 꽁꽁 숨겨놨던 진심이 술술 기어 나왔다.

'한참을 고민했는데, 여전히 모르겠어요. 종종 보이는 안광은 다리가 덜덜 떨릴 만큼 두려워요. 어떨 때는 귀족 신사처럼 상냥하시고, 어떨 때는 상종 못할 인간처럼 잔혹하시죠. 그분의 비위를 맞추는 게 힘들고 지치네요.'

'그런 것치곤 아주 능숙해지지 않았나.'

'적응한 거죠. 일단 지금 내 삶의 터전은 이곳이니까.'

'얼마 지나지 않아 먼 곳으로 떠날 것처럼 이야기하는군.'

베르크네는 나의 상념을 대수롭지 않게 대했다. 어린아이의 투정처럼 대했다는 의미가 아니다. 누구든 그리 생각할 것이라는 듯, 당연하게 여겼다는 의미지.

'주인님은 미쳤어요.'

나의 진심에 베르크네는 느릿하게 눈을 깜빡였다.

'잉고르드의 광증은 신의 축복이다.'

그러니까, 느리게 눈을 감았다 뜨며 제 주인이 미쳤음을 인정했다.

'…라는 말이 제국에 전해지고 있지. 왜인 줄 아나? 그 광증으로 제국와 잉고르드가 무한히 번성했음을, 세상이 인정하기 때문이다.'

신의 축복. 제국의 번성.

'갑자기 무슨 헛소리를 하는 거예요?'

'그래도 수잔. 네가 온 이후로 각하의 광증이 퍽 안정되었다. 왜인지는 모르겠으나, 그 부분은 나도 고맙게 여기고 있어.'

그 말을 남기고 베르크네는 자신의 침실로 돌아갔다. 속마음을 털어놓고 싶었던 건 나인데, 오히려 그가 더 후련한 얼굴을 하고 있었다. 그때의 대화를 상기하면 아직도 우스웠다. 사람이 미친 게 신의 축복이라고? 그건 베르크네 같은 사람이 할 법한 말이 아니었다. 차라리 책 속 세계관의 한계로 받아들이는 것이 더 자연스러울 터였다.

"각하."

그때였다. 알코올 냄새를 풀풀 풍기며 모여들기 시작한 귀족들 사이를 커다란 남자가 비집고 들어온 것이. 남자는 다름 아닌 킨이었다.

"크로허츠 후작이…."

무슨 일이기에 저리 급하게 달려온 걸까. 나는 잡생각을 떨치고 킨의 입모양에 정신을 집중했다. 킨은 이렇게 말하고 있었다. 이 연회의 주인인 크로허츠 후작이 죽었다고.

크로허츠 후작이 죽었다.

예정된 전개였느냐고 묻는다면, 최소한 삼 년은 지나야 '그럴 수도'라는 대답이 가능할 터였다. 내가 기억하고 있는 앞으로의 삼 년. 그 삼 년 동안 『태양이 흐르는 강』에서의 크로허츠 후작은 너무나 무탈했으므로. 따라서 후작의 죽음은 이제껏 겪어 온 원작의 변화 중 단연코 가장 독보적이며 충격적인 사건이었다. 그간 누구도 이 세상의 주된 흐름을 바꾸지 못했다. 빙의자로 예상되는 자들 모두가 갑작스레 등장했듯, 갑작스레 사라져 갔다. 그런 와중에 크로허츠 후작이 죽었다. 나는 어떻게 되는 거지?

"허억…!"

한겨울처럼 차갑고 시린 공기가 폐부를 뚫을 듯 밀려들어 온다. 나는 가쁜 숨을 내쉬며 두 눈을 번쩍 떴다. 주위는 아주 약간의 빛을 제외하곤 온통 어둠뿐이었다.

"하아, 하아…."

내가 왜 여기 있지? 숨을 고르며 어젯밤 일어난 일련의 사건들을 되짚었다. 그래. 이곳은 말타에 있는 크로허츠 후작의 저택이었다. 본래의 일정이라면 호텔로 돌아가 밤을 보내고 잉고르드에 귀성해야 했다. 그러나 나와 리히튼을 비롯해 연회에 참석한 그 누구도 후작성을 떠날 수 없었다. 크로허츠 후작의 죽음이 살인으로 판명됐기 때문이다.

"물, 물이…."

나는 더듬더듬 벽을 짚고 걸어 테이블 위의 티 포트를 쥐었다. 잉고르드 독에 중독된 이래 이 정도로 깊게 잠든 건 처음이었다. 아니, 잠든 것이 아니라 눈 깜짝할 새 죽었다 깨어난 느낌에 더 가까웠다. 딱딱하게 굳어 있던 피가 억지로 혈관을 따라 움직이는 기분이었다.

"나는… 나는 베아트리체 아덴로지아 케일… 남대륙 케일 왕국의 제 22 왕녀. 친모는 폐위, 왕위 쟁탈에서 밀려난, 철딱서니 없는 열아홉 살 여인."

내가 누구인지 잊지 않기 위해 역할을 수없이 되새기며, 꽉 닫혀 있던 침실의 문을 열었다. 그리고 조심스럽게 복도를 건넜다. 현재 후작성에는 연회에 참석한 모든 손님이 잠들어 있다. 내가 할 일은 이 수십, 수백 개의 방 중 리히튼의 방을 찾는 것이었다.

'사 층의 오른쪽 복도 끝. 오른쪽 방. 잊지 마.'

희미했으나 휴식을 취한 후 방으로 찾아오라던 리히튼의 목소리가 머릿속에 남아 있었다. 비록 지금이 새벽이기는 해도 시간 같은 건 내 알 바 아니지. 쉴 만큼 쉬고 찾아오라 한 건 그이지 않는가. 나의 방문이 그의 숙면을 방해한다 해도 상관없었다. 아니, 오히려 그러기를 바라는 마음에 걸음이 빨라졌다. 어떠한 방식이어도 좋으니, 조금이라도 리히튼이 불쾌했으면 싶었다. 그의 일그러진 얼굴이 보고 싶었다.

"아아."

그런데 여기가 대체 어디일까. 계단을 오르긴 올랐는데 몇 층을 올랐는지 헷갈렸다. 잠결에 무심코 잉고르드 저택의 구조를 따라 움직였던 탓이다. 주변을 살피다가 곧장 복도 끝의 테라스로 향했다. 창밖의 시야를 통해서 층수를 확인해야 할 것 같았다. 유리문을 열자 무수한 은하수 아래에서 고요히 잠든 도시가 보였다. 그 아름다움을 감상할 여유는 없었다. 나는 베일을 걷어 올리고 몸을 숙여 테라스 아래를 확인하려 했다. 그래. 그저, 아주 잠깐 걷어 올리고 층수를 세려 한 게 전부인데.

끼익.

문제는 다음이었다. 갑작스러운 소음에 놀라 그대로 몸을 돌리고 말았다. 동시에 은은한 등불이 내 코앞을 밀고 들어왔다.

"…수잔 양?"

나는 발작하듯 숨을 삼키며 입술을 달싹였다. 남자의 얼굴은 눈에 들어오지 않았다. 단지 계획을 망쳤다는 생각만이 머릿속에 회오리치며 탄식을 종용하고 있었다. 지금 내 머리색이 어땠더라. 이마 옆으로 흘러내린 머리칼을 집어 들었다. 누가 봐도 금색이다. 얼굴은? 손을 내려 더듬더듬 뺨과 입가를 다듬었다. 내 얼굴은, 베일을 쓰지 않은 내 얼굴은 수잔일 수밖에 없잖아. 테라스 안으로 들어온 남자가 등불을 천천히 내렸다.

“수잔 양이 맞군요. 콜린의 쳄벨 자작입니다. 기억나지 않으십니까?”

기억나지 않느냐고? 당연히 나지. 고작 몇 시간 전 연회에서 짧은 인사까지 나눈 사이 아닌가. 당혹감에 반쯤 떨리는 손을 등 뒤로 숨겼다. 쳄벨 자작의 얼굴 또한 나와 마찬가지로 혼란에 젖어 있었다.

“한데 그 베일과 복장은… 수잔 양이 어찌 왕녀의…?”

이제 막 방에서 나온 듯한 차림의 쳄벨 자작이 한 걸음 더 가까이 섰다. 그와 나의 거리가 순식간에 좁혀졌다. 서로가 한 발자국 더 움직이면 코끝이 닿을 간격이었다.

‘오늘 새벽에 그 자작이 선배 앞으로 서신을 보냈지 뭐예요.’

아아. 하필이면. 쳄벨 자작은 하녀인 내게 개인적 용무로 서신까지 보낸 남자였다. 들켜도 내 얼굴을 가장 확실하게 기억하고 있는 남자에게 들키다니. 여기서 베일을 내려 봤자 더 수상한 꼴밖에 되지 않을 터였다.

“여기서 다시 만나게 될 줄은 몰랐습니다. 제 서신에 대한 답장이 도착하지 않기에….”

남자의 목소리는 물먹은 종이의 잉크처럼 번져 저 멀리 흩어졌다. 내게는 그의 말을 온전히 담아낼 정신이 없었다. 바라는 건 오직 이곳에서 벗어나는 것. 그리고 오늘 일이 그 누구의 귀에도 들어가지 않는 것.

“듣고 싶은 말이 많지만, 수잔 양. 걱정하지 마십시오. 나는 공작 각하만큼이나 입이 무겁습니다. 당신만 괜찮다면 일단 처신을 위해 방으로 가서….”

더 길게 고민할 겨를이 없었다. 내가 할 수 있는 일은 그리 많지 않으니까. 나는 입 안쪽 살을 고기 씹듯 강하게 짓이기며, 쳄벨 자작의 손을 다소 우악스레 이끌었다.

"쳄벨."

"수잔?"

"거부하지 말아요. 나는 당신을 만나기 위해 이곳까지 왔어요."

그리고 천천히 눈을 감아 남자에게 입 맞췄다. 파충류의 비늘에 키스하는 기분이었다. 뻣뻣하게 굳어 있기도 잠깐. 남자는 기다렸다는 듯 등불을 쥐지 않은 손으로 내 허리를 휘감았다. 동시에 입 안의 숨이 들끓는 것처럼 뜨거워졌다.

벌레 같아. 등줄기를 더듬고 올라오는 손에 등 뒤로 소름이 돋았다. 내 몸의 온기가 낮아 남자의 살이 더 뜨겁게 느껴졌다. 급히 테라스 위로 등불을 올려놓은 남자가 나를 더 깊숙이 껴안았다. 손가락 끝이 내 허리를 맴돌며 뱀처럼 기어 올라왔다. 그의 손바닥 아래에서 내 뒷목이 덜덜 떨었다. 아니야, 멈춰, 제발, 수잔. 아무런 생각도 하지 마. 사고를 멈추고 머리를 비워. 이건 고작 숨 한 번 쉬면 지나갈 일이잖아.

"큭."

그래, 지금처럼.

"읏!"

쳄벨 자작이 나의 가슴을 거칠게 밀쳤다. 목을 뒤로 젖힌 그는 소리조차 제대로 내지 못하며 고통스러워 했다. 무언가 토해 내려 했지만 토해 낼 게 있을 리 없었다. 입 안의 피는 고작 한두 방울에 불과했으나, 지금쯤 남자의 목 안은 살갗이 녹아내려 활활 타오르고 있을 터였다. 왜일까. 힘겨워하는 쳄벨 자작을 보면서도 죄책감이 들지 않았다.

"나는 수잔이 아니랍니다, 자작. 당신은 눈을 더 똑바로 뜰 필요가 있어 보이네요. 연회에서 분명 내 이름을 말해 줬던 것 같은데… 이리도 사람 서운하게 만들 줄이야."

나는 멍하니 서서 되는 대로 입을 움직였다.

"게다가 아는 것이라곤 서로의 이름밖에 없는 사이에, 갑작스레 침실로 초대하면 어쩌나요. 당신은 참 예의가 없군요."

그리고 비틀거리는 남자의 어깨를 있는 힘껏 밀쳤다. 목에서 올라오는 열기에 눈도 제대로 못 뜨던 남자였다. 테라스는 내 허벅지의 반을 겨우 가리는 높이였고, 그의 몸은 제대로 된 저항 한번 없이 허무하게 뒤집혔다. 추락하면서도 비명은 들려오지 않았다. 대신 나뭇가지와 추락한 몸체의 마찰음이 고요한 은하수 아래에서 요란스럽게 퍼졌다. 울창한 이파리가 시야를 방해했기에 떨어진 남자의 상태는 알 수 없다. 기절했는지 어떠한 구호 요청도 없다. 나는 그 사실이 참 다행이라 생각됐다. 불안감에 요동치는 심장박동이 전신을 지배하고 있는 상황에서도.

"…아."

두 번째는 처음보다 쉬웠다. 그러니 아마도, 세 번째는 더 쉽겠지.

"하나, 둘, 셋…."

층을 확인한 후 테라스에 기대고 있던 상체를 일으켰다. 내가 있는 곳은 건물의 삼 층. 그렇다면 내가 서 있는 곳 바로 위가 리히튼의 방이겠구나. 지독할 정도로 현실감이 없었다. 내가 사람을 해하고도 이렇게 아무렇지 않아 한다고? 허무함을 뒤로하고 테라스를 벗어나려던 순간, 불현듯 느껴지는 시선에 옆으로 고개를 돌렸다.

그곳에 그가 있었다. 겨우 성인 남자의 다섯 걸음 폭 너머, 커튼이 펄럭이는 또 다른 테라스에. 그 테라스에, 빌힐름이 비스듬히 선 채로 나를 응시하고 있던 것이다. 머릿속이 하얘졌다. 남자의 눈동자는 트리비아체를 집어삼킨 불씨처럼 까맣고 붉었다. 언제부터? 어둠 속 빌힐름의 얼굴은 흐릿한 선만을 남길 뿐, 모든 것이 모호했다. 가늠되지 않는 그의 표정이 나의 공포심과 회피 욕구를 자극했다. 그래서 도망쳤다. 멀리, 밤보다 캄캄한 복도로. 그 복도 너머의 계단으로. 더 빨리. 더, 더 빨리!

"하아, 하아…."

빌힐름이 서 있던 테라스는 귀빈만이 사용할 수 있는 복도 끝 방의 테라스였다. 생각해 보면 당연한 일이다. 사 층 복도 끝 방이 리히튼의 것이었으니, 삼 층 복도 끝 방의 주인이 될 사람은 빌힐름 밖에 없지 않은가. 나는 사 층에 올라서자마자 천천히 걸음을 늦추었다. 힘들었다. 어제부터 풀리는 일이 단 한 개도 없었다. 신이 빚다가 내버린 인간도 이보다는 평온한 하루하루를 보낼 텐데. 내 평생의 불운은 리히튼을 만났던 날 다 쏟아부은 줄 알았다. 하지만 제대로 비워 내기에는 그 양이 한참은 더 남아 있는 모양이었다.

"머리가… 너무 아파."

안 그래도 종일 두통에 시달리는데, 스트레스가 몰려오니 자그마한 충격에도 두개골이 깨질 것 같았다. 첼벨 자작을 삼 층에서 밀었다. 그리고 그 광경을 빌힐름 황자가 목격했다.

'어떻게 처음부터 끝까지 모조리 최악일 수 있지?'

심지어 첼벨 자작은 리히튼의 최측근이었다. 혹여나 리히튼이 대업을 맡긴 인물이기라도 한다면? …아니야, 길게 생각하지 말자. 나는 해야만 하는 일을 한 거니까.

똑똑.

습관적으로 두드리기는 했으나, 기다림 없이 바로 문을 밀었다. 한시라도 더 빨리 내 죄와 잘못을 덜어 내고 싶었다. 홀로 감당하지 못하여 목구멍 바로 위까지 잠긴 답답함을 없애고 싶었다. 그러나 곧바로 드러난 방 안의 풍경이 너무나 생소해, 직전의 생각은 몽땅 날아가 버리고 말았다.

"…하여, 드리려던 말은."

사그라지는 유약한 음성과 함께 정확히 내게로 집중되는 시선. 리히튼의 방에는 주인 말고도 다섯 명의 인물이 더 있었다. 왼쪽 의자에 앉은 사람부터 차례로 남자, 남자, 남자, 남자. 그리고 나와 고작 몇 발자국 떨어진 자리에 서 있는 여성까지. 도합 다섯의 낯선 이들.

"…드리려던 말은."

여인의 금발은 염색으로 만들어진 내 탁한 금발과는 비교도 안 될 정도로 투명했다. 도자기처럼 하얗고 혈색 좋은 피부와 곧은 자세에서 풍기는 우아한 기품. 부러질 듯 얇은 허리, 늦은 밤에도 한 치의 흐트러짐 없는 외양. 누군가를 떠올리게 하는 이목구비였으나 어쩐지 기억이 흐릿하다. 찾아올 시간을 잘못 맞춘 건가. 의자에 앉은 리히트은 극도로 피곤해 보였다. 안 그래도 창백한 낯이 검게 죽어 있을 정도였다.

"중요한 이야기 중이셨나요, 리히튼."

그렇다고 양해를 구하며 다시 나갈 순 없는 노릇이었다. 나는 케일 왕국의 왕녀이자, 리히튼의 여자인 베아트리체이므로. 당당하게 문을 닫았지만 불청객이 된 듯한 분위기는 사라지지 않는다. 시간이 얼마나 흘렀을까. 잠시 입을 닫았던 여자가 내게로 시선을 고정한 채, 한 글자 한 글자씩 또박또박 읊었다.

"의도치 않게 잠깐 끊겼네요. 드리려던 말은, 각하."

아아, 이제야 떠올랐다. 내가 여인의 얼굴에서 연상해 낸 인물은 크로허츠 후작이었다.

"제가 각하의 아이를 임신했다는 사실이에요."

그러니까 저 여인의 정체는, 한때 잉고르드 별관의 손님이었던 에리얼 크로허츠라는 소리다.

"내일 아침 이 일을 모두에게 알리려고 합니다."

물 흐르듯 이어지는 발언에 나는 실소를 머금을 수밖에 없었다. 적막한 가운데 웃음소리가 퍼졌고, 곧 에리얼의 고개가 내게로 향했다. 네가 감히 그런 반응을 보이느냐는 눈빛이었기에 작게 어깨를 으쓱였다.

"미안해요. 그냥 조금, 웃겨서."

"왕녀께서는 행태가 너무 가벼우시군요."

"미안해요. 앞서 말했듯이 조금, 웃겨서."

말이 곱게 나갈 리 없다. 안 그래도 리히튼에게 전해야 할 말이 산더미인데, 되도 않는 헛소리로 시간을 잡아먹히는 게 마음에 들지 않았던 탓이다.

임신. 리히튼의 아이를 가졌다고? 이보다 더 우스운 일이 있을 수 있나! 온 혈관에 혈액 대신 독이 흐르고 있는 리히튼이다. 아이가 생기기 전에 내장이 녹아내릴 것은 당연지사였다. 그러나 제국의 귀족들 모두가 그 사실을 알고 있지는 않다. 에리얼이 임신을 주장하면 증거는 없더라도 심증은 생길 수 있었다. 그녀의 주장대로 잉고르드의 별관에서 지냈던 시기가 리히튼의 발목을 잡을 수 있다는 소리였다.

물론, 실제 에리엘과 리히튼의 관계가 순결하지 않다는 보장도 없지. 그래. 당연한 일이야. 제국의 실세라 불리는 남자인데 그간 얼마나 많은 여자가 스쳐 지나갔겠어. 나는 말라가는 입술을 핥으며 이상하게 뻣뻣해지는 뒷목을 주물렀다. 왜 이럴까. 어차피 나와는 상관없는 일인데. 수잔은 고작 주인이 기르는 개에 불과한데.

"베아트리체."

리히튼의 부름이었다. 나는 조용히 눈동자만 들어 올려 그와 눈을 맞췄다.

"일이 끝나면 내가 그쪽으로 찾아갈 테니, 방으로 돌아가는 게 좋을 것 같습니다. 이왕이면 왕녀에게는 좋은 모습만 보여드리고 싶군요."

"…찾아가요? 찾아간다고?"

어디선가 비명이 터졌다. 방금 전까지만 해도 고고한 낯으로 내 베일을 훑던 에리얼이, 핏발이 선 눈을 부릅떴다. 손끝으로는 날 가리켰다. 손바닥 뒤집듯 순식간에 구겨진 얼굴에 그림자가 꼈다.

"각하께서 저 여인을 찾아간다고요? 몸소?"

리히튼은 대답하지 않았으나, 에리얼은 마치 '그렇다'라는 소리라도 들은 양 와르르 무너지는 얼굴을 했다.

"너였구나."

날 향한 손끝이 평정심을 잃고 위아래로 흔들린다. 느낌이 좋지 않았다. 이런 기분은 전에도 느껴봤어. 레이나가 날 붙잡고 구제를 갈구했던 그때와 똑같았다.

"너였어, 이 교활한 년!"

"킨."

에리얼이 날 향해 갈퀴처럼 구부린 손을 뻗는 순간이었다. 있는지도 몰랐던 킨이 뒤에서 나타나 내 앞을 가로막았다. 커다란 등에 가려 보이지는 않았으나, 송곳처럼 날카로운 외침은 양쪽 귀를 쨍쨍 울렸다.

"저년인가요? 이제는 저 촌뜨기 왕녀를 이용하려 하시는 거예요? 제게 주시던 그 약이 전부 저년에게 가고 있군요! 그렇지요?"

약.

"언성을 낮추는 게 좋을 것 같습니다, 에리얼. 이 저택에는 우리만 있는 게 아니잖습니까."

"저년에게 주느라 더 이상 내 것이 없었던 거야!"

새하얀 손등이 킨의 팔을 우악스럽게 움켜잡았다. 꼼짝 않는 팔이 제 생명줄이라도 된 것처럼 애처롭게 매달린다. 에리얼의 손톱은 쥐가 파먹기라도 한 듯 흉하게 뜯겨 있었다. 금단현상인가. 그렇다면 여자가 말한 약의 존재는 정황상 잉고르드 독일 수밖에 없었다. 다른 말로는 물에 희석시킨 리히튼의 혈액.

"내가 그렇게… 그렇게 자존심 다 버려 가며 개처럼 매달렸는데… 비참하게 울었는데…."

미량을 섭취하면 환각, 환청, 마비는 물론 극심한 중독 현상을 일으키는 독. 리히튼이 저 여자에게 독약을 줬구나. 자신이 원하는 바를 이루기 위해 독약을 먹였어. 마치 나에게 그러했듯이.

"…아이가 있다는 건 사실이에요."

끄윽. 여자가 죽을힘을 다해 숨을 삼키며 읊었다. 마치 죽은 이를 위한 시를 낭송하듯 감정의 무게에 짓눌린 목소리였다.

"잉고르드 별관에서 지냈던 시기와 정확히 일치해요. 곧 작위를 잇게 될 오라버니는 빌힐름 전하의 손을 놓고 싶어 하시죠. 당신과 나의 결합이 이뤄진다면, 크로허츠 또한…."

"참 안타까운 일이지."

줄줄 새는 목소리를 리히튼이 틀어막았다. 일말의 안타까움도 느껴지지 않는 표정으로.

"크로허츠 후작 말입니다. 쾌락에 눈이 먼 딸 때문에 결국 죽음으로 내몰린 것 아닙니까."

에리얼과 비교도 안 될 만큼 창백한 그의 손이 와인 잔을 흔들었다. 이윽고 킨이 천천히 내 앞에서 물러났다.

"아이의 아비는 머른 트리비아체이겠지. 내가 모를 줄 알았습니까?"

"머른 트리비아체? 각하. 죽은 트리비아체의 장남 말씀하시는 겁니까?"

익숙하고도 반갑지 않은 이름에 절로 어깨가 떨렸다. 머른 트리비아체는 한때 내가 섬겼던 고용주의 큰 도련님이었다. 남자의 물음에 리히튼이 고개를 끄덕였고 사위는 다시 조용해졌다. 오직 에리얼만이 연인을 죽인 남자 앞에서 소리 없이 울부짖고 있었다. 바닥에 주저앉아 끊임없이 고개를 저으며.

"아주 뜨거운 사이였던 것으로 아는데. 그런 것치곤 여름 밤마다 지치지 않고 내 침실을 찾아왔지만."

리히튼의 시선이 짧게나마 나를 향했다. 온몸을 옭아매는 분위기라 고개를 돌릴 수 없었다.

"아니면, 가련한 에리얼 양. 그 한 몸 바쳐 죽은 연인의 복수를 대신하려던 생각이었나? 안타깝군. 내가 단 한 번도 응하지 않은 탓에 모든 기회가 날아가 버렸으니."

"아아악! 이 살인마!"

달려 나간 킨이 앞으로 튕겨 나가려는 에리얼의 몸을 붙잡았다.

"머른은 그렇게 죽을 남자가 아니었어! 그렇게, 그렇게 대역죄인 취급받으며 산 채로 태워질 남자가 아니었단 말이야…. 우리는, 우리는 향나무 아래에서 평생을 약속한 사이였는데… 네가."

"많고 많은 자들 중 후작의 딸이 그런 소리를 하니 우습군. 당신의 친부가 어디서 무얼 하고 다녔는지는 압니까?"

"입 닥쳐어!"

욕지기를 내뱉기 무섭게 에리얼이 몸을 벌벌 떨며 발작했다. 안 그래도 성하지 못한 손톱으로 쉴 새 없이 바닥을 긁었다. 나는 차마 그 꼴을 더 보지 못하고 고개를 돌렸다. 속 깊숙한 곳에서 기분 나쁜 응어리가 울렁였다. 차라리 삼 층에서 떨어진 쳄벨 자작의 생사를 확인하는 것이 덜 역겨울 것 같았다.

"아니야, 아니에요! 아니에요, 각하… 머른은 제게 더 이상 아무것도 아니에요. 나, 나에게는 약이 필요해요. 나는 그저…."

사람이 보일 수 있는 밑바닥의 밑바닥. 그 끝을 확인하는 게 이런 기분이라니.

"야, 약이 필요해요…."

와인 잔을 비운 리히튼이 무감각한 어조로 물었다.

"후작을 죽였습니까?"

허억, 허억. 에리얼이 가쁜 숨을 몰아쉬었다.

"후작을 죽였습니까, 에리얼?"

아마 그녀는 끝까지 부정하고 싶었던 것 같다. 혹은 자신이 초래한 결과가 무엇인지 뒤늦게 깨달았거나. 쏟아지는 눈물을 주체 못 하며, 에리얼이 느리게 고개를 주억였다.

"말 잘 듣는 아이는 상을 받아 마땅하지."

리히튼이 옷깃 안에서 자그마한 유리병을 꺼냈다. 내 눈에는 한없이 익숙한 물건이었다. 리히튼의 집무실에는 저것과 똑같은 크기의 유리병이 수십 개 장식되어 있었다. 킨이 그로부터 유리병을 받아 에리얼에게 건넸다. 허겁지겁 일어난 에리얼은 마치 잃어버린 자식을 되찾은 어미처럼 보였다. 그녀는 엄지손가락만한 크기의 유리병을 소중하게 껴안았다.

이런 식이구나. 이런 식이었어. 리히튼은 이런 식으로 제국을 손에 넣은 거구나. 목 안쪽이 빠짝 말랐다. 에리얼이 느끼고 있을 무력감은 지척에 선 내게로 전달됐다. 리히튼을 처음 마주했을 때의, 그때 그 공포가 선명하게 되살아났다. 살아남기 위해서 리히튼의 발밑으로 기어 들어갈 수밖에 없었던 그 공포가.

"킨. 에리얼 양을 침실로 모셔다 드려라."

에리얼이 킨의 부축을 거부하고 아이처럼 고개를 저었다.

"내일, 내일 말할 거예요. 내 아이가 각하의 아이라고 모두에게…."

"아까부터 계속 이해 못할 소릴 하는군. 설마 당신의 아이가 그 썩은 몸뚱어리에서 살아남을 수 있으리라 생각하는 건 아니겠지."

"…예?"

리히튼은 더 이상 할 말이 없다는 얼굴로 손을 저었다.

"아, 아니야."

그 간결한 손짓에 방 안에 모여 있던 모든 손님이 걸음을 옮긴 건 물론이요, 킨 또한 억지로 에리얼의 몸을 일으켰다.

"아니야! 아, 아니야! 각하, 아니라고 말해 주세요!"

킨의 두꺼운 손이 에리얼의 입과 턱을 틀어막았다. 천장을 울리던 고성이 순식간에 자취를 감췄다. 여인은 짐짝처럼 질질 끌려가 방 안에서 사라졌다. 그 와중에도 양손은 유리병을 소중히 감싸고 있었다.

"수잔."

그리고 방에는 마침내 그와 나만이 남았다.

"이리로."

날 부르는 리히튼의 음성에는 새벽을 지새운 노곤함과 약간의 신경질이 묻어났다. 그래, 지쳤겠지. 피곤하겠지. 하지만 오늘은 나도 지칠 대로 지쳤어. 몸도, 마음도, 머리도 허용 범위 이상의 너무 많은 일을 했다. 한시라도 빨리 이곳을 벗어나 고립된 방으로 돌아가고 싶었다. 나는 그에게 다가가지 않고 문 앞에 선 그대로 용건을 전달했다.

"쳄벨 자작에게 제 얼굴을 들켰어요. 그대로 삼층 밖으로 밀어 버렸는데, 그 장면을 빌힐름 황자가 본 것 같아요."

그리고 들려온 것은.

"금방 발견될 거다. 저택 안팎으로 경비가 삼엄한 상태니까."

너무나, 너무나 허무할 정도로 무덤덤한 음성이었다. 왜 아무 것도 묻지 않는 거지? 나의 부주의로 당신의 측근을 해쳤는데. 그 광경을 당신의 정적에게 들키기까지 했는데!

"주인님."

에리얼 크로허츠에게는 그렇게 악랄하고 매정했으면서.

"그 아이는, 정말 주인님의 아이가 아닌가요?"

겁이 났다. 그녀와 똑같이, 내다 버린 쓰레기 취급을 받을까 봐. 그런 마음에서 기인한 걸까? 리히튼에게 직접 아니라는 소리를 듣고 싶었다. 나의 가치를 확인받고 싶었다. 잠시간 말이 없던 그는 한숨을 내뱉듯 낮게 읊조렸다.

"수잔. 설마 네가 그렇게 멍청한 질문을 할 줄이야."

의자에 깊게 기대고 있던 장신이 몸을 일으켰다. 그는 커다란 보폭으로 걸음을 옮겨 내 앞에 섰다. 황금으로 조각된 액자 속 한 폭의 그림 같은 남자가 오롯이 나를 향했다.

"내게 몸을 맡기고 사지가 멀쩡할 수 있는 자는 너뿐이다. 다른 이라면 고통에 몸부림치며 천천히 죽어 가겠지."

이미 알고 있는 바였으나, 그 사실을 리히튼에게 알리지는 않았다. 알면서 왜 물었느냐는 질의에 현명하게 답할 자신이 없었던 탓이다. 말없이 올려다보기만을 몇 초. 리히튼은 무언가 불만족스러운 것처럼 고개를 옆으로 틀었다.

"못 믿겠나? 원한다면 지금 당장 확인시켜 줄 수도 있어."

돌연 이로 짓이겨 놨던 뺨 안쪽 살이 시큰해졌다. 방금까지 아무런 기별도 없었는데, 바늘로 찌르기라도 한 양 너무나 갑자기. 그의 눈동자가 내 눈보다 살짝 더 아래로 향했다. 나는 그의 눈길이 어디로 떨어졌는지 알 수 있을 것 같았다. 결국 혀 안에 맴돌던 쓸모없는 말을 내뱉었다. 가슴께가 미동도 없이 바짝 얼어 입술을 움직이기 힘들었다.

"이런 식으로 다른 여인들을 이용했군요. 에리얼 크로허츠에게 그런 것처럼."

뱉은 말을 다시 입 안에 쑤셔 넣고 싶을 만큼 후회되는 물음이었다. 눈꺼풀을 가만히 내리깐 리히튼에게선 고요하고 차분한 숨소리만 들려왔다. 그는 내 물음을 진지하게 되새기기라도 하듯 단 한 번도 눈을 깜빡이지 않았다. 신장이 워낙 컸기에 미려한 속눈썹 한 올 한 올이 전부 시야로 들어찼다.

"필요하다면."

이윽고 리히튼은 내 베일을 걷어 냈다. 한 박자 늦게 마주한 시선에, 한 박자 늦게 선명한 감정이 깃들었다.

“마치 변명해야 할 것처럼 느껴지게 만드는 얼굴이로군.”

그 감정이 무엇인가에 대해서는 정확히 설명할 수 없었다. 그러나 표현하기 힘든 감정의 발현으로 인해, 리히튼의 낯에는 보기 드문 생기가 돌았다. 표정이라고는 기껏해야 경멸, 비웃음, 고단함 수준에서 머물렀던 그다. 그나마도 평소에는 눈꺼풀의 깜빡임 외에 얼굴의 그 어떤 부위도 꼼짝 않는 일이 과반수였다.

살아 숨 쉬는 리히튼이라니. 이 어찌 생경하지 않을 수 있겠는가. 그는 베일을 내 머리 뒤로 천천히, 아주 조심스럽게 넘겼다. 할 일을 잃은 손은 자연스레 아래로 떨어졌다.

“내가 변명하게 만들어 놓고선 그대로 입을 닫는 건가?”

우리는 아주 오랫동안 서로의 눈을 응시했다. 리히튼의 눈동자 속에는 붉은 등불이 춤추듯 일렁이고 있었다. 까만 잉크가 세상에 드리우고 오직 그 눈동자 속의 빛만 깜빡깜빡 점멸했다. 리히튼에게 묻고 싶은 말은 언제나 부족함 없이 입 안을 맴돈다. 이 남자는 왜 나를 악귀라 칭하는가. 이 남자에게 나는 어떤 의미인가. 이 남자는 나의 무엇을 얼마나 알고 있는가.

“주인님.”

십 년 만에 입을 처음 열기라도 한 듯 목소리 끝이 흉하게 갈라졌다. 이런 기회는 흔히 찾아오지 않는다. 나는 당장의 불안을 잠식시키고 싶었다.

“혹시 제가 끔찍하신가요? 저를 증오하세요?”

그렇지 않다면 남자가 나를 악귀라 칭할 이유가 없지 않은가.

“왜 그렇게 생각하지?”

직전까지만 해도 혈기가 느껴지던 리히튼의 낯은 다시 평소의 냉랭함을 안고 있었다. 그 온도차가 너무나 커, 마치 내가 보았던 광경이 허상처럼 느껴질 정도였다.

“사람이 사람을 잊지 못할 때는 오직 두 가지 이유밖에 없어요. 미친 듯이 사랑하거나, 미친 듯이 증오하거나."

상상만으로도 숨구멍이 턱 막히는 감정이다. 같은 의미에서 나 역시 평생 리히튼을 잊지 못할 터였다.

"아니, 셋이겠네요. 둘 다일 수도 있으니."

"그 셋 중에서도 하필 증오라. 내가 널 미친 듯이 사랑해서라 여기지는 않는 건가."

"주인님의 사랑은 가학을 의미하나요? 그렇다면 확실히 절 사랑하고 계신 게 맞겠어요."

고작 한 걸음 간격으로 마주한 그의 눈동자는, 얼음 꽃이라도 핀 것처럼 어둡고 푸르렀다.

"불안해하는군. 아니면 두려운 건가, 내 증오의 주인이 되는 것이."

"저는…."

"어젯밤에도 말했듯이, 수잔. 나에게 길들여지면 내기는 지는 거다."

그럴 리 없겠지만, 리히튼은 내가 자신에게 길들여지지 않길 바라는 것처럼 보였다. 시간이 흘러 기억이 흐려진 걸까, 아니면 당시의 내가 너무나도 순진했던 걸까. 당장 눈앞에서 내 속을 훤히 들여다보는 리히튼과 그때의 내기를 종용하던 리히튼이 마치 다른 사람처럼 느껴졌다. 그날의 위태롭던 리히튼 잉고르드는 혹시 조작된 기억이 아니었을까.

생각해 보면 이상한 일도 아니었다. 이 남자는 늘 그래 왔었으니까. 어쩌면 그때부터 난 리히튼의 손바닥 위에서 의미 없는 몸부림을 치고 있었을지도 모른다. 내가 그에게 엄청난 의미를 지닌 여인이라 착각하며.

'아니야, 그만하자. 더는 복잡하게 머리를 굴리지 마.'

남자는 내가 너무 많은 생각과 부질없는 고민에 빠지도록 만든다. 결국 처음부터 끝까지 추측에 불과한 것인데.

"또 하나 간과한 것."

조용히 팔을 든 리히튼이 베일 옆으로 힘없이 흘러내린 내 옆머리를 귀 뒤로 천천히 넘겼다.

"사랑은 시간 앞에서 한낱 모래성에 불과하지만, 고통과 증오는 열화에도 녹지 않는 만년설과 같아. 잊히고 무던해지기는커녕 더 차갑게 얼어붙어. 절대 지울 수 없는 낙인으로써 내가 나임을 오롯이 느끼도록 하지."

리히튼은 내가 모르는 내 안의 더 깊은 누군가에게 말을 걸고 있었다. 지울 수 없는 낙인을 남긴 이가 바로 너라고. 그는 자신의 노골적인 감정을 숨길 의사가 없는 것 같았다. 곧이어 차가운 손끝이 귓가에 닿았다. 얇은 피부막 위로 그의 심장박동이 전달된다. 살아 움직이는 게 놀랍다 여겨질 정도로 정적이고 고요한 소리였다.

"내게 널 증오하느냐고 물었나? 정확해. 수잔, 너는 날 벗어날 수 없는 구렁텅이로 몰아넣었고, 평생을 후회하게 만들었으며, 그럼에도 절대 포기하지 못하도록 만들었다."

거짓말. 내가 당신에게 그렇게 대단한 존재라고? 장난감 취급을 받고 있다고 여기니 내뱉는 말 하나하나가 기만하는 것처럼 들렸다. 얇게 뜬 청회색 눈동자가 내 얼굴 곳곳을 파먹을 기세로 훑는다. 단순히 귓가에 머물던 그의 손은 떨어질 생각 않고 내 귓바퀴를 부드럽게 쓸었다.

첌벨 자작과 맞닿았던 순간의 기억은 한 줄기 연기가 되어 사그라진 지 오래였다. 이건 마냥 역겹고 불결한 감각이 아니다. 그랬기에 모든 신경이 리히튼과 닿아 있는 귓가로 향했다. 꼼짝 없이 굳어 있는 와중에도 내 입술은 본능적으로 열렸다.

"내가 당신에게 대체 무슨 짓을 했던 거죠?"

"궁금하다면 스스로 깨달아라. 그 정도의 수고는 해야 내가 보람이 있을 테니."

"이건 불공정해요, 주인님."

그의 손은 어느새 귀를 따라 내려와 턱 아래를 쥐고 있었다. 정신이 온통 그의 움직임으로 향해 있었기에 혀가 제대로 움직이지 않았다.

"세상은 원래 불공정해. 그건 누구보다 내가 가장 잘 알아."

"당신은 나를 잉고르드에 가두었어요."

"그래야만 했으니까."

"내가 벗어나지 못하도록 끔찍한 족쇄에 묶어놓고, 당신을 평생 증오하게 만들었죠."

"나쁘지 않군. 네 말대로라면 너는 영원히 날 잊지 못할 테니."

"그런 말을 하고 있는 게 아니잖아요!"

답답함에 뭐라도 잡아서 내던지고 싶은 기분이었다. 킨이었다면 소리 지르며 덤벼들었을 테고, 베르크네였다면 거머리처럼 달라붙어 어떻게 해서든 입을 열게 만들었을 것이다. 하지만 리히튼은 아니다. 내가 그에게 할 수 있는 행동이라고는 주제파악 못하고 소리치는 일이 전부다. 나는 그의 깊이를 가늠 못 할 어둡고 잔잔한 수면이 항상 두려웠다.

"불안해하지 마, 수잔."

턱에서 떨어진 손이 내 목덜미를 부드럽게 감싸 쥐었다. 악력은 느껴지지 않았다. 그의 눈길 역시 늑대를 총으로 쏴 죽인 그날처럼 평온할 뿐이다. …아. 나는 이 순간을 기억한다. 마치 한번 경험한 것처럼 익숙하나 그만큼 혼란스러운 느낌. 그래, 이건 기시감이었다.

"걱정하지 마. 나의 증오는 죽을 때까지 너만 향할 테니까."

그가 내 목덜미를 잡아채는 이 장면을, 언젠가 본 적이 있다. 책 속이 아닌 분명한 현실에서. 나는 극심한 어지러움을 느끼며 칠흑의 세계로 잠식했다.

다시 눈을 떴을 땐 침실로 돌아와 있었다. 지난 새벽의 일을 상기하기에는 두통이 극심했다. 나는 생각하기를 포기하고 종을 울려 시녀를 불렀다.

그리고 준비를 마치자마자, 리히튼은 기다렸다는 듯 나를 이끌고 마차에 올랐다.

범인을 반드시 잡겠다며 호언장담했던 것과 달리 후작가는 이른 오전부터 문을 열었다. 문이 열린 즉시 연회에 참석한 모든 귀족이 썰물처럼 빠져나갔다. 화려한 사륜마차 수십 대가 뒤도 돌아보지 않고 후작가를 벗어났으며, 그 대열에는 잉고르드 또한 포함되어 있었다. 오직 소수의 친족만이 저택에 남아 후작의 마지막을 애도했다. 크로허츠 가문이 후작의 죽음을 타살이 아닌 자살이라 번복했기 때문이다.

“지금부터 말타에 들어섭니다, 각하, 왕녀 전하. 필요한 게 있으시다면 시종을 보내겠습니다.”

“…아니, 그럴 필요 없어. 리히튼도 잠든 것 같으니 이대로 잉고르드까지 가지.”

그림자 진 도시의 애환을 지나치는 동안 리히튼은 내내 눈을 붙이고 있었다. 그가 바란 결과일진대 딱히 만족스러움이 느껴지지는 않았다. 바퀴는 느리게 돌아갔고, 나는 마차에 비친 탁한 금발을 응시하며 의문에 잠겼다. 그래서 결국 리히튼은 내게 어떤 역할을 기대했던 걸까. 단순히 베아트리체라는 이름을 지닌 연회의 동행자? 그것으로 끝?

어느 순간 마차 문을 두들기는 소리가 들려왔다. 시종이 당긴 문틈으로 말안장에 올라탄 크로허츠 가문의 기사가 보였다.

“실례합니다. 왕녀 전하, 물건을 놓고 가셨습니다.”

기사는 적색 벨벳 천으로 곱게 감싼 물건을 내밀었고, 내가 받아든 즉시 반대편으로 사라졌다. 문이 닫히고 마차가 다시 움직일 동안, 리히튼은 단 한번도 눈꺼풀을 들어 올리지 않았다. 깊게 잠든 것처럼 보여도 시각을 제외한 모든 감각이 예리하게 열려 있을 터였다. 나는 그에게서 눈을 떼 붉은 벨벳 천을 조심스레 펼쳤다. 안에는 손바닥 크기의 보석함이 덩그러니 놓여 있었다.

"…아. 어디에 떨어뜨렸나 했더니."

행여나 목소리가 덜덜 떨려 나오지는 않을까, 리히튼의 낯을 살피며 천천히 숨을 들이켰다. 보석함에는 보석으로 보이는 그 어떤 물건도 놓여 있지 않았다. 다만 사각 메모지 옆으로 다소 익숙한 형태의 압화 펜던트가 뉘여 있을 뿐이었다. 그리고, 열린 압화 펜던트 안에 그려진 짙은 녹안의 소녀. 초상화의 귀퉁이에는 소녀의 이름이 아주 자그마한 필기체로 쓰여 있었다.

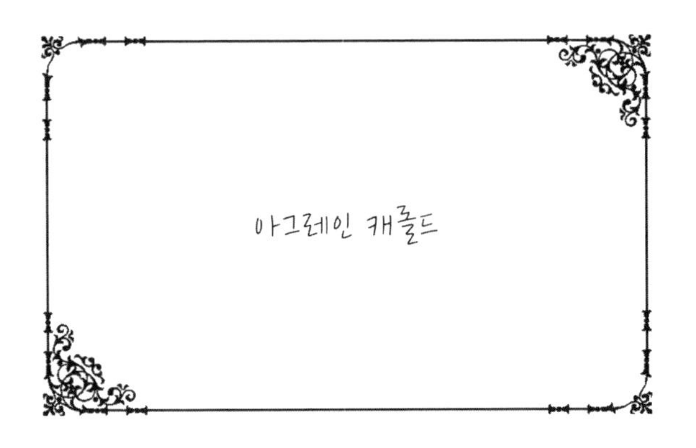

그것과 동일한 필체의 글씨가 옆에 꽂힌 사각 메모지에도 적혀 있었다.

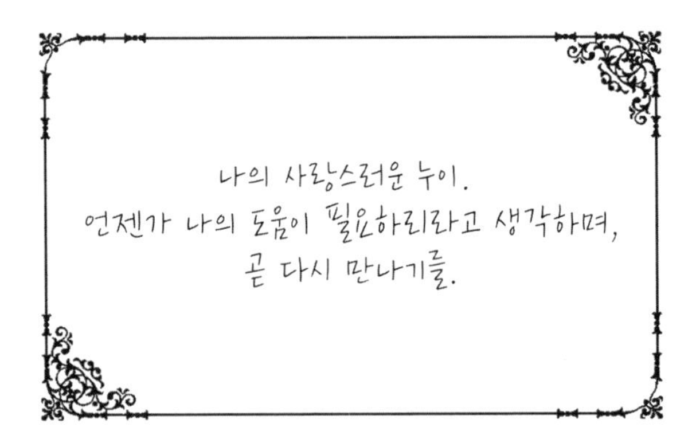

빌힐름.

심장이 멎었다. 나는 멈춘 심장을 억지로 흔들어 깨우고, 조용히 보석함을 닫았다. 긴 시간 숨을 참고 있었던 건지 머리가 어지러웠다. 펜던트에 그려져 있던 소녀의 얼굴이 망막에 잔상처럼 남아 수없이 맴돌았다. 빌헬름이 긴 시간 찾아 헤맸던 사촌 누이. 머리 색은 달라도 나와 같은 이름, 같은 녹안을 지닌 사촌 누이. 차분했던 머릿속에 태풍이 몰아쳤다. 리히트은 여전히 눈을 감은 채였으며, 고요한 마차 안에서는 오직 내 숨소리만 울렸다.

Episode 4.
안개

캐롤드.

제국 북부 울창한 자작나무 숲의 주인. 잉고르드와 더불어 그렌페르크 제국의 건국을 도운 개국공신 가문이자 손에 꼽는 고귀한 혈통. 캐롤드 가문은 대대로 자손이 적었으며 그나마도 대개가 외동딸이었다. 가주는 남자보다 여자인 경우가 잦았으며 혈통 대대로 내려오는 허약한 체질 때문에 후계 생산에 실패하기 부지기수였다.

따라서 캐롤드 가문 최대의 숙원은 건강과 장수에 있었다. 그들은 영지의 번성과 가문의 존속을 위해서 대륙 곳곳의 내로라하는 의원들을 데려오려 노력했다. 그러나 명성이 있다 싶은 의원 그 누구도 캐롤드의 숙원을 이루어 주진 못했다. 가주의 몸이 온전치 못하므로 가문 또한 점차 쇠퇴해 갔다. 잉고르드 부럽지 않던 장부도 하나둘 구멍이 나더니, 가문에는 거대한 저택 두어 채와 다 죽어 가는 영지밖에 남지 않게 되었다. 멸문을 앞둔 마지막 백 년 동안은 지독한 광증이 캐롤드 가문을 지배했다. 그사이 가신들 모두 저주받은 캐롤드 저택을 떠났다.

제국 483년. 알려지지 않은 모종의 이유로 캐롤드 가문은 멸문했다. 황실이 직접 나서 후계를 물색했으나 결과는 참담했다. 제국 전역을 쥐 잡듯 뒤져도 그 흔한 방계 한 명조차 나오지 않은 핏줄은 캐롤드 외에 전무후무할 것이다. 캐롤드 가문은 역사의 뒤안길로 사라졌고, 남은 재산과 영지는 황실에 귀속되었다. 제국의 개국공신 가문치고는 너무나도 초라한 결말이 아닐 수 없다.

'한데 내 몸의 주인인 아그레인이 그런 캐롤드 가문의 자손이었다니.'

새삼 나도 참 아는 것이 없다 싶었다. 어쩔 수 없는 일이다. 내게 아그레인이란 인물은 책 귀퉁이에도 등장하지 않는 조연에 불과했으니까.

"수잔."

개국공신. 그리고 광증. 단순히 우연이라 여기기에는 캐롤드와 잉고르드 사이를 잇는 줄이 너무나 강력했다. 어쩌면 베르크네가 말한 그 '광증'이란 것이 내가 모르는 무언가와 연관된 실체일 수도….

"수잔!"

툭. 손에 쥐고 있던 목재 조각상이 땅으로 떨어졌다. 아주 잠깐 숨을 들이쉰 후, 다소 멍한 느낌의 머리를 가로저으며 떨어진 조각상을 주웠다. 뭉개진 부분은 보이지 않는다. 깨지기 쉬운 유리나 자기가 아니라서 천만다행이었다. 목재 조각상의 바닥을 털어서 다시 전시장 위에 올려 둘 때까지, 리냐의 시선은 내게서 떨어지지 않았다. 그에 나는 장식장의 먼지를 닦으며 되물을 수밖에 없었다.

"왜?"

그제야 리냐는 가만히 서 있던 몸을 움직여 다시 옆 장식장을 닦기 시작했다.

"수잔, 정말 괜찮은 거 맞아? 나는 또 쓰러지는 줄 알고…."

"아무렇지 않으니 호들갑 떨지 마, 리냐. 그렇게 자주 쓰러지지도 않았어."

"하아. 너는 너를 그렇게 몰라서 참 어쩌니? 요즘 들어 몸이 더 안 좋아 보여, 보는 내가 다 조마조마할 정도라고."

잠시간 내 눈치를 보던 리냐는 퍽 조심스러운 음성으로 뒷말을 이었다.

"혹시 아버지의 일 때문이라면… 하루만이라도 휴식을 취하는 게 어떨까. 다들 널 걱정해."

아아, 그 일. 아버지의 부고는 거짓말이야. 베아트리체 노릇을 하기 위해 어쩔 수 없이 지어낸 허구이니 걱정할 필요 없어. 난 내 아버지가 누구인지도 모르니까. 입 안쪽에 머물던 진실은 밖으로 나오지 못하고 꿀꺽 삼켜졌다. 내가 할 수 있는 반응은 다소 어색한 표정으로 고개를 끄덕이는 게 전부였다.

"됐어, 쉰다고 해서 나아질 것도 아니잖아. 이미 충분히 배려받았다고 생각해. 걱정해 줘서 고마워."

잉고르드로의 귀성 이후, 나는 돌아와야 할 곳으로 돌아왔다는 안정감을 되찾았다. 더 이상 투박한 누런빛의 머리칼을 유지할 필요도 없었으며 베일로 얼굴을 가린 채 항시 주변을 살필 필요도 없었다. 머리칼을 붉은색으로 염색한 탓에 결이 반쯤 걸레짝이 되긴 했지만, 못 봐 줄 정도는 아니었다. 모든 것이 완벽하게 원래 자리로 돌아왔다는 안도감 때문일까? 싸구려 금색보다야 훨씬 보기 좋게 느껴졌다. 그래, 처음에는 분명 그리 생각했었다.

"리냐."

"응?"

"넌 이곳 출신이잖아… 혹시 잉고르드의 광증에 대해서 들어봤어?

"광증?"

응접실 창문의 커튼을 묶던 리냐가 오묘한 얼굴로 말끝을 흐렸다. 그 반응이 어떤 의미인지는 충분히 이해할 수 있었다. 대답에 따라 고용주의 험담이 될 수도 있으니, 눈치가 보이는 건 당연할 터였다.

"곤란하면 말해 주지 않아도 돼. 어쩌다 알게 됐는데 나는 전혀 모르는 이야기라서."

이윽고 리냐는 이전보다 눈에 띄게 작아진 목소리로 말했다.

"뜬소문이라고도 하고, 핏줄에 새겨진 저주라고도 불리고…. 물론 이곳에 들어온 이후로 최소한 뜬소문은 아니란 걸 알았지만… 어떤 의미인지는 말하지 않아도 알지?"

물론이다. 일개 하녀의 시선에서도 리히튼 잉고르드 공작의 정신머리는 다분히 문제가 있어 보인단 뜻이었다.

"그렇다고 정말 가문 대대로 내려오는 저주겠니. 이 세상에 그런 것이 어디 있다고."

글쎄. 책 속에 들어온 사람도 존재하는데 저주라고 없을까. 이후 리냐는 자기가 무슨 소리를 했었냐는 듯, 태연한 얼굴로 응접실 청소를 마무리했다. 그녀가 알려 준 정보는 이미 다른 이들에게서 여러 차례 들어온 이야기였기에 특별할 것 없었다. 하녀들의 지식이라고 해봤자 다 거기서 거기였기에 오히려 시간이 흐를수록 벽 안에 완전히 갇힌 기분이 들게 했다.

"도와줘서 고마워, 수잔. 네 일도 아닌데."

"도움이라면 내가 더 받았지. 내가 자리를 비운 동안 일을 떠맡아야 했잖아."

"그런 말 마. 네가 자리를 비운 동안 다른 하녀들이 대신하는 건 당연한 거야. 우리는 동료잖아? 서로 도와야지."

내 손을 꼬옥 잡고서 고마움을 표시한 리냐는, 커튼을 세탁하기 위해 천을 품 가득 들고 홀로 내려갔다. 여름의 기운이 만연했던 관내도 다가오는 가을을 대비해 곳곳이 차분한 색으로 뒤바뀌고 있었다. 나는 적색의 자수가 놓인, 새것처럼 빳빳한 벨벳 커튼을 매만지다가 몸을 돌려 일 층으로 내려갔다.

크로허츠 후작성에서 돌아온 지 보름이 흘렀다. 나의 생활은 이전과 모든 것이 그대로였다. 내가 나를 인지하는 시선이 조금 달라진 것을 제외하면. 깨달음은 간결하면서도 당연했다. 아그레인은 이곳의 사람이지만 나는 이곳의 사람이 아니라는 것. 빌힐름에게서 받은 펜던트가 확실한 증거였다. 빌힐름과 달리 나는 과거의 아그레인을 조금도 알지 못하므로. 그 확연한 경계는 나를 이곳으로부터 고립시켰고 단절시켰다. 잉고르드로 돌아온 안도감과는 상이한, 극심한 고독감이 나를 갉아먹었다.

나는 무의식적으로 내게 주어진 나의 삶을 살아간다고 생각했던 것 같다. 하지만 지금의 나를 구성하고 있는 건 내가 아닌 아그레인이지 않은가? 이 몸의 과거, 현실, 혹은 미래조차 모두 내가 알지 못하는 그녀에게 묶여 있었다. 그러므로 리히튼의 증오 또한 나의 것이라 할 수 없었다. 오히려 그 증오야말로 오롯이 아그레인의 소유인 것이지. 지금은 존재하지 않은, 오래전 진작 죽고 없는 여인의 소유. 이 세계에서 과연 내 것이라 할 수 있는 것이 존재할까?

"아, 수잔. 수고했다. 몸은 어떠니."

주방으로 돌아오자마자 들려오는 것은 콜렌토 부인의 걱정 어린 물음이었다. 나는 그녀의 바로 옆자리에 앉아 반쯤 굳은 빵을 집어 뜯었다.

"아주 좋아요. 모두들 날 보면 몸 상태부터 물어보는군요?"

"네가 네 낯을 못 봐서 그런 소릴 하는 거지. 서 있는 것만으로도 얼마나 벅차 보이는지."

그 이야기를 들어야 하는 건 내가 아니라 콜렌토 부인 당사자여야 했다. 하녀장인 콜렌토 부인은 며칠 전부터 유독 안색이 좋지 못했다. 근심과 걱정이 얼마나 심하면 고작 사나흘 만에 양쪽 볼이 핼쑥해질 정도였다. 나는 그녀가 쥐고 있는 종이에 힐끔 시선을 두었다.

"설마 그 종이에 적힌 꽃을 전부 주문해야 하는 건가요? 너무 많은데요.

본관에서 연회를 열어도 되겠어요."

주문서에 적힌 꽃은 평소 주문량보다 족히 여섯 배는 많은 양이었다. 이 많은 꽃이 다 어디에 쓰이는 걸까. 의문은 담배에 불을 붙인 콜렌토 부인이 막 첫 숨을 내뱉으면서 풀렸다.

"아아, 너와 메어리는 올해가 처음이지. 이맘때 즈음이면 가을 연회를 열어 영지 근방의 귀족들을 초대한단다. 사교를 목적으로."

"사교 말씀이세요? 하지만 여기는…."

"맞아, 안주인님의 자리가 비었지. 그래서 나와 피오라 부인이 배는 더 고생하는 것 아니겠니."

돌이켜 보면 시녀장인 피오라도 근래에 눈 밑으로 그늘이 져 있던 것 같다. 공작부인의 공석을 대신해 사교 모임을 준비해야 하니 그 압박감이 엄청날 터였다. 연회가 열린다는 건 그리 놀라운 일이 아니다. 하지만 그 주최자가 리히튼이라는 점은 새삼스러울 만했다.

"각하께서 그런 사교 모임까지 주도하실 줄은 몰랐어요."

"아니란다, 수잔. 네 생각이 옳아. 각하께선 사교를 목적으로 한 연회나 정찬에 일말의 관심도 없으셔. 단지 황실에서 그러길 바랄 뿐."

"연회가 열리는 게 황실의 주도하라는 의미인가요?"

"황제 폐하께서 각하의 혼인을 손꼽아 기다리고 계신단 소리가 있지. 충분히 타당한 의견이라고 생각한단다. 이 정신없는 연회를 준비하는 것도 올해로 벌써 다섯 번째니까."

황제가 직접 리히튼의 혼인을 장려한다는 말인가. 그렌페르크 제국 최고의 명문가가 후계를 두지 않은 상태이니 마땅히 그럴 만했다. 공작부인이라. 리히튼은 과연 자신의 연인에게 어떤 모습을 보일지 궁금했다. 내게 그러했듯 허리를 감싸고 사랑을 속삭일까. 무한한 애정을 담은 눈길로? 왜인지 상상만으로도 가슴 속 언저리가 메스꺼운 광경이었다.

"세간은 이곳과 황실이 척을 졌다는 듯 말하지만, 잉고르드는 황실로부터 굉장한 신임을 받아 온 가문이야. 우리 같은 자들이 무얼 제대로 알겠느냐만은… 유추야 가능하지 않겠니. 각하께서 한시라도 빨리 공작 부인을 들여 후계를 낳길 바라는 거겠지."

"당분간 눈코 뜰 새 없이 바쁘겠네요."

복잡한 생각에 빠져 정신력을 소모하는 것보단 훨씬 나을 터였다. 일정이 여유롭다고 해서 나와 리히튼의 과거가 더 빨리 파헤쳐지는 것도 아니니. 피곤한 눈길로 종이를 훑던 콜렌토 부인은 내 얼굴을 보며 짧게 미소를 지었다.

"꽤 볼만할 거란다, 수잔. 있는 집 여식들이 서로 이를 드러내며 기 싸움하는 모습이 말이다. 의도치 않게 불똥이 튈 때도 있지만. 너처럼 똑똑한 아이는 잘 빠져나가리라 본다."

아무래도 콜렌토 부인은 날 심히 과대평가하는 듯했다. 내 머리가 비상했다면 이 자리에서 이러고 있을 리 없는데. 지금쯤 어디 조용한 곳에서 여유롭게 자유를 만끽하고 있겠지.

"아, 그러고 보니. 네가 말한 서점의 청년 말이야. 네게 반한 모양이더구나."

"청년이요?"

"그래. 주근깨가 있던 그 마른 청년. 저번에 가니 너는 안 왔느냐고 묻던데."

가슴이 물에 빠진 솜처럼 답답해졌다. 나는 최대한 아무렇지 않은 척 작게 웃었다.

"또 갈 일이 있으려나 모르겠어요."

"하기는, 하녀에게 독서는 사치지. 그 청년만 안타깝게 됐어."

공작가 아래쪽에 위치한 시내. 브릿길에서도 가장 안쪽에 위치한 삼십육 번 저택. 그 저택 일 층에 자리한 자그마한 서점. 그 서점은 빌힐름이 내게 남긴 쪽지 뒤편에 적혀 있던 주소의 가게였다. 다시 말하자면, 잉고르드의 정보가 빌힐름에게 오고가는 쥐구멍이란 의미다. 평소에는 하지도 않는 외출이었는데, 순전히 무엇을 하는 곳인가 궁금해서 찾아갔었다.

한데 설마 그 좁디좁은 서점에 콜렌토 부인이 있었을 줄이야. 덕분에 가게는 제대로 살펴보지도 못하고, 잡히는 서적을 닥치는 대로 집어 구입해야 했다. 하마터면 골라온 게 성인 연애 소설이라 서랍 안쪽에 묵혀 둔 상태이지만.

"그냥 부인께 아는 척을 했을 수도 있죠."

"얘는. 내 나이쯤 되면 그런 의도쯤이야 한눈에 보면 알아. 내게 네 이야길 물으면서 눈도 못 마주쳤어."

대답 없이 어깨를 으쓱였다. 그래봤자 나는 최대한 아무렇지 않은 척 연기하느라 얼굴도 못 봤는데.

"수잔."

얼마 지나지 않아 익숙한 목소리가 복도 너머에서 내 이름을 불렀다. 등을 돌려 확인하지 않아도 누구인지 알 수 있다. 베르크네임이 분명했다. 콜렌토 부인이 가도 좋다는 의미로 고개를 주억였다.

베르크네가 이 시간대에 날 부르는 데는 보통 그 이유가 뻔하다. 뒤도 돌아보지 않고 계단을 오르는 걸 보면 리히튼의 집무실로 향하는 것일 터였다. 보름 만에 보는 얼굴이다. 잉고르드로 귀성한 이래 리히튼과 마주할 기회가 없었다. 후작의 죽음이 예상보다 더 큰 파란을 일으켰는지, 본관 전체가 날마다 방문하는 귀족들로 문전성시였기 때문이다.

"베르크네."

이름만 불렀을 뿐인데, 베르크네는 진저리가 난다는 목소리로 대답했다.

"더는 아무것도 묻지 마, 수잔. 너는 정말 궁금한 게 많군. 크로허츠에서 어떤 이상한 소릴 듣고 왔는지 모르겠으나… 앞서 말했듯 알려 줄 사항은 없어. 나 역시 이제껏 보아 온 대로 유추한 것에 불과하니까."

며칠간 리히튼의 광증에 대해서 지겹도록 캐물은 탓일까. 베르크네의 반응은 영 좋지 못했다. 나는 그의 뒤를 따라서 사각의 창틀 모양으로 떨어지는 햇빛 위를 걸었다.

"그걸 물으려던 게 아닌데요."

"아니면? 또 뭐를?"

평소보다 유독 예민하게 구는 걸 보니, 그 역시 콜렌토 부인과 마찬가지로 연회 준비에 골머리를 앓는 듯했다. 나까지 나서서 귀찮게 할 필요는 없지. 베르크네의 심기를 건드리고 싶지 않아 고개를 저었지만, 그는 어서 말하라는 듯이 이마를 대번 구겼다.

"각하께서 정말 공작 부인을 맞이하실까요?"

"그렇게 당연한 걸 묻다니. 해가 동쪽에서 뜨고 서쪽에서 진다는 사실보다 더 당연해."

역시 그런가. 막상 말한 후에 되새겨 보니 확실하게 바보 같은 질문이긴 했다. 공작 가문의 가주씩이나 되는 남자가 혼인을 안 할 리 없으니. 그렇다면 나는 리히튼 외에도 안주인을 한 명 더 모시게 되는 걸까. 그의 후계도?

하지만 리히튼은 존재 자체가 독이지 않은가. 그런 그가 후계를 생산할 수 있을 리 만무했다. 또한 후계를 얻지 못한다면 안주인을 둘 필요가 없을 터였다. 물론 리히튼이 진심을 다하도록 하는 여인이 나타난다면, 이런 가정은 아무런 의미가 없을 터였다.

"나야말로 의문이군. 무슨 근거로 아닐 수도 있다고 생각하는 거지?"

"근거라고 할 것까지 없어요. 그냥… 상상이 잘 안 가서요."

나를 평생 증오한다고 말했던 그가, 다른 이에게 평생 사랑한다고 말할 수 있을까. 못할 건 없다. 하지만 그건, 그거야말로 정말 불공평한 일인데. 유리 세공품처럼 아리따운 고귀한 혈통의 귀족 아가씨. 그런 아가씨에게 사랑을 고백하는 리히튼 공작. 서로를 향한 신뢰의 눈빛. 영원을 약속하는 입맞춤. 아주 잠깐 머릿속에 그려냈을 뿐인데, 스튜 안에 빠진 쥐꼬리를 본 것처럼 속이 역겨웠다.

“귀족이 혼인을 통해 동맹을 결성하는 건 의무에 가깝다. 특히나 각하처럼 함부로 올려다보지도 못할 대단한 위치의 귀족에게는 더더욱. 그분의 혼인은 황제 폐하의 숙원이기도 하지. 시간이 조금 늦춰질 뿐, 잉고르드는 공작 부인을 맞이할 수밖에 없어.”

“그렇군요.”

그럼 그 공작부인은 일생을 수절해야 하나요. 자신의 남편에게조차. 혀끝까지 튀어나와 걸리려던 말을 겨우 참았다. 고작 하녀에 불과한 내가 그런 걸 알아 뭐하겠는가.

“수잔.”

“말씀하세요.”

리히튼의 집무실을 고작 몇 걸음 앞두고서, 베르크네의 걸음이 눈에 띄게 느려진다.

“각하께서 우리를 특별히 여긴다 하여, 멍청하게 두 눈을 감고 있으면 안 된다. 자만은 잉고르드의 독과 달라. 널 집어삼키고 종국엔 몰락하도록 만들 거다.”

질문하기 전에 주제 파악부터 하라 이건가. 그러나 베르크네는 그렇게 빙 둘러서 설명할 위인이 아니다. 쓸데없는 질문은 삼가라며 직설적으로 말하면 말했지.

“제 착각이 아니라면 본인에게 하는 다짐처럼 들리는데요.”

그가 작게 웃었다. 즐거워서 웃는 게 아니라 그저 내 대답이 흥미롭게 들렸던 것 같다. 베르크네의 웃음은 밀랍 인형을 떠올리게 한다. 눈꼬리는 가만히 머무는 상태에서 입꼬리만 올라가다 보니 초상화에 물감을 덧칠한 듯 부자연스러웠다.

"넌 현명하니까 그럴 일 없겠지. 괜한 걱정에 하는 잔소리라고 여겨도 좋다."

집무실의 문을 두들긴 그가 내게 턱짓했다. 나는 문손잡이를 쥐고 베르크네와 눈을 마주했다. 어서 안 들어가고 뭣 하느냐는 표정이었다.

"미안하지만, 베르크네. 나는 안 똑똑해요."

그렇다고 해서 자만에 눈이 머는 날은 오지 않을 것이다. 그것이야말로 진정한 헛소리였다. 리히튼은 같은 장소를 공유하는 것만으로도 머리칼을 바짝 서게 하는 존재이다. 한데 아주 조금 특별한 개가 됐다는 이유만으로 자만한다고? 장담하건대 그 개는 눈이 멀고 코가 없고 귀가 없는 개일 것이다.

늘 느끼지만 리히튼의 집무실은 문 닫히는 소리가 유독 선명하고 크게 들린다. 나는 오전의 햇빛이 부서져 내리는 공간으로 천천히 걸음을 옮겼다. 며칠 전에 교체한 집무실의 카페트는 무늬가 얇고 간격이 멀어 펴즐 위를 걷는 느낌이 들게 했다. 보름이 흘렀음에도 리히튼은 그대로였다. 그는 너른 창문 뒤, 가을바람에 갈대처럼 흔들리는 활엽수를 배경삼아 그림처럼 앉아 있었다.

정말 모든 것이 그대로였다. 건강을 의심케 하는 창백한 낯도. 속을 가늠할 수 없는 청회색 눈동자도. 머리 꼭대기에서 군림하는, 가진 자의 기품도. 시간이 흐르면 얼마나 흘렀다고, 그의 팔에 엉켜 베아트리체 노릇을 했었던 시간이 모두 환상처럼 느껴졌다. 누구는 작은 실마리라도 잡기 위해 죽어라 머리를 굴리는데 누구는 그저 편히 앉아 내 방황을 관람한다. 그야말로 손바닥 위에서 농락당하는 기분이었다.

"근래에 얼굴 보기가 힘든 것 같군. 나의 착각인가?"

하녀와 고용주가 보름 동안 한 차례도 얼굴을 마주하지 않는 건 흔한 일이었다.

"칠 일에 한 번씩 찾아와 얼굴을 비출 것."

종이 위를 유람하는 만년필 소리가 실내의 정적을 더 길게 끌어간다. 나는 흐트러짐 없는 자세로 앉은 리히튼을 조용히 응시했다.

"…이라고 말했던 것 같은데. 보름동안 단 한 번도 얼굴을 비추지 않았어. 어떻게 생각하지?"

"제 불찰입니다."

"잉고르드에서의 생활이 아주 편안해진 모양이야. 불찰이란 단어도 입에 담고."

그의 목소리에는 높낮이가 없었다. 조롱하거나 격양된 감정이 느껴지기는커녕 바람 한 점 없는 호수의 수면처럼 잔잔했다. 또한 평화로웠다. 타박하는 기색 하나도 없이, 시라도 낭송하듯 부드럽고 차분했던 것이다.

리히튼은 매우 안정되어 보였다. 동시에 나는 불안해졌다. 잉고르드에서 리히튼의 명령은 절대적이다. 하지만 그는 멋대로 구는 개의 목줄을 흔들어 바로 잡지 않았다. 그 흔한 호통도 없었다. 내게 관심을 두지 않는 것처럼.

"수잔."

왜지.

"일주일에 한 번이 버겁다면 보름에 한 번으로 미루도록 하지."

잉고르드로 귀성한 후, 내게는 억제하기 힘든 작고 거센 호기심이 생겼다. 호기심은 태풍의 눈처럼 고요했으나 그것을 둘러싼 수많은 상념을 뿌리째 흔들 정도로 점차 영향을 넓혀갔다. 나는 순수한 마음으로 궁금했다. 리히튼에게 아그레인은 특별한 존재다. 그렇다면 과연 얼마나 특별할 것인가?

"그러나 한 달에 한 번으로 미루는 일은 없어야 할 거다."

"네."

남자는 명을 어긴 개를 보름 동안이나 풀어놨다. 보름 만에 그를 만나면서, 나는 두려워하면서도 내심 기대하고 있었던 것 같다. 그가 얼마나 감정적으로 대응할지에 대하여.

"나가 봐."

기대는 보기 좋게 빗나갔다. 리히튼에게 나는 안중도 없었으니까. 발이 떨어지지 않았다. 굳어 버린 입술 안에서 여러 번 혀를 들썩였다. 왜 그렇게 무덤덤한지 묻고 싶었다.

"할 말 있나?"

뒤늦게 고개를 든 그가 나의 눈을 응시했다. 어떤 생각을 하는지 읽을 수 없었다.

"아니요."

느리게 걸음을 옮겨 집무실을 나갔다. 통로를 지나쳐 일 층 홀로 향하는 내내 베르크네의 목소리가 메아리처럼 울렸다.

'각하께서 우리를 특별히 여긴다 하여, 멍청하게 두 눈을 감고 있으면 안 된다.'

갑자기 왜 그런 뜬구름 잡는 소릴 하나 했지.

'간파당하고 있었던 건가.'

그렇다면 리히튼 역시 내 속을 훤히 내다봤을 확률도 높았다. 그리 여기면 베르크네가 굳이 뜬구름 잡는 소리를 한 이유도 이해할 수 있었다. 생각에 생각이 계속해서 꼬리를 물고 이어졌다. 그 때문인지 잠잠했던 두통이 다시 일기 시작했다. 찬물로 얼굴을 헹구고 싶었으나, 고용인들로 북적이는 장소에 가고 싶지는 않았다. 나는 후원 너머의 냇가로 가 흐르는 물에 손을 담갔다. 가을의 냇물은 더없이 차가웠다.

"그대로 쭉 가면 늪이 나와."

멍하니 수면에 비친 창백한 낯을 내려다 볼 때였다. 등 뒤에서 민들레 홀씨가 바람에 흔들리듯 느긋한 음성이 들려왔다.

"늪을 지나 늑대의 지대까지 건너면 지오르타 백작령이 나타나지. 인기척도 없는 김에 백작령까지 도망가지 그러냐?"

잉고르드에서 목소리 하나로 내 심기를 거스르는 자는 딱 한 명밖에 없었다. 힐긋 뒤를 바라봤다. 나보다 이르게 왔는지 아닌지는 모르겠으나, 반쯤 조는 얼굴의 킨이 낮은 벽에 기대어 앉아 있었다.

"누가 집 지키는 개새끼 아니랄까 봐, 말하는 것도 각하를 따라하지 못해 난리네."

내 대답에 킨이 헛웃음을 흘렸다.

"이제 도망칠 생각은 추호도 없나 보군. 아주 잘 적응했어. 이 오라비가 그간 조언해 준 보람이 있는데?"

누가 누구보고 오라비라는 건지. 대꾸할 가치도 느껴지지 않았다. 내가 입을 닫자 사위는 다시 물 흐르는 소리와 새 지저귀는 노래로 평온함을 되찾았다. 정적 속에서 다시 쓸모없는 상념이 머릿속을 채우기 시작했다. 두통이 심해지는 것보다야 저 멍청이와 대화를 잇는 게 낫겠다. 나는 말이 끊긴지 한참 만에 다시 입을 열었다.

"이렇게 평화로운 곳으로부터 도망칠 필요가 있어?"

"평화? 허어."

잠깐 동안 자리를 비우지 않았는지, 이전에 비해 또렷해진 킨의 목소리가 들려왔다. 이윽고 풀 사이에서 부스럭거리는 소음이 귓등을 울렸다.

"이런 건 평화가 아니란다, 미숙한 수잔아. 차라리 태풍의 눈이라 표현하는 게 옳지."

물에 담긴 손의 온기는 이미 식을 만큼 식어 있었다. 무게를 실은 걸음 소리가 느긋하게 이어진다. 그 크기가 줄어드는 걸 보아 킨이 공작저로 돌아가는 듯했다.

"너도 몸 사리는 게 좋아. 내 말을 헛소리로 치부하지 않는 건 더욱 좋지. 내가 어디 틀린 소릴 한 적 있나?"

그대로 몇 분이 흘렀을까. 다시 뒤돌아 봤을 때, 킨이 앉아 있던 자리는 뭉그러진 풀 더미만 남긴 채 텅 비어 있었다.

오후 일과를 하는 내내 킨의 별것 아닌 말이 곁을 떠나지 않았다. 내가 잉고르드에 익숙해졌다고? 이곳에 온 지 벌써 반년 가까이 흐르기는 했다. 반년이면 새로운 터전에 충분히 익숙해지고도 남는 시간이지.

그러나 킨의 말은 늘 사람 깊숙한 내부를 건드린다. 고작 익숙해졌다는 한마디가 더는 도망칠 생각이 없어 보인다는 비꼼으로 들리게 하는 것이다. 유독 고단한 하루처럼 느껴졌던 그날의 늦은 밤. 잠들기 전에 서랍 깊숙이 숨겨 두었던 보석함을 꺼냈다. 크로허츠 저에서 빌힐름이 주었던 것이다. 어째서일까. 잉고르드에 도착한 후에도 리히튼은 내게서 이 보석함을 거두어 가지 않았다.

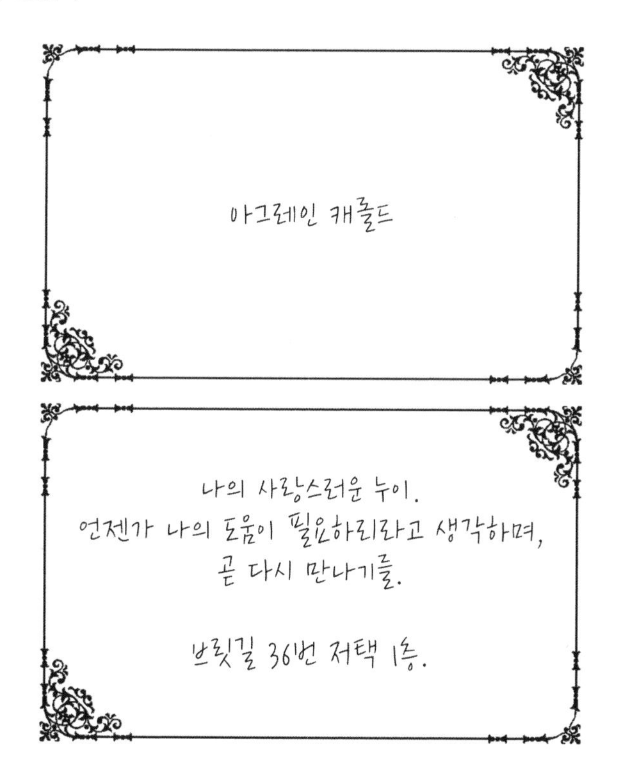

빌힐름은 도와줄 수 있다는 의사를 전했지만, 글쎄. 나는 잉고르드 독에 중독되어 있는 상태다. 불면, 두통, 예민함. 리히튼이 해독제를 주지 않는다면 평생 이 고통에서 해방되지 못하겠지. 고통으로부터 벗어나기 위해서는 내기에서 이겨야만 한다.

"아그레인 캐롤드."

빌힐름을 이용한다면 아그레인에 대해서 더 상세히 알 수 있을 것이다. 한데 내가 반드시 아그레인에 대해 알아야만 할까? 나는 아그레인이 아니지 않은가. 보석함을 다시 서랍 안쪽에 넣어 둔 후 침대에 누웠다. 늘 그렇듯 완전히 잠들지는 못하겠지만… 내게는 휴식이 필요했다.

꿈속에서 나는 두려움에 떨며 통로를 걷고 있었다. 화려하다 못해 사치스러운, 아주 기나긴 통로였다. 사계가 그려진 천장화와 먼지 한 톨 보이지 않는 창틀. 화려한 자수의 카펫이 곳곳에 깔려 눈이 어지러웠다. 천천히 숨을 골랐다.

'그'를 만나러 가는 길은 이렇듯 늘 나를 뒷목까지 바짝 긴장하게 만들었다. 나는 '그'가 무서웠다. 하지만 거부할 수 없었다. '그'는 나의 목줄을 쥔 주인이므로. 끼이익. 문이 열리고 태양처럼 화려한 샹들리에가 나를 맞이했다. '그'는 반짝이는 샹들리에 아래에 다소곳이 앉아 있었다. 벽에 걸린 액자를 향해 있던 붉은 눈동자가 나를 향했다. 그는 산들바람보다 더 부드러운 미소를 지었다.

[왔구나. 사랑스러운 나의 누이.]

다가온 청년이 내 뺨에 입을 맞추었다. 유리 인형을 대하듯 조심스럽고 차분하게. 나 역시 그를 향해 마주 웃었다.

[안녕, 빌힐름.]

그는 내 혀에 감긴 자신의 이름을 되새기듯, 긴 시간 내 얼굴에서 시선을 떼지 않았다. 성을 벗어나는 데는 그리 긴 시간이 걸리지 않았다. 우리는 손을 맞잡고 정원 너머의 숲을 나란히 거닐었다. 빌힐름은 나를 이전의 산책로와는 다른, 새로운 길로 이끌었다. 아카시아 향으로 가득한 숲이었다.

특별한 대화가 오간 것은 아니다. 그는 마치 이 시간 자체를 음미하듯 고요했고, 나는 얌전히 따르는 척 그의 눈치를 살폈다. 얼마 지나지 않아 우거진 수풀 사이로 낡고 작은 성이 나타났다. 그 앞에 낯선 소년이 보였다. 빌힐름보다 두 뼘은 작은 신장에, 정신없이 뻗친 머리로 얼굴의 반이 가려져 있었다. 이처럼 삼엄한 장소에 거지꼴을 한 존재가 있다니. 말도 안 되게 이상하지 않은가. 나는 따라 걷던 걸음을 멈추고 소년을 가리켰다.

[저건 뭐야?]

소년은 가죽 표지가 너덜너덜할 정도로 낡고 오래된 책을 들고 있었다. 소년의 시선은 오로지 그 책에 고정되어 있었다. 활자 하나하나를 삼키려는 듯 고개를 푹 숙인 채로.

[처음 봤어. 저것도 빌힐름이 키우는 거야?]

그럴 리 없었다. 현시점에 빌힐름이 키우는 개는 나를 포함해서 고작 셋이 전부였다.

[아아… 너를 이 길목에 데려오는 건 처음이지.]

그가 대수롭지 않은 투로 대꾸했다. 상냥한 목소리에서는 소년을 향한 일말의 관심도 느껴지지 않았다.

[저건 쓸모없어. 조금의 쓸모도 없는 것이라 성에 묶어 두었지. 한 발자국도 나가지 못하도록.]

나는 입술을 닫았다. 다듬어지지 않은 수풀 사이로, 외롭게 자리한 작은 성 하나. 그리고 그 안에 갇힌 소년. 그리고 조금도 쓸모없다는 빌힐름의 첨언까지.

[버렸구나.]

[응.]

소년은 아무래도 빌힐름이 가지고 놀다 버린 개인 것 같았다. 아니, 빌힐름이 긍정했으니 버려진 개가 맞았다. 다만 버려진 것치고는 대우가 썩 괜찮았다. 이제껏 봐 온 버려진 개들은 대개 도륙된 돼지처럼 질질 끌려가거나 소리소문도 없이 사라지곤 했으니. 그러나 소년은 이곳에서 멀쩡히 목숨을 이어 가고 있지 않은가?

[나도 버릴 거야?]

쥐고 있던 빌힐름의 손을 더욱 꽈악 잡았다. 입술을 깨물고 애처로운 얼굴로 그를 올려다봤다. 이 어처구니없는 투정은 내가 가진 최고이자 최선의 무기였다. 빌힐름은 약하고 수동적이며 의존적인 나를 사랑한다. 그는 귀공자처럼 하얀 손으로 내 얼굴을 부드럽게 쓸었다.

[너를 버리다니, 누이. 재미있는 농담을 하네. 내 평생에 그런 날이 올까 싶을 정도로 터무니없는 농담이야.]

[그렇지? 그럼… 저거 내가 가져도 돼?]

빌힐름의 얼굴이 돌연 딱딱하게 굳었다. 나는 못 본 척 고개를 돌려 소년을 바라봤다. 헝클어진 백금발이 지푸라기처럼 푸석푸석했다.

[나한테 줘. 나도 개 키울래, 빌힐름만 키우는 건 불공평하잖아.]

[안 돼. 저건 위험하고 더러운 물건이라 네가 키울 만한 게 못 돼.]

더 볼 것 없다는 단호한 거절. 오늘의 빌힐름은 기분이 무척이나 좋은 상태였다. 이렇게나 좋은 상태에서 그가 내 부탁을 거절하는 건 처음 있는 일이었다. 버려졌으나 버젓이 살아 있는 소년. 기분 좋은 날임에도 내 부탁을 거절하는 빌힐름. 모두 내게는 생소한 상황이었다.

[착하지, 아그레인. 이리로….]

나를 이끈 손이 낡은 성을 지나쳐 더 깊은 숲으로 들어간다. 평소보다 조금 더 빠른 걸음이었다. 소년을 꺼리는구나. 왜일까? 왜 모든 걸 가진 빌힐름이 저 초라한 소년을 꺼려할까. 고민에 고민을 거듭하며 그와 산책을 이어 갔다. 그리고 그 끝에서 나는 목구멍 아래로 환호성을 삼켰다.

드디어, 드디어 찾아낸 것이다. 날 이곳에서 벗어나게 할 유일한 탈출구를!

똑똑.

갑작스러운 노크 소리에 눈을 떴을 때, 나는 어슴푸레한 새벽빛이 내려오는 방 한가운데 누워 있었다. 멍하니 천장을 올려볼 즈음 다시 한번 소리가 들렸다.

똑똑.

"수잔? 너 늦잠 잤니? 빨리 나와, 콜렌토 부인이 화내시겠어."

그 말에 서랍 위의 탁상시계를 확인했다. 오전 다섯 시 오십오 분. 일과가 시작된 지 벌써 오 분이나 지나 있었다.

"수잔!"

"금방 나갈 거야, 리냐. 제발 문 좀 그만 두들겨…."

말과 달리 몸이 바짝 굳어 꼼짝하기가 버거웠다. 이건 헛된 꿈이 아니다. 전신에 우수수 일어선 날카로운 신경들이 그리 말하고 있었다. 내 몸이 기억하고 내 머리가 기억하고 있었다.

이건 아그레인의 과거였다. 억지로 몸을 일으켜 빠르게 준비하고 침실을 벗어났다. 이유는 알 수 없지만 손끝이 덜덜 떨리고 있었다. 기억 속에서 나는 빌힐름의 말 잘 듣는 개였다. 리히튼이 아닌 빌힐름의 개. 웃음이 절로 나왔다. 빌힐름. 네가 그토록 찾고 있던 누이가 고작 개였다고? 토할 것 같았다.

"수잔, 괜찮아?"

안 괜찮아. 나는 다가오는 리냐를 느리게 밀어냈다.

"급하게 준비해서 그런가 봐. 헛구역질이 나오려고 해."

"너는 참 별거에 다 헛구역질이 나온다."

다행스럽게도 콜렌토 부인은 나를 타박하지 않았다. 평소 누구보다 일찍 일어나 준비했던 보람을 여기서 찾을 수 있었다. 그녀는 주방 한쪽에 모인 우리들에게 차례대로 종이를 나누어 주었다. 열아홉 개의 이름 옆으로 간단한 신상 정보가 표기된 종이였다.

"잉고르드에 방문하는 귀족 명단이야."

이름을 길었고, 나란히 적힌 부연 설명은 더 길었다. 마르델 로네어, 로네어 백작 가문의 차녀, 검은 머리에 목이 긴 주먹코, 열아홉, 고용인에게 호의적이지 못함, 주의 요망…. 분명한 내용이 존재하는 글자였으나, 머리에 들어오지 않고 근처에 맴돌기만 했다.

'왔구나. 사랑스러운 나의 누이.'

이곳에서 보내는 시간이 길어질수록, 책 속에 묘사되어 있던 빌힐름과 직접 보고 느끼는 빌힐름 사이의 괴리감이 놀라우리만치 커져간다. 사람을 물건 취급하는 건 악역의 역할이다. 『태양이 흐르는 강』에서 악역은 리히튼이었고, 빌힐름은 항상 정의감과 선한 의무를 지닌 주인공으로 그려졌었다.

그런데 대체 왜? 왜 책의 세계와 다른 거지? 머리를 흔들어 잡념을 떨쳤다. 물론 제대로 떨쳐질 리 만무하다. 나는 당장 닥친 일에 집중하기 위해 하녀들의 대화에 귀를 기울였다.

"마르델 로네어는 올해도 또 오는구나? 못생긴 게 욕심은 많아서. 욕심이 많으려면 성격이라도 좋아야지."

"어쩜 해가 지날수록 명단도 길어진담?"

"그야 각하께서 미혼이시니까. 다들 제 딸을 공작부인에 앉히려고 안달…."

"마리."

귀 좋은 콜렌토 부인은 시끌시끌한 대화 속에서도 마리의 목소리를 기가 막히게 잡아냈다. 마리는 어깨를 으쓱이곤 개미 기어 다니는 목소리로 마저 속삭였다.

"공작 부인에 앉히려고 안달이 난 거지. 그런 기회가 어디 흔하니?"

"그 얼굴로는 각하께서 눈길도 안 주시겠다, 얘."

"그분이야 눈이 워낙 높으시니."

웅성거림이 잦아들면서 하나둘 저택을 정리하기 위해 자리를 뜨기 시작했다. 나는 메어리와 함께 이 층으로 향했다. 메어리가 워낙 열성적으로 명단을 외우는 탓에, 나 역시 접어 두었던 종이를 다시 펼 수밖에 없었다.

"와아. 정말 듣기만 했던 엄청난 귀족들이 찾아오네요."

"듣기만 했던? 귀족 세계를 잘 아는 모양이구나."

메어리가 어색하게 입꼬리를 올렸다.

"저 같은 애가 알기는 뭘 알겠어요. 그냥, 다들 어릴 때 그런 꿈을 꾸곤 하잖아요? 멋진 귀족 신사와 눈이 맞아서 커다란 저택으로 시집가는 이야기 말이에요."

"신랑감을 찾기 위해 귀족 가문을 조사했다는 소리처럼 들리네."

"그래도 덕분에 이름 외우는 수고는 덜하겠어요. 그때의 그 치기 어린 짓이 이런 행운을 다 가져다 주다니… 한데 윌 가문의 영양이 올 줄은 몰랐네요."

윌 가문. 어디선가 들어본 이름이었다. 크로허츠와 더불어 책 속에서 종종 언급되었던 귀족 가문이 분명했다.

"윌?"

나의 반문에 주변을 살피던 메어리가 내게로 고개를 숙였다.

"아즈마리아 윌이요. 듣기로 빌힐름 황자 전하의 약혼녀라는데… 그쪽 귀족들과 잉고르드는 사이가 나쁘잖아요."

"별걸 다 알아."

"이것저것 주워들었죠. 하녀로 돈을 벌려면 눈치가 생명이잖아요?"

쑥스럽게 웃으며, 메어리가 이 층 첫 번째 침실로 들어갔다.

잠깐, 아즈마리아 윌이라고? 쥐고 있던 명단을 다시 들여다봤다. 메어리의 말이 옳았다. 내 기억이 잘못되지 않았다면 아즈마리아 윌은 빌힐름 황자의 하나뿐인 약혼녀였다. 주인공인 빌힐름을 고난으로부터 포옹해 주는, 더없이 사랑스럽고 소중한 연인. 하지만 윌 백작 가문은 크로허츠와 더불어 잉고르드의 주된 정적 중 하나다. 그런 가문의 영양이 잉고르드를 방문한다는 건….

'책 속에 없던 내용이야.'

없던 내용으로 모자라 빌힐름과 리히튼 사이에 새빨간 도화선을 지피는 일이었다. 머릿속이 복잡해졌다. 하필이면 아즈마리아라니. 이대로는 위험하다. 급작스러운 변화를 주도하는 자는 이제껏 그에 상응하는 대가를 받아오지 않았는가.

"선배, 밖에서 뭐하세요? 혹시 또 쓰러지셨어요?"

"안 쓰러졌어. 지금 들어가."

명단을 주머니에 구겨 넣고 침실로 들어갔다. 어차피 내가 끼어들 구석은 조금도 없을 터였다. 다만 조용히 지나가기를 바랄 뿐.

그로부터 이틀 후. 잉고르드 가을 연회의 손님들이 속속들이 도착하기 시작했다. 하녀는 저택에서 존재하되, 없는 사람이다. 고용주의 눈을 피해 들리지도, 보이지도 않게 관내를 청소하는 것이 그들의 역할이었다. 종종 솜씨가 부족한 시녀를 대신해 귀부인의 치장을 돕는 이도 있지만 이는 극소수의 경우였다. 집사와 시녀, 그리고 시종이 고용주와 손님의 시중을 들 동안 하녀는 그 밖의 일을 해야 한다. 특히 오늘 같은 날 오전에는 손님을 맞이하기 위해 이른 시간부터 몸을 굴려야 했다.

"나도 저 밖으로 나가고 싶다."

리냐가 아쉬움 가득한 목소리로 중얼거렸다.

"나도 연회의 기분이라는 걸 느껴보고 싶어."

"각하께서는 연회가 끝난 후 고용인에게 휴가를 주셔. 연회의 기분은 그때 느끼지 그래?"

"내가 말하는 건 그런 게 아니야! 화려한 사교 생활의 일부가 되고 싶다는 뜻이지."

그 말에 접시를 닦다 말고 창밖으로 시선을 돌렸다. 리냐를 비롯한 다수의 어린 하녀들이 선망 가득한 시선으로 응시하고 있는 곳으로. 벌써 열댓 번째 즈음 되는 마차였다. 시종이 문을 열자 기다란 흑색 깃을 머리에 꽂은 여자가 우아한 움직임으로 땅을 밟았다. 여인은 시종의 도움으로 번쩍이는 드레스를 뽐내며 저택 안으로 들어섰다. 아마 관내에서는 시녀를 통해 방을 안내받을 것이다.

"네 말은, 귀족 영양들의 시중을 들고 싶단 거야?"

"그래. 이왕이면 시중을 들다가 잘난 신사와 눈이 맞으면 더 좋고."

"넌 너무 솔직해서 탈이야, 리냐."

"수잔, 조금 쉬는 게 어때? 요리에 나갈 식기는 이미 다 준비해뒀잖아."

마침 남은 접시도 없는 터라 손을 털며 대답했다.

"오늘도 힘들었는데 내일부터 사흘간은 지옥이겠어."

"저 많은 인간들이 먹다 남긴 음식과 엉망이 된 침실을 생각하면…."

"쉿! 저길 봐, 저 여자가 아즈마리아 월이야."

뿔뿔이 흩어지던 하녀들의 이목이 다시 한번 집중됐다. 이번에는 나 역시 관심을 보일 수밖에 없었다. 아즈마리아는 귀부인들의 찬양을 한 몸에 받는 귀족 여식이다. 품행과 언행에 기품이 서려 있고 활기와 현명함을 모두 지닌 여자라 뭇 남자들의 선망을 한 몸에 받는 여자이기도 했다.

"소문대로네."

"또래 친구들을 따라 좇아왔나 봐. 참 겁도 없다. 나 같으면 절대 못 와, 무섭잖아."

마차에서 어린 귀족 여식들이 차례로 내렸다. 둘, 아니 셋인가. 그중에서도 아즈마리아의 미모는 단연 빼어났다. 남들과 같은 흑발에 남들과 같은 하얀 피부였음에도 시선을 잡아끄는 무언가가 있었다. 기다란 팔과 갸름한 턱, 춤추듯 나부끼는 걸음. 과연 주인공의 연인이 될 인물다웠다.

"첼벨 자작님도 오셨대."

툭.

발등 위로 떨어진 손수건을 조심스럽게 주웠다. 등 뒤로 흐르는 식은땀이 느껴졌다. 테라스 아래로 추락하던 그의 마지막 표정이 잔상처럼 눈앞에 아른거렸다.

"그렇게 수잔에게 구애하더니! 시집은 리냐가 아니라 수잔이 가겠네."

"그분 정도면 괜찮지."

"괜찮은 정도니? 신분이 상승하는 건데!"

그들 마음속에서 나는 이미 첼벨 자작의 예비 부인으로 낙점된 듯했다. 괜찮다고? 내가 그를 어떻게 죽일 뻔했는지 알고도 그런 소리를 할 수 있을까. 상상만으로도 끔찍한 그림이라 못 들은 척 뒷문으로 저택을 나왔다. 고작 보름이 흘렀는데 어떤 꼴로 잉고르드에 왔을까. 목발을 짚고? 그도 아니라면 누워서? 입 안은 걸레짝이 된 채?

"솔직히 조금 실망했어요."

메어리였다. 대답 않고 겹겹이 쌓아 올린 과일 상자 옆에 주저앉았다. 곧장 옆에 쪼그려 앉은 메어리가 주절주절 말을 늘어놨다.

"귀족 영애들 말이에요. 차라리 수잔 선배가 제가 기대했던 귀족 여식에 더 알맞은 느낌이에요."

그야, 내가 몸을 차지한 아그레인은 유복하고 명망 높은 귀족 가문 출신이 맞으니까. 나는 대답하지 않고 가만히 고개를 끄덕였다. 그러다가 괜히 웃음이 터져 나올 것 같아서 가지런히 모은 무릎 사이로 코를 박았다. 날고

긴다는 잉고르드의 하녀들보다 메어리의 눈치가 훨씬 더 빠르다는 게 우스웠던 것이다.

손님들이 각지에서 모이고 있었기에, 입성은 해가 지고도 계속됐다. 열아홉 모두가 이른 시간에 도착했다면 만찬 준비로 바빴을 텐데, 하녀로서 상당히 다행인 일이었다. 연회가 시작되기 전날은 그렇게 무난하게 시나가는 듯했다.

쨍그랑!

평온함이 어긋나는 소리는 자정이 훌쩍 흘러 모두가 잠든 시간대에 들려왔다. 흐릿하게 유영하던 정신이 맑아졌다. 고용인들의 침실이 아닌 이 층에서 난 소음이었다. 독으로 인해 청각이 예민해지지 않았다면 나 또한 모르고 지나쳤으리라. 그러나 두 번째는 없었다. 대신 쏟아지는 장대비 소리가 저택을 잡아먹었다.

조심스럽게 침실을 나서 이 층으로 올라갔다. 열아홉 명의 손님이 공작저를 방문했음에도, 새벽의 저택은 유령 성만큼 스산했다. 어느 순간, 어둠 속에서 흐릿한 빛이 보였다. 리히튼의 집무실에서 나오는 불빛이었다.

"…주인님?"

언제나 닫혀 있던 공간이다. 한데 문이 반 이상 열려 있는 것은 물론 방의 주인은 자리를 비우고 있었다. 노란 빛 아래에서 조각조각 해체된 화병이 보였다. 내 잠을 깨운 소음의 주범인 듯했다. 천천히 걸음을 옮겨 창문 앞으로 다가갔다. 은하수조차 보이지 않는 황량한 어둠 속에서, 밝은 빛 하나가 점차 멀어지는 것이 보였다. 등불에 어렴풋이 보이는 뒷모습이 익숙했다.

"리히튼."

그의 걸음은 참으로 기이했다. 곧고 거침없었던 기색은 흔적도 없이 사라져 있었다. 마치 외줄을 타듯 위태위태한 남자의 발자국이 저 먼 냇가 너머의 숲으로 향했다. 그에게 문제가 생긴 거야. 하지만 리히튼은 남에게 허점을 보일 남자가 아닐 터인데. 생각은 더 길게 이어지지 못했다. 나는 홀로 내려가 우산을 쥐고 저택을 벗어났다.

쏴아아아아.

내 숨소리보다 귓등을 치는 빗소리가 훨씬 컸다. 멀어지는 빛을 향해 열심히 다리를 놀렸다. 그의 보폭이 너무나 커 따라잡기까지 적잖은 시간이 들었다.

"주인님."

가까이서 본 리히튼의 상태는 최악이었다. 워낙 빗줄기가 굵어 빗물에 쓸린 그의 얼굴이 제대로 보이지 않았다. 우산을 높게 들고 흠뻑 젖은 팔을 가까이 끌었다.

"주인님."

어디를 바라보고 있는 걸까. 그의 시선은 새카만 숲 어딘가를 멀거니 향하고 있었다. 마치 무언가에 단단히 홀린 듯한 모습이었다. 다른 이도 아닌 리히튼이, 보이지도 않는 괴이한 것에 홀렸다고?

"리히튼!"

너무나 이상했다. 그의 목을 붙잡아 내려 시선을 맞추었다. 새하얀 입김이 우리 사이를 메우고 흩어졌다.

"아그레인."

그리고 한참 만에 나온 이름이, 아그레인. 머릿속이 텅 비는 기분이었다. 리히튼을 잡아끌던 손 안의 힘이 빠른 속도로 빠져나갔다. 그의 속눈썹 아래에 맺힌 자그마한 물방울이 턱, 땅으로 추락했다.

"이제야 찾았군요. 당신처럼 허약한 여자가 가을비를 맞는 게 죽자는 행위란 걸 모르는 겁니까?"

우산에 커다란 구멍이 뚫린다면 이런 추위가 찾아올까. 몰아치는 한기에 쥐고 있던 우산까지 덜덜 떨렸다. 나를 물끄러미 내려다보던 리히튼이 조심스러운 움직임으로 내 손등을 감쌌다. 그의 눈은 나를 보고 있었지만, 또한 나를 보고 있지 않았다.

"어서 성으로 돌아갑시다. 고작 몇 분이 지났다고 그리도 낯이 창백해."

리히튼이 내 어깨를 잡아끌어 안았다. 지하 냉동고에 갇힌 것처럼 뼈를 훑는 스산함이 날 덮쳤나. 그의 손은 하늘에서 떨어지는 빗물보다 차가웠다. 그는 어디에서 헤매고 있는 걸까.

"우리는 어디로 돌아가나요."

"당신의 침실로."

"나의 침실은 어디 있나요?"

"나와 질답 놀이라도 하자는 겁니까? 오늘은 정말 다른 사람처럼 느껴지는군. 당신의 침실이 힐 성에 있지 않으면 어디 있겠습니까."

광증. 잊고 있던 그 짤막한 단어가 수면 위로 모습을 드러냈다. 그의 광증이 버리지 못하는 과거로 인해 고통받는 것이라면….

"여기에 힐 성은 없어요, 주인님."

걸음을 멈추고 어깨를 감싸고 있던 팔을 털어냈다. 리히튼이 의아한 얼굴로 등불을 들어 내 뺨 가까이 들이밀었다. 보는 이의 가슴을 저리게 할 만큼 숨 가쁘고 지쳐 보이는 낯을 하고선.

"내가 아는 아그레인 캐롤드는 이런 얼굴을 하지 않는데."

"그야 나는 당신이 아는 아그레인이 아니니까."

리히튼이 미간을 일그러뜨렸다. 젖은 백금발이 이마를 가리고 그의 속눈썹 사이사이를 가렸다.

"빌힐름입니까?"

내게로 시선을 고정한 채 그는 젖은 땅 위로 천천히 등불을 내려놓았다. 이윽고 시체처럼 딱딱하고 차디찬 손이 내 얼굴을 감싸 안았다.

"아니, 빌힐름밖에 없지. 그 빌어먹을 개새끼가 당신에게 또 무슨 짓을 한 거지?"

"그자는 나와 아무런 상관없어요."

리히트은 마치 팔다리가 잘린 듯했다. 그렇지 않고서야 이리도 고통스러운 표정을 보일 수 없었다. 씹어 문 입술에 잇자국이 선연했다. 코끝의 거리가 너무나 가까워 뜯긴 입술의 형상이 하나하나 섬세하게 보였다.

"그런 말, 내게 더는 안 통해."

안 통해서 무엇 할 건가. 과거의 그가 아그레인 탓에 얼마나 고통스러웠느냐는 내가 상관할 바가 아니다. 나는 그 여자가 아니야. 리히트의 손 안에서 목을 비틀어 얼굴을 빼냈다.

"지금 주인님의 몸이 얼마나 차가운지 아세요? 당장 쓰러져도 이상하게 보이지 않을 만큼 창백해요. 송장으로 보인다구요. 더는 이곳에 있으면 안 돼요. 당신의 방으로 돌아가야겠어요."

"내 방은 없어. 우리가 갈 곳은 힐 성이야."

"정신 차려요. 이곳에 힐이란 이름의 성은 없으니까."

앞서 걸으려는 내 몸을 리히트이 다시 돌려 세웠다. 내가 막 집어들려고 했던 등불도 빼앗아 갔다. 그리고 강한 악력으로 숨이 닿을 거리까지 내 뒤통수를 당겼다. 날 향해 구부러진 그의 몸이 안 그래도 캄캄한 시야를 더 어둡게 가렸다.

"아그레인, 제발 내 말을 들어…."

리히트은 이렇게 절절한 목소리를 지닌 남자가 아니다. 모르는 이를 대하는 것 같아 속이 답답하고 뜨거웠다. 나는 이를 악물고 또박또박 한 글자씩 천천히 읊었다.

"이곳은 잉고르드야."

행여 그에게 들리지 않을까 더 크게 소리쳤다.

“알겠어? 이곳은 힐 성이 아니라 잉고르드라고. 당신이 트리비아체에서 날 개처럼 끌고 와 목줄을 맨 잉고르드! 아그레인을 버리고 수잔으로서 살게 한 잉고르드!”

악을 쓰며 리히튼으로부터 벗어나기 위해 발버둥 쳤지만, 그는 강인한 힘으로 날 끝까지 가두었다.

“당신이야말로 나를 제발 아그레인이라 부르지 마! 나는 아그레인이 아니라고, 그 애는 죽었어. 오직 나만 남았어. 내게 모든 걸 빼앗겼단 말이야….”

착각이 아니라면 청회색 눈동자 속에 고여 있던 그림자가 조금은 거둬진 것 같았다. 그가 조금은 평소에 가까운, 검처럼 잘 벼려진 목소리로 내게 물었다.

“너는 누구냐.”

“수잔.”

“나는 누구지?”

“나의 주인.”

리히튼이 길게 숨을 내쉬었다. 그리고 아주 느리게 눈꺼풀을 감았다가 떴다. 숲을 울리는 빗소리를 제외하고 모든 것이 멈춘 것 같았다.

“그렇다면 눈을 감아.”

그의 말을 따르지 않자 커다란 손이 내 눈을 감겼다. 얼마나 길고도 짧은 시간이 흘렀을까. 입술에 옅은 숨이 닿았다. 시리면서 따뜻한 무언가가 입술을 덮었다. 가까이 닿으면 금방이라도 무너질 모래성을 대하듯, 허약하면서 겁을 한가득 먹은 움직임이었다. 나는 태산에 짓눌린 것처럼 움직이지 못했다. 이윽고 시야를 가리던 커다란 손이 멀어졌다. 한 발자국 뒤로 물러선 남자의 전신이 다시 빗속으로 녹아 들어갔다.

“내가 너의 주인이라니. 지랄 맞게 과분한 꿈이로군.”

창백한 얼굴에 그려진 자조적인 웃음이 번진 잉크처럼 서서히 사그라졌다.

"어서 돌아가, 아그레인. 내가 이 꿈에서 깰 수 있도록."

그 한마디를 끝으로 리히트은 나를 밀어냈다. 나는 멍하니 뒷걸음질 치다가 우산을 든 채 저택으로 내달렸다. 그는 기어코, 끝까지 나를 수잔이라 부르지 않았다.

"읏…."

말로 표현 못할 격한 감정이 목구멍 바로 위까지 치고 올라왔다. 억울하고 비참했다. 수잔이라는 이름을 준 리히트의 앞에서조차, 수잔일 수 없다니! 나는 아그레인이 아니었으나 아그레인이어야 한다. 이곳에서 '진짜 나'를 인지하고 '진짜 나'를 아는 사람은 아무도 없다.

돌아온 침실에서 나는 한참을 멍하니 새까만 천장만 올려다봤다. 빗물에 젖은 머리와 옷 때문에 침대 역시 물 잔을 엎지른 듯 빠르게 축축해져 갔다. 전신이 쇠사슬에 묶인 것처럼 무겁고 아팠다.

"외롭다."

차라리 아그레인인 척할까. 그게 훨씬 편하려나. 언제나처럼 잠은 오지 않았고, 비가 내리는 밤은 길었다.

평생 떠오르지 않을 것 같았던 해도 결국은 밝았다. 물론 아침이 찾아왔다고 해서 비가 그친 것은 아니었다. 하지만 미친 듯이 쏟아 내리는 장대비도 연회 일정에는 아무런 지장을 주지 못했다. 해가 지기 전에 시작한 연회는 자정이 넘은 이후에도 계속되고 있었다. 음악은 멈추지 않았고 저택을 뒤흔드는 크고 작은 웃음 또한 여전했다. 이러한 분위기면 해가 다시 떠오를 즈음에야 연회장을 정리할 수 있을 것 같았다.

"그래서요? 어땠어요?"

"어떻기는, 각하는 얼굴 뵙기도 힘들었어. 꽃에 모여든 꿀벌도 아니고, 어린 여자들이 얼마나 우르르 붙어 있던지!"

설거지하기 바쁜 하녀들 사이에서 시종 한 명이 깊게 한숨을 내쉬었다.
"그리고요?"
"그리고? 무슨 말을 해 주길 기대하는 거야?"
"그냥, 어린 여자들 말고 다른 귀족들은 어떠냐는 거죠."
"정신없어서 기억도 안 나. 내 팔을 징그럽게 매만지던 늙다리는 기억나는군."
"어머나, 귀부인이요? 나이 먹고 추하게 뭐하는 짓이람."
"빌어먹게도 남자였어."
연회장만큼은 아니어도, 주방과 식료품 창고 역시 잡일을 처리하느라 시끌벅적했다. 고성이 오가는 와중에 한차례 소란이 일어난 건 막 새벽 한 시가 다 되던 때였다.
"일 층 서재의 등불에 기름 채우는 걸 잊었다고?"
"하, 할 일이 너무 많아서…."
"한참 연회 중이잖아. 상관없지 않을까?"
"상관없기는! 그러다 음악에 싫증난 귀족이 서재에 들어가기라도 하면?"
아무래도 오전 일과를 마무리하는 단계에서 실수가 일어난 듯했다. 콜렌토 부인은 절대 실수하지 말라 당부하긴 했지만, 일이 워낙 많았어야지.
접시 닦이를 마무리하던 중 누군가 내 팔을 두들겼다.
"저기, 수잔."
아무런 생각 없이 고개를 돌렸다. 한데 한참 서재의 등불에 대해 논하던 자들의 시선이 나를 향해 있는 것이 아닌가.
"…그 얼굴들은 다 뭐야. 나보고 가란 의미는 아니겠지?"
이마를 구기며 묻자 다들 기다렸다는 듯 한마디씩 내뱉었다.
"콜렌토 부인은 네게 너그러우시잖니."
"여차하면 베르크네 씨 뒤에 숨으면 되지!"

그들과 길게 말을 섞을 기운이 지금의 내게는 없었다. 어차피 내게 맡겨질 일이라면 빨리 끝내고 돌아오는 게 나았다. 어쩔 수 없지. 등불에 쓰이는 기름이 든 병을 들고 조심스럽게 서재로 향했다. 지겹다 못해 끔찍한 현악 사중주가 아직까지도 연회장에서 울리고 있었다.

끼익.

숨어들어와 문을 닫는 데까지는 성공했지만, 직후 바로 걸음을 멈추어야 했다. 서재 안쪽에 외부인의 것으로 보이는 하얀 빛이 고여 있었다. 설마가 사람 잡는다더니, 우려대로 귀족 중 하나가 번잡한 연회 도중에 서재를 방문한 것이다. 걸음 소리를 줄이고 책장을 돌아 가장 바깥쪽 등불을 분리시켰다. 아무래도 이 등불의 기름만 채우고 자리를 떠야 할 듯했다.

"누구죠?"

하지만 사람 일이란 게, 늘 바라는 대로 이루어지지는 않아서 문제였다. 급히 기름병을 채우고 목소리의 주인을 돌아봤다. 가만히 눈을 깜빡이는 말간 낯의 여인과 눈길이 부딪혔다. 아아. 하필이면, 정말 하필이면 그 열아홉의 귀족 중에서 아즈마리아라니.

"하녀?"

"죄송합니다. 기름만 채우고 금방 자리를 비켜 드리겠습니다."

"아아…. 천천히 해요. 나에게는 내 몫의 빛이 있으니까."

명랑한 목소리에는 약간의 긴장이 묻어 있었다. 무언가를 숨기고 있구나. 모르는 척 허리를 숙이고 남은 기름을 빠르게 채웠다. 빌힐름의 연인인 만큼 가까이 해 좋을 것이 하등 없을 터였다. 그렇게 일을 마치고 서재를 나가려던 때였다.

"이봐요. 이름이 뭐죠?"

젠장, 잘근잘근 입술을 깨물다가 놓았다.

"수잔입니다."

"잉고르드에서 얼마나 일했나요?"

그리 달갑지 않은 물음이었다. 천천히 몸을 돌리자 몇 걸음 앞에 선 아즈마리아가 내게 손짓하는 것이 보였다.

"괜찮다면 하나만 묻고 싶어요."

아즈마리아는 고명한 윌 백작가의 여식이고, 나는 가진 것이라곤 독에 오른 몸뚱이가 전부인 비루한 하녀다. 나에게는 그녀를 거부할 권리가 없었다. 조심스레 몸을 숙여 다가간 나에게, 아즈마리아가 품에 안고 있던 자그마한 물건을 건넸다. 값비싼 반지나 목걸이에 박혀 있을 법한 세공된 다이아였다.

"수잔, 잉고르드의 광증에 대해서 알고 있나요?"

이런. 죽고 싶어서 환장했구나. 어쩌면 이 다이아는 보잘 것 없는 하녀에게 죽기 전 베푸는 마지막 자비일 수도. 나는 소위 입막음용 뇌물을 건넨 아즈마리아의 얼굴을 가만히 들여다보았다. 잡티 없이 반짝이는 또렷한 눈동자 속에 굳은 의지가 엿보인다.

의지? 그녀는 과연 무엇에 대한 의지를 불태우고 있는가. 사랑하는 빌헬름을 돕기 위해 어줍지 않은 잉고르드 하녀의 정보라도 훔쳐 가려고? 문득 그런 생각이 들었다. 아즈마리아가 겁도 없이 설치는 건 나와 관련 없는 일이다. 하지만 이건 도리어 역으로 정보를 얻을 수 있는 기회이지 않을까.

"잉고르드의 광증은…."

천천히 입을 열자 아즈마리아의 결 좋은 낯이 집중으로 빳빳하게 굳었다.

'내가 너의 주인이라니. 지랄 맞게 과분한 꿈이로군.'

떠올리지 마. 깊은 바닥에서 꾸역꾸역 올라오려는 리히튼의 목소리를 막으려 애썼다. 대답은 거짓으로 적당히 꾸미면 된다. 어차피 아즈마리아에게 진짜를 알릴 필요도 없지 않은가?

"저, 영애. 제가 말씀드렸다는 건 비밀로 해 주실 거죠?"

"물론이에요. 윌 가문의 명예를 걸고 약속할게요."

크로허츠가 리히튼에게 농락당한 시점에서 그리 신뢰 가는 약속은 아니었다.

"자세한 건 모르지만, 각하께서는 늘 무언가에 쫓기시는 것처럼 보여요. 저는 잉고르드의 광증도 이와 관련되어 있으리라 생각합니다."

오로지 내 목소리에 집중한 아즈마리아는 거의 숨도 쉬지 않고 있었다.

"그분에게는 정체를 알 수 없는, 굉장한 통찰력이 존재해요. 언제 어디서 어떤 일이 일어날지 꿰고 계시죠. 그럼에도 늘 불안감이 느껴져요. 그분의 눈을 보면 알 수 있어요. 이를테면 저 같은 사람은 이해할 수 없는 외로움이라든가…."

아즈마리아는 마치 대단한 세기의 비밀이라도 듣는 얼굴로 고개를 끄덕였다. 그 모습이 내게는 기이하게 느껴졌다. 정적의 이름이 입에 오르내릴 적에 본능적으로 나타나는 적의와 불쾌함이 아즈마리아의 눈에서는 보이지 않았던 것이다.

"저는 광증이 그분께서 통찰력을 얻은 대가라고 생각해요. 그래서인지 그분은 너무나 외로워 보이세요. 영애도 아실 거예요, 그 광증이 각하를 얼마나 고통스럽게 만들고 있는지."

"아니요, 나는…."

"각하를 떠올리면 마음이 아파요. 그 외로움을 이해해 줄 누군가가 있다면 참 좋을 텐데."

미세하지만 아즈마리아가 고개를 위아래로 주억였다. 마치 진심으로 리히튼을 동정하기라도 하듯이. 나는 입술을 비집고 기어 나오려는 헛웃음을 힘겹게 참았다. 잉고르드의 하녀가 하는 헛소리를 귀담아 듣고 있는 모습이 정말 어처구니없었다. 그녀는 진정으로 선량하고 정의로운 심성을 지닌 여자였다. 문제라면 잉고르드의 멍청한 하녀가 아닌 리히튼의 개를 만났다는 것이지.

"역시 잉고르드에 내려오는 '그 힘'은 양날의 검이었구나."

그 힘?

"각하께서는 많이 괴로워하시나요?"

"네."

"그러겠죠, 아마 앞으로도 순탄치 않을 거예요. 빌힐름이 지금은 비록 웅크리고 있어도 나중에는… 아, 방금 말은 못 들은 걸로 해 줘요."

황급히 손을 저은 아즈마리아가 고민에 잠긴 얼굴로 바닥을 노려봤다. 그리고 나는 경악했다.

'이 여자는 미래를 알고 있어.'

어떻게? 어떤 방식으로? 왜? 설마 나처럼? 머릿속이 정리되기도 전에 입술이 먼저 움직였다.

"당신도 책…."

책 속에 들어온 건가요? 그렇게 묻는다면, 그다음은? 아즈마리아는 뒷말을 기다리고 있었다. 하지만 나는 차마 그 뒷말을 이을 수 없었다. 그녀가 나처럼 『태양이 흐르는 강』에 떨어졌다는 걸 알면? 그 다음에는 무얼 할 수 있을까? 신세 한탄? 제국을 집어삼킬 작당 모의?

"하려던 말 계속해요, 수잔."

하지만 그들은 모두 비참한 끝을 맞이하지 않았는가. 고개를 젓고 한 발자국 뒤로 물러섰다. 다시 생각해도 이 여자와 가까이 해서 얻을 수 있는 이점이 존재하지 않았다. 여기서 빨리 마무리 짓고 내 자리로 돌아가야….

"아즈마리아 영애."

그때, 내 등 바로 뒤에서 익숙한 목소리가 낮게 울렸다. 깜짝 놀란 아즈마리아의 시선이 내 정수리보다 두 뼘은 높은 허공을 향했다.

"당신은…."

"대화 도중에 끼어들어 죄송합니다. 저는 검은매 기사단의 일원, 킨입니다."

기가 막히게 적절한 순간이었다. 등 뒤로 식은땀이 흐르는 기분을 느끼며 킨을 쳐다봤다. 그의 눈길은 내가 있든 말든 오직 아즈마리아에게 고정되어 있었다.

"아, 당신이 킨 경."

그녀는 킨의 존재를 이미 알고 있는 듯한 얼굴이었다. 킨이 속한 검은매 기사단은 제국에서도 이름 난 명기사단이니 그럴 만도 했다.

"이야기 소리가 들려서 실례를 무릅쓰고 들어왔습니다. 한데 이 하녀는 입성한 지 얼마 되지 않은 하녀라서 말입니다. 도움이 필요하시다면 제가 도와드리겠습니다."

내게로 향한 아즈마리아의 얼굴에 미세한 걱정이 서렸다. 주제파악 못하고 농땡이를 쳤기에 한 소리 들을 거라 생각하는 모양이었다.

"아니에요, 친절은 감사하지만, 잠시 쉴 겸 잉고르드의 서재를 구경하고 싶어서 왔을 뿐이에요. 저는 이만…. 아아, 등불에 기름을 채워 주어서 고마워요."

상냥한 아즈마리아는 날 보호하기 위해 거짓 감사 인사까지 남겨주었다. 둘 사이에서 내가 할 수 있는 건 얌전히 허리를 숙이는 일이 전부였다. 그녀가 나간 후, 불 한 점 없이 어두운 서재에는 나와 킨만이 덩그러니 남았다. 덕분에 머릿속이 복잡해졌다. 내게 무슨 대화를 했느냐고 물으면 어떻게 대답해야 할까.

"등불에 기름이라."

"이상한 생각하지 마. 남의 실수를 대신 메꿔 주고 있는 중이니까."

킨은 가볍게 어깨를 으쓱였다. 괜히 다 보이게 숨기는 것보다는 사실을 밝히는 게 더 나은 방도일 듯했다. 리히튼의 사람인 내가 아즈마리아를 위할 이유는 하나도 없지 않은가. 반대쪽 등불에 기름을 채우며 조용히 말을 이었다.

"광증에 대해 물었어."

"아하, 너에게? 그런 깜찍한 아가씨가 다 있나."

"아는 게 없어서 되는대로 지껄였지."

"허. 아는 게 없다니. 베르크네 씨를 들들 볶았다고 들었는데 말이지."

"볶는다고 말해 줄 사람이 아닌 거 알잖아?"

어차피 나갈 장소이니 불을 켤 이유는 없었다. 안쪽 등불에도 기름을 채우기 위해 걸음을 옮기려 하자 킨이 나를 불러 세웠다.

"헛짓은 그만하고 따라와. 각하께서 부르셨으니."

그 한마디에 양 어깨가 무거워졌다. 무어라 대답하고 싶었으나 목이 막혀 아무런 말도 할 수 없었다. 새벽에 그 일이 있고서 만날 생각을 하니 속이 메스꺼워지기 시작했다.

"연회는?"

물음에 대한 답은 들리지 않았다. 나는 얌전히 킨의 뒤를 따라 집무실로 걸음을 옮겼다. 연회장과 달리 이 층으로 이어지는 홀은 기척 없이 조용하고 음산했다.

"기억하고 있는지 모르겠네. 네가 느낀 평화는 허구에 불과하다던 이 오라비의 조언."

정적 속에서 앞서 걷는 킨의 목소리가 들려왔다.

"각하를 뵙기 전에 숨을 깊이 들이쉬는 게 좋을 거다. 뭐, 너라면 필요 없을 수도 있고."

"긴장하라는 뜻이라면, 매일같이 그러고 있으니 괜한 참견 마."

하하. 그가 반쯤 갈라진 건조한 음성으로 웃었다. 가슴 한구석에 기이한 불안감을 일으키는 웃음이었다.

"이런 일도 곧 익숙해질 거야. 이미 한 번 겪어 봤잖아? 주기적으로 찾아오는 정신적 단련이라 생각하라고, 수잔."

"아까부터 계속 무슨 소리 하는 거야?"

그대로 멈춰 섰다. 나를 따라 몇 걸음 앞에 선 킨이 별것 아니라는 투로 입을 열었다.

"아주 쉬운 일이야. 총애라 생각하면 공포도 평안으로 느껴질 테니까."

집무실의 문이 열렸다. 약간의 소음도 없이 미끄럽게 열렸으나, 내게는 진창으로 떨어지는 입구처럼 느껴졌다. 들어선 방 안에는 알 수 없는 열기가 옅게 들끓고 있었다. 문이 닫히고, 나는 눈을 감았다. 눈앞에 펼쳐진 광경은 내게 익숙해질 대로 익숙해진 풍경이었다. 리히튼, 베르크네, 킨. 그리고 고치를 감고 있는 애벌레처럼 몸을 웅크린 제물까지.

'인사는.'

그때의 그 무감각한 목소리가 환청처럼 들려왔다. 당시 어떤 마음가짐으로 이 자리에 서 있었더라. 이것만은 확실했다. 적어도 지금은 그때처럼 입 안이 마르거나 손끝이 덜덜 떨리지 않았다. 나는 짐짓 아무렇지 않은 얼굴로 허리를 숙였다.

"주인님, 절 부르셨다고 들었습니다."

"기억하나, 수잔. 너에게는 마무리해야 할 일이 있다는 걸."

서릿발처럼 냉랭한 리히튼의 목소리에는 조금의 감정적인 동요도 느껴지지 않았다. 새벽의 일은 마치 처음부터 존재하지도 않았던 것처럼. 그날도 이러했지. 트리비아체 삼남의 웅크린 등이 눈앞에 아른거렸다. 미친 듯이 날뛰는 심장 소리에 머리가 어지러워지기 시작했다.

"죄송합니다, 주인님. 무슨 말씀을 하시는 건지 모르겠어요."

"고개를 들어라."

제물은 꽁꽁 묶인 채로 리히튼의 발치에 웅크리고 있었다. 비록 얼굴은 안 보여도 누구인지 알 수 있을 것 같았다. 그랬기에 더더욱 리히튼이 이해되지 않고, 생각의 갈피를 잡을 수 없었다. 그의 두 번째 제물은 다름 아닌 첌벨 자작이었던 것이다.

"왜 완벽하게 죽이지 않은 거지? 그간 베르크네에게서 배운 건 인형 놀이에 불과했나?"

킨의 표현대로 내가 익숙해지긴 익숙해졌나 보다. 이런 분위기에도 그 한 마디에 욱하는 걸 보면.

"주인님과 뜻을 함께하는 자를 감히 제 마음대로 처리할 수 없었습니다."

그가 슬그머니 입꼬리를 올렸다. 당연한 소리이지만 즐거움은 단 일 푼도 느껴지지 않는 미소였다.

"뜻을 함께하는 자라."

나지막한 음성을 따라서 쳄벨 자작이 금방이라도 발작할 듯 덜덜 떨기 시작했다. 하지만 리히튼은 그가 안중에도 없다는 듯 가만히 눈을 감고 읊조렸다.

"쳄벨 자작은 적당한 선을 지키고 적당히 눈치가 빠르지. 어떻게든 내 눈에 들기 위해서 갖은 수를 썼던 것도 마음에 들어. 나는 열정적인 사람을 좋아하거든. 그런 면에서 자작은 퍽 훌륭한 개였다고 할 수 있지 않을까… 빌힐름의 개라는 점만 제외하면."

마지막 대목에 혀로 입 안쪽 살을 건드렸다. 당시 억지로 깨물었던 흉터는 더 이상 남아 있지 않았다. 어처구니가 없어 헛웃음이 입술을 비집고 나왔다. 빌힐름이 보는 앞에서 그의 사람에게 입을 맞췄던 건가. 당시의 감각이 선연하게 살아나는 기분이라 억지로 머릿속을 비웠다.

"자작께서는 과연 나를 장님이라 여겼던 걸까? 어떤 개가 내 개인 줄도 구분할 줄 모르는?"

스르릉. 날이 바람을 가르는 소리가 났다. 나는 바닥으로 떨어뜨렸던 시선을 본능적으로 들어 올렸다. 서슬 퍼런 장식 검이 리히튼의 손 안에 쥐여 있었다.

"그럴 리가 없지. 너는 그저 날 업신여겼던 거야."

"으읍!"

미약한 비명과 함께 첌벨 자작이 몸을 비틀었다. 그는 이미 반쯤은 시체나 다름없었다. 움츠러들었던 가느다란 목에 핏줄이란 핏줄은 전부 솟아나 있었다. 검이 박힌 손등 아래로, 새로 마련한 가을 카펫이 붉게 물들어 갔다.

"대체 얼마나 업신여겼으면 내가 보는 앞에서 내 것을 탐냈을까? 정말 궁금하군, 자작… 너무나도 궁금해. 정말 장님이라도 된 기분이야."

리히튼이 몸을 숙여 검의 날을 바닥 더 깊숙이 박아 넣었다.

"으으읍!"

미친놈.

"으읍!"

그래, 리히튼은 처음부터 미친놈이었지. 빗속에서의 그가 너무나 인간적이었기에 잠시 헷갈렸던 것 같다. 리히튼에게 사람은 도구, 아니면 개일 뿐이란 사실을.

"이제 어찌해야 할까, 수잔."

말라가는 입술을 혀로 축였다. 아연했던 감각은 어느새 한 줌의 재로 사라진 뒤였다. 힘들다. 그보다 더 무섭다. 입 안이 바짝 메말랐다. 나는 그저 이 순간이 한 시라도 빨리 지나가길 바랐다.

"대답해. 너까지 나를 업신여기지 않겠지?"

"죽여야 합니다."

그러기 위해서는 상대가 바라는 답을 내놓아야 한다. 리히튼은 내 대답에 즉각 반응했다. 끝이 붉게 물든 검을 자작의 손등에서 뽑아 나에게 내민 것이다.

"주인님."

"내 눈앞에서 스스로 두 다리를 절단하려 한 네가, 설마 숨어든 쥐새끼의 다리를 못 자를까."

트리비아체의 삼남을 시체로 만들었을 때의 리히튼과 너무나 똑같다. 그는 내게 자신을 따라서 인간성을 상실하길 종용하고 있었다. 몸이 굳어 눈꺼풀을 오랜 시간 깜빡이지 않았는지, 눈이 따갑고 건조했다. 삼 층에서 떠미는 것과 내 손으로 완전히 숨을 끊어내는 것은 확연히 다르다. 하지만 나는….

"죽기 싫으면 죽여야만 해. 이건 당연한 이치야, 실제로 그는 네게 한 번 죽었었지. 자작은 오롯이 네 몫이다, 수잔. 시작했으면 끝을 봐."

쳄벨 자작이 멍으로 퉁퉁 부어오른 눈으로 날 응시했다. 사비를 구걸하는 눈빛은 아니었다. 오히려 자작은 철천지원수인 양 노려보고 있었고, 그 점이 날 안도하게 했다. 다행이었다. 적어도 미약하게 남은 동정심을 자극하지는 않았으니까. 나도 모르는 사이에 뒷걸음치고 있었던가. 등 뒤로 맞닿은 킨이 내게만 들릴 만큼 작게 속삭였다.

"도망칠 생각 마, 수잔. 지금의 각하는 널 죽일 수도 있어."

지금의 각하? 사방이 어둠뿐인 공간에서, 돌연 머릿속에 두꺼운 유리 장막이 깨지는 기분이었다. 눈을 크게 뜨고 리히튼을 응시했다. 벼랑 끝으로 몰아세우는 강압적인 분위기, 피 냄새가 느껴지는 폭력성. 한 번 문 먹이에는 자비를 베풀지 않는다. 복수를 가장한 그의 행위는 오히려 유흥으로 느껴질 정도다.

이거였구나. 이게 바로 리히튼의 광기였어. 캐롤드 가문과 마찬가지로, 어쩌면 잉고르드 대대로 내려왔을 그 광증. 아즈마리아가 말한 '그 힘'의 양날의 검.

'이런 일도 곧 익숙해질 거야. 이미 한 번 겪어 봤잖아? 주기적으로 찾아오는 정신적 단련이라 생각하라고, 수잔.'

헛소리로 치부했던 킨의 말이 뒤늦게 이해되는 순간이었다. 리히튼의 광증은 주기적으로 나타난다. 잔혹하면서 비인도적인 악취를 여지없이 풍기면서. 그렇다면 광증의 원인인 '그 힘'은 대체 무엇이지?

"약자에게 진정한 자비는 죽음뿐이지."

다가온 리히트이 창백한 손을 뻗어 내 팔을 이끌었다. 그는 내게 장식 검을 쥐여 주며 쉰 목소리로 말했다.

"그건 누구보다 너와 내가 가장 잘 알아."

네가 잘 안다고? 듣는 내가 다 억울했다. 웃기는 소리, 채찍을 든 리히튼이 그 심정을 알 리 없었다. 그러나 나는 발악하며 그의 검을 밀어내지 않았다. 해야만 하니까. 그래, 나는 해야만 한다. 이 모든 것을 감수하기 위해 트리비아체에서 여기까지 왔다. 살아남기 위해 독을 먹고 사람을 찔렀다. 외딴 섬에 홀로 남은 고독을 절실히 느껴야 했다. 얼마나 많은 것들을 버려가며 여기까지 왔는데….

"수잔."

이대로 머저리처럼 멈출 수는 없지 않은가.

나는 이를 악물었다.

Episode 5.
수레바퀴

그는 나를 길들이고 있었다. 빌힐름은 알고 있을까, 내가 그 사실을 자각한 지 오래라는 걸. 굴욕과 비참함마저 내 것처럼 익숙해진 후라는 걸.

[누이.]

어쩌면 빌힐름은 그러한 사실조차 알고 있을지도 모른다. 아니, 확신컨대 빌힐름는 알고 있을 것이다. 내가 마냥 백치만은 아니라는 것이 그의 눈에도 보이겠지. 빌힐름의 애정은 그 진실을 앎으로써 시작되는 것일 수 있었다. 자신의 앞에서 무릎 꿇고 굴복하는, 나약하고 순종적인 소녀에 대한 애정.

[기대해도 좋아. 오늘은 누이를 위해 작은 선물을 준비했거든.]

눈을 크게 뜨고 빠르게 깜빡였다. 이는 내가 그의 발언에 대해 기뻐하고 기대하고 있음을 알리는 신호였다. 빌힐름이 맞잡고 있던 손을 풀어 내 머리를 부드럽게 쓸어내렸다.

[너는 내가 너를 얼마나 사랑하는지 몰라, 아그레인. 그때 원하는 것을 안겨주지 못해 어찌나 아쉬웠던지.]

[내가? 난 아무 것도 필요 없는데. 지금으로 충분해, 빌힐름만 있으면 온 세

상이 아름다워.]

그가 내 손등을 끌어당겨 입을 맞추었다. 나는 평생을 바쳐 사랑하는 이의 열렬한 구애를 마주한 것처럼 얼굴을 붉히고 웃었다.

[그날의 너는 개를 가지고 싶어 했지.]

[내가? 기억나질 않네.]

[벌써 잊은 거야? 일주일도 지나지 않았는데 말이지.]

[그리 중요한 일이 아니었나 봐.]

내게 중요한 일은 오롯이 빌힐름이 엮인 일뿐이다.

빌힐름의 웃음소리가 들렸다. 만족스러워 웃는 것인지, 아니면 가소로워 웃는 것인지 분간할 수 없었다. 이럴 때일수록 멍청한 얼굴로 마주 웃는 게 좋다.

[이 넓은 성에 혼자 있을 너를 배려하지 못했지. 내 실수였어, 아그레인. 네 외로움을 이해하지 못한 내 실수.]

우리는 침실 앞에 멈춰 섰다. 산책하는 사이에 빌힐름이 사람을 시켜 예의 그 '개'라는 걸 가져온 모양이었다. 버려진 터에 고립되어 있던 소년을 떠올렸다. 은발에 가까운 백금색의 머리카락, 작은 덩치, 여기저기 까져 성치 않았던 몸, 책에 빠져 들어갈 듯 숙이고 있던 고개. 과연 어떤 개이기에 빌힐름의 악의를 온몸으로 받고, 그럼에도 살아남을 수 있었는지 궁금했다.

그래서 갖고 싶었다. 아니, 가져야만 했다. 바깥세상과 완전하게 차단된 이 외딴 섬에서 소년은 내게 유일하게 주어진 기회였다. 그가 지닌 '그것'을 이용할 기회. 하지만 과연 빌힐름이 내가 원하는 것을 줄까?

[기뻐해, 아그레인.]

문이 열렸다. 동시에 초여름의 찬란한 햇빛이 발등으로 쏟아져 내린다.

[누이에게 또 다른 나를 선물할게. 세상에 오직 하나밖에 없는, 오직 누이만의 개야. 어때? 이제는 내가 성을 비워도 외롭지 않겠지?]

빌힐름이 내게 준 선물은 버려진 개가 아니었다. 그건 외면할 수 없는 고약한 사랑스러움을 지니고 있었다. 금빛 머리칼이 어깨 위에서 파도쳤으며, 백합보다 흰 얼굴은 유리 인형처럼 곱고 가련했다. 별이 박힌 것처럼 화사하게 반짝이는 눈동자가 나를 향했다. 갓 피어난 장미꽃처럼 탐스러운 눈이 수줍음을 담고 있었다. 이윽고 세상에서 가장 고귀한 피를 지닌 소녀가 볼을 발그스름하게 붉히며 웃었다.

[안녕, 아그레인…. 날 초대해 줘서 고마워. 듣던 대로 네 성은 숲속의 낙원처럼 아름답구나.]

빌헬름의 선물은 그의 하나뿐인 쌍둥이이자 버려진 황녀, 비비안느였다.

딸랑딸랑.

귓등을 울리는 종소리에 본능적으로 눈을 떴다. 어렴풋이 들어오는 시야는 등불의 옅은 광원을 제외하면 깊숙한 밤의 동굴처럼 어두웠다.

딸랑딸랑.

언제 부엌에서 잠들었던 것일까. 잠들기 이전의 기억이 흐릿했다. 리히튼의 집무실에서 나온 후, 속 긁는 킨의 뺨을 때리다가 날 찾으러 올라온 콜렌토 부인을 따라서…. 맞아, 오늘은 내가 야간 담당이었지. 예상과 달리 연회는 새벽 두 시가 되자 칼같이 막을 내렸다. 이제 내일 저녁 만찬만 끝나면 이 지겨운 손님들도 잉고르드를 뜨겠지.

의자에서 몸을 일으키고 흔들리는 종 앞으로 걸어갔다. 종의 숫자는 305. 연회의 손님이 거주하는 침실이었다. 밤늦게 하녀를 호출하는 경우는 대개가 목이 말라서다. 준비해 놓은 물이 담긴 포트와 함께 삼 층으로 올라갔다. 아직 잠이 덜 깼는지 똑바로 걷기가 영 버거웠다.

"비비안느."

비비안느는 『태양이 흐르는 강』에서 언급도 되지 않는 인물이었다. 아니, 책 속의 빌헬름에게는 애초에 쌍둥이가 존재하지 않았다.

"하."

이쯤 되니 진심으로 헷갈리기 시작했다. 내가 『태양이 흐르는 강』이라는 소설을 정말 읽었던 게 맞나? 미래와 조금 유사할 뿐인 꿈을 꾸었던 게 아닐까? 멍하니 서 있는 사이 문이 열렸다. 머리를 곱게 틀어 올린 여인이 내 얼굴을 알아보고 눈을 크게 떴다.

"아, 마침 목이 말라서 불렀는데… 어떻게 알았어요?"

"하녀의 기본입니다."

종을 울린 침실의 객은 공교롭게도 아즈마리아였다. 그녀는 몸을 틀어 나를 방 안으로 들였다.

"수잔 양. 내가 먼저 자리를 뜬 후 문제는 없었나요?"

"걱정 마세요. 아무에게도 말하지 않았습니다."

아즈마리아가 잠시 입을 닫았다. 내가 거리낌 없이 언급할 줄은 몰랐던 모양이다. 테이블에 놓인 빈 포트를 열고 물을 채웠다. 아즈마리아의 상냥한 목소리가 등 뒤에서 들려왔다.

"잠깐 물으려고 붙잡았던 게 피해를 주게 될 줄은 몰랐어요. 당신을 도울 수 있다면 좋았을 텐데."

'도운다'라, 빌힐름도 내게 그런 비슷한 말을 했었지. 물이 완전히 채워진 포트의 뚜껑을 닫고 가만히 서 있었다. 아즈마리아가 잉고르드에 대해 알아보려는 이유 하나로 방문했으리라 생각되지 않았다. 그러나 무엇을 하게 되든 리히튼의 귀에 들어가게 될 터였다.

"포기하세요."

그러니 내가 아니면 누가 그녀에게 조언을 해 줄까.

"이런 말 잔인하게 들릴지도 모르겠지만, 영애께서 하실 수 있는 건 아무것도 없습니다. 고작 연회에 참석하는 손님의 수를 열아홉에서 스물로 늘리는 게 전부겠죠."

긴 침묵이 맴돌았다. 나는 의미 없이 포트를 닦던 행위를 멈추고 등을 돌렸다. 평정심을 잃지 않은 동그란 얼굴이 보였다. 하지만 그녀도 당황한 기색을 완벽히 숨기지는 못했다.

"무슨 말을 하는 건지 모르겠네요."

"영애의 그 놀라운 힘이 도리어 영애의 목숨을 갉아먹을 거란 소립니다."

종종 그런 생각을 하곤 한다. 누군가 내게 하루 더 일찍 트리비아체를 떠나라고 조언해 줬다면, 지금의 나는 달라져 있지 않을까. 코웃음 치며 흘려들었을 수도 있겠지만… 그래도 혹시나, 혹시라도.

"그게 대체…."

"저도 영애의 약속을 지켜 드렸으니, 영애도 부디 입을 가벼이 하지 말아 주시길."

말과 함께 안쪽 주머니에 보관해 두었던 세공된 다이아를 꺼냈다. 아즈마리아에게서 받았던 그 물건이었다.

"이건 돌려 드리겠습니다. 좋은 밤 보내십시오."

조용히 문을 닫고 아즈마리아의 방을 나왔다. 사실 이미 알고 있었다. 이런 말은 그녀의 마음을 조금 헤집기만 할 뿐 돌이키게 하지는 못한다는 것을.

어쩌면 나는 잉고르드의 개로 살아가는 이 순간이 차라리 운명이었으면, 싶은 것일지도 모른다. 또한 그 운명을 아즈마리아를 통해 증명받으려는 것이다. 선택지가 늘었어도 결국 똑같은 길을 걸었으리란 걸.

"포기한다면 실망할 거야, 아즈마리아."

하지만 포기하지 않더라도 실망할 터였다. 이 이중적인 마음의 원인이 무엇인지 정확히 알 수 없었다. 주방으로 돌아간 나는 빈 포트에 다시 물을 부으며 다음번에 울릴 종을 기다렸다. 적어도 침실에 가만히 누워 있는 시간보다는 덜 외로운 시간이었다.

야간 담당은 보통 당일 오전 일과에서 제외된다. 따라서 연회 이튿날의 내 업무는 점심 식사가 끝난 후 저녁 만찬을 돕는 것부터 시작이었다.

"오늘 각하의 기분이 상당히 괜찮아 보이셨어요."

성에 객이 방문하면 안 그래도 좁은 고용인의 행동반경이 배로 더 줄게 된다. 덕분에 만찬 준비로 소란스러운 주방은 다른 일을 맡은 고용인들까지 모여 포화 상태였다.

"밤새 좋은 꿈이라도 꾸셨나?"

"그분이 고작 좋은 꿈 따위로 기분의 척도를 정할 분이시니?"

"혹시 모르지, 저 장작처럼 활활 불타는 밤을 보내셨을지."

혹여나 콜렌토 부인이 듣기라도 할까, 고개를 낮춘 리냐가 마리에게 속삭였다.

"사실 난 베아트리체 왕녀를 초대하셨을 줄 알았는데 말이야."

주방을 도와 감자를 깎던 마리도 할 말이 많은 듯했다.

"고용인들 보는 앞에서 그 정도의 애정을 보였던 건 왕녀가 처음이었거든."

"아, 너는 못 봤지? 얼마나 격정적으로 허리를 껴안으시던지, 왕녀의 개미허리가 두 동강 날 줄 알았다니까."

못 봤을 리가 있나. 다른 이도 아닌 내가 베아트리체 왕녀 본인인데. 허리를 감아 오던 그 단단한 손끝이 아직도 기억 속에 선명히 박혀 있었다. 작게 고개를 주억이자 옆에서 열심히 엿듣고 있던 메어리가 내게 속삭였다.

"사실 별거 없었어요. 선배들이 과장하는 거예요. 그래봤자 더는 보이지도 않는 여자잖아요."

마치 나를 위로하려는 목소리였기에 아무런 생각이 없다가도 기분이 묘해졌다. 누가 들으면 나와 리히튼이 대단한 비밀 연애라도 하는 줄 알 터였다.

"그래서 공작님은 어떠시던가요? 각하의 다음 연인이 될 귀족 아가씨는?"

말없이 맞은편에 앉아 담배만 피던 피오라 부인이 짧게 웃었다. 며칠 간 귀족들의 비위를 맞추느라 고생했는지 눈이 빨갛게 부어 있었다.

"아무도 몰라, 리냐. 공작님께 이 연회는 그저 귀찮고 번거로운 행사일 수도 있다고."

그러나 연회를 향한 리냐와 마리의 궁금증은 마를 줄 몰랐다. 그들은 반쯤 송장이 된 피오라 부인을 상대로 쉴 새 없이 입을 놀렸다. 메어리까지 가세하니 가만히 서서 감자만 다듬는 내가 이상하게 느껴질 정도였다. 어쩔 수 없지, 내가 진정으로 궁금한 것은 따로 있었으니. 바로 아즈마리아가 과연 어떤 답을 내놓을 것이냐에 대해서. 시침이 두 시를 가리켰을 때는 여기서 마냥 궁금해하기만 할 필요가 없다고 생각됐다. 고민은 길지 않았다. 나는 맡은 일을 다 끝낸 즉시 리히튼의 집무실을 찾아갔고, 요구했다.

"주인님, 괜찮다면 저도 오늘 저녁 만찬에 참석할 수 있을까요?"

앉은 자세에서 허리를 편 리히튼이 가벼운 눈짓으로 설명을 요구했다. 적어도 내게 살인을 강요했던 어제보다는 훨씬 생기가 더는 얼굴이었다. 그래봤자 창백한 건 그대로였지만.

"어젯밤 아즈마리아 윌이 제게 잉고르드의 광증에 대해 물었어요. 그것도 세공된 보석을 쥐여 주면서요. 그 여자가 무슨 생각인지 알아야 한다고 생각해요. 절 이용해 주세요."

툭, 툭. 펜촉을 거두고, 손끝으로 책상 두들기는 소리가 집무실을 울렸다. 내 얼굴을 샅샅이 뜯어내는 눈빛이 매서웠다. 그러나 이전처럼 잡아 삼키려는 분위기는 아니었다. 광증에서 벗어난 리히튼은 저런 표정으로 나를 보는구나. 그는 더할 나위 없이 평화롭고 안정되어 보였다. 마치 다른 존재처럼 느껴질 정도였다.

"베르크네. 수잔에게 적당한 신분을 구해 주도록."

고작 몇 초 만에 얻어낸 답이었기에 베르크네와 더불어 나 역시 놀라고 말았다. 잠시간 내 눈을 뚫어져라 응시하던 리히튼이 느리게 덧붙였다.

"베아트리체 왕녀도 나쁘지 않겠군."

허락이 떨어지자마자 베르크네에게 이끌려 집무실을 벗어났다. 공작저의 이 층 동쪽 복도는 오직 리히튼의 공간이었기에 손님이 꽉 찬 시기에도 공허하며 차분했다.

"너는 정말 알다가도 모르겠다, 수잔. 어느 순간부터 네 생각을 도무지 따라가기가 힘들군."

베르크네는 자신의 당혹감을 조금 내보였을 뿐, 나를 다그치지 않았다.

"마음에도 없는 소리 하지 마요, 베르크네. 내게 크게 상관하지도 않으면서."

"너는 상관을 안 하려야 안 할 수 없어. 대체 무슨 미친 생각으로 각하께 그런 말을 올린 거지?"

그게 미친 행동이었나. 베르크네의 말을 천천히 곱씹으니 그 말의 뜻이 확실하게 이해가 갔다. 리히튼 앞에 서면 기껏해야 할 말만 겨우 내뱉는 네가 무슨 배짱으로 요구를 하느냐는 뜻인 듯했다.

"동태가 기이한 귀족 영애를 살피는 게 왜 미친 행동이에요? 나는 주인님의 개로써 주어진 마땅한 일을 하는 거예요."

"이미 킨으로부터 전달받은 사안이다."

"그 힘만 센 멀대가 뭘 할 수 있다고요? 고작 여자들 옆에서 얼쩡대다가 발정난 개라는 의심만 사겠죠. 뻔해요."

"신랄하군. 킨이 어디 가서 그럴 취급을 받을 기사는 아닌데 말이지."

남들이 킨을 어찌 취급하는지는 내 알 바 아니었다. 중요한 건 내가 리히튼 앞에서 더는 벙어리가 되지 않아도 된다는 점이지.

나는 어젯밤 그에게 모든 것을 바쳤다. 이건 고작 성욕을 채우는 행위나, 열렬히 사모하는 마음을 가리키는 말이 아니었다. 나는 그 이상의 것을 리히튼에게 넘겼다. 내가 나임을 잊지 않기 위해 힘겹게 붙잡고 있던 마지막 이성을.

그러니 나에게는 리히튼에게 원하는 것을 요구할 권리가 있었다. 그것이 공교롭게도 주인의 안위와 관련된 사항이라면 더더욱. 개도 배가 고프면 주인에게 앓는 소리를 하지 않는가. 나는 리히튼에게 복종하는 모습을 보이기 위해 모든 것을 바쳤다. 그러니 이 정도는 당연한 권리인 거야.

석양이 지고, 가을 연회를 마무리하는 만찬의 시간이 찾아왔다. 리히튼의 도움을 받아 마차에서 내리며 작게 웃음을 지었다. 제아무리 베일로 가려도 리히튼의 시선은 늘 모든 장애를 꿰뚫어 맨살에 맞닿아 오는 기분이기 때문이다.

"미안해요, 리히튼. 오는 도중 번거로운 일이 생겨서 이틀이나 늦어 버렸지 뭐예요."

연회에 참석하는 손님들 중 그 누구도 리히튼의 직접적인 환대를 받지 못했다. 한데 만찬을 앞둔 와중에도 날 마중 나온 것을 보니, 그의 옆자리는 아직 베아트리체의 것인 듯했다.

"이틀 내내 퇴짜를 맞은 건 아닌가 고민했습니다, 왕녀. 이걸로 체면은 차리겠군요."

성의 내부는 바깥에서 봐도 이른 아침처럼 환했다. 그 빛 사이사이를 관통하는 수십 개의 눈초리가 느껴졌다. 이왕 하는 왕녀 노릇, 즐기면서 하면 좋겠지. 나는 리히튼의 팔에 매미처럼 붙어 부채로 입을 가린 채 크게 웃었다.

"농담하시기는. 나는 이미 당신의 포로인걸요. 당신이야말로 길들여진 나를 책임져야 한다는 걸 잊지 마요."

그가 내 손을 잡고 의미심장하게 웃었다. 머리가 아찔해질 정도로 황홀한 미소였다. 도착한 만찬장에는 사람이 하나둘 차고 있었다. 은은하게 빛을 내는 꽃 모양 등불과 벽에 즐비한 그림, 고아한 천장화가 만찬장의 그윽한 분위기를 한층 돋보이게 했다.

"잉고르드에 황홀한 꽃향기가 진동을 한다 했더니만… 제국의 아름다운 귀족 영애들이 한자리에 모여 있었군요."

"그대만 하겠습니까."

리히튼이 나를 에스코트한 자리는 본인의 옆자리가 아니었다. 당연한 말이지만, 내 자리 옆에는 아즈마리아와 다소 낯익은 귀족 여식들이 오순도순 모여 앉아 있었다. 그들의 시선은 등장에서부터 자리에 착석할 때까지 내게서 떼어지지 않았다. 비단 그들뿐만 아니라 모두가 그러했다. 우스갯소리로 '공작 부인 선발회'라 불리는 잉고르드 가을 연회에서 그의 현 연인인 베아트리체의 등장은 퍽 이목이 쏠릴 만한 일이기는 했다.

"우리 구면 아닌가요? 이렇게 다시 만나게 되어 참 기쁘네요. 그때는 제대로 된 인사도 못하고 헤어졌는데."

그때의 만남이 내게 이런 식으로 도움을 줄 줄이야. 아즈마리아와 나란히 앉은 귀부인들은 크로허츠 가에서 함께 쟈스민 부인의 흉을 보던 그자들이었다. 아즈마리아가 격식 있게 몸을 숙였다. 여인들이 내게 들리지 않는 목소리로 아즈마리아의 귓가에 속삭였다. 무어라 속삭였는지 가늠해 보자면…. 크로허츠 후작과 황제의 정부인 쟈스민 백작 부인의 외도를 목격한 여자 정도로 소개하지 않았을까.

"나는 베아트리체 아덴로지아 케일이에요. 그쪽의 아름다운 영애는 누구신지 소개받을 수 있을까요?"

"아즈마리아 윌입니다, 전하. 편하게 아즈마리아라고 불러주세요."

"아아! 빌힐름 황자의 정혼자. 반가워요, 아즈마리아. 설마 이런 자리에서 당신을 만나게 될 줄은 몰랐네."

다소 무례한 언행이었음에도 아즈마리아는 선량한 미소를 지어 보였다.

"그저 친우들과 연회를 즐기기 위해 참석했을 뿐인걸요."

수잔을 대할 때와는 또 다른 차분한 말솜씨와 표정이 과연 주인공의 하나뿐인 연인다웠다. 나는 그녀 뒤의 귀부인들을 응시하다가 낮은 목소리로 속삭였다.

"내 친구가 말해 주더이다. 그대가 사자의 아가리로 들어가려 한다고."

아즈마리아는 당황하지 않고 내 말의 숨은 뜻을 천천히 되새기는 듯했다. 곧이어 그녀가 나만치 작은 음성으로 대답했다.

"하녀와도 친분을 유지하는 분이실 줄은 몰랐습니다. 그 하녀의 정체는 대체 무엇인가요?"

"그게 왜 궁금할까. 정체라고 해봤자 고작 하녀일 뿐인데."

만찬이 시작되고, 열아홉의 참석자들 앞으로 애피타이저가 준비되었다.

"하녀 이야기는 그만하고, 조금 더 재밌는 이야기를 해 보는 게 어때요? 이를테면 서로의 연인이라든가."

아즈마리아의 맑은 눈동자 위로 숨겨지지 않는 경계심이 떠올랐다.

"귀부인들 사이에서는 빌힐름 황자의 평이 퍽 좋더군요. 연인에게는 어떻던가요?"

"…좋은 분이시죠, 아주요."

"정말?"

살아 숨 쉬는 빌힐름이 『태양이 흐르는 강』 속 빌힐름과 판이하다는 것을, 이 여자도 알고 있을지 궁금했다.

"진담이에요?"

어쩌면 자신의 약혼자 앞에서는 한없이 다정한 남자일 수도. 꿈속에서 보았던 빌힐름을 떠올렸다. 개처럼 부리던 소녀에게도 과도한 상냥함을 보이던 빌힐름이니 약혼자에게는 얼마나 애틋했을까.

"왕녀께서 무슨 말을 듣고 싶어 하시는 건지 모르겠습니다."

"듣고 싶은 소리는 딱히 없어요. 그저 서로의 연인 이야기를 하고 싶을 뿐이니까."

아즈마리아는 절제된 표정으로 포도주를 삼켰다. 생각보다 더 입이 무거운 편인 것 같아 먼저 말을 트지 않을 수가 없었다.

"영애가 말을 아끼니 내 이야기라도 해 볼까요? 리히튼에 대해 궁금한 점 있어요? 아니면 잉고르드라도."

무르익어 가는 분위기의 시끌벅적한 만찬장에서, 오직 아즈마리아와 나 사이에만 사선 위를 걷는 듯한 적막감이 맴돌았다.

"아, 이런 건 어때요? 서로 한 질문씩 교환하는 거예요. 남자라는 게 그리 중요한가요, 굳이 연인에 관련되지 않은 일이라도 서슴없이 묻는 걸로 하죠."

잉고르드로 한정된 범위가 도리어 그녀를 부담스럽게 했던 것이라면…. 덤덤했던 그녀의 표정에 예상대로 복잡한 감정이 뒤섞이기 시작했다. 나는 최대한 부드럽고 선량한 목소리를 내어 그녀를 떠밀었다.

"어서요, 아즈마리아. 잘 생각해요. 이런 기회는 흔치 않다는 걸 알 텐데."

하하! 어디선가 남자들의 커다란 웃음소리가 들려왔다. 세 번째로 포도주를 느릿하게 삼킨 아즈마리아가 한참 후 입을 열었다.

"좋습니다. 저부터 여쭐게요. 왕녀 전하는 리히튼 각하와 혼인을 약조하셨나요?"

범위의 제한을 풀어도 첫 질문이 리히튼에 대해서라니. 성미가 급한 건지, 솔직한 건지.

"그게 가장 궁금했군요. 대답은, 아니요."

이미 예상한 답인 듯 덤덤한 얼굴이었다. 그럼에도 질문한 이유가 뭘까. 그녀 입장에서 이런 대화가 지루해서는 아닐 테고, 확신이 필요했던 건가. 아무래도 그녀에게 이 시간의 중요성을 일깨워 주어야 할 듯했다.

"내 차례군요. 빌힐름 전하가 기르는 개에 대해 알고 있나요?"

아즈마리아의 손이 잔을 내려놓던 그대로 허공에서 멈추었다. 혼란에 물든 눈이 내 얼굴에서 떠날 줄 몰랐다.

"어떻게 그 이야기를…?"

"내가 물밑 소문에 관심이 많아서요."

"그건 황실 관계자도 모르는 사안입니다. 전하께서 알고 계실 수 없어요."

"황실 관계자도 모르는데 우리 아즈마리아 영애께서는 어찌 아실까… 정혼자라서?"

빌힐름의 꺼림칙한 과거는 책에 일절 언급되지 않았으며, 나도 아그레인의 꿈을 통해서나 확인할 수 있던 사실이었다. 헌데 아즈마리아는 이찌 알고 있는 걸까. 역시 정혼자라서? 서로의 역린을 공유할 만큼 신뢰가 깊은 건가?

"내 질문에 대한 답은 굳이 듣지 않아도 알겠네. 다음은?"

아즈마리아의 고운 얼굴이 한층 신중해졌다. 나는 그녀의 변한 태도가 상당히 마음에 들었다. 긴 고민 끝에 나온 질문은 신중에 신중을 가한 듯 느리고 차분했다.

"리히튼 각하께서… 어떤 여자를 찾고 계시지는 않은지."

"없어요."

답은 곧장 나왔으나 머릿속이 다소 복잡해지기 시작했다. 질문의 의도는 확실했다. 아즈마리아도 아그레인의 존재를 알고 있는 것이다. 그녀가 아그레인을? 어떻게? 실망을 숨기지 못하는 낯에 대고 말을 이었다.

"대신 아주 절절하게 증오하는 여자는 있던 것 같은데."

비통한 표정이 된 아즈마리아가 장밋빛의 붉은 입술을 깨물었다. 짧은 후회와 회한이 벽안 아래로 머물다가 사라졌다. 그녀는 슬퍼하고 있었다. 마치 리히튼이 지닌 증오의 그릇이 자기 것이라도 되는 양.

"아즈마리아."

"네, 전하."

"리히튼에게 관심 있어요?"

"아니요, 그럴 리가 있겠습니까."

아즈마리아는 무언가 이상했다. 아니, 수상했다.

빌힐름의 과거를 알고, 아그레인의 존재를 알고, 리히튼의 증오마저 본인이 삼킨 양 대하다니. 내 앞에 앉은 여자가 혹시 아즈마리아가 아닌 아그레인인가? 그럴 리가 없었다. 아그레인은 그녀가 아닌 이 몸의 과거인데.

"나는 빌힐름 전하에게 관심 있는데. 우리 서로의 애인을 바꿔 보는 건 어때요?"

"전하. 바라건대 저를 더 이상 능욕하지 말아 주셨으면 합니다."

"내가 헛짚었나요? 리히튼을 향한 영애의 관심이 지대해 보이기에."

"각하께서는 이 연회의 주최자이시니, 참석자인 제가 관심을 보이는 건 당연한 일 아닐까요?"

아즈마리아는 내 무례한 발언을 물 흐르듯 자연스럽게 받아쳤다. 이 순간을 위해 미리 준비한 것처럼 느껴질 정도였다.

"다른 사람들도 그런 식으로 부인하고는 했지."

이번 도발에 대한 답은 준비하지 못한 모양이다. 천천히 나이프질을 하며 아즈마리아가 한마디, 한마디를 씹어내듯 뱉었다.

"저는 다른 사람들과 다릅니다. 전하께서는 절대 이해 못하실 테지요."

"아하. 본인은 특별하다, 이 뜻인가?"

그리 여겼던 사람이 한둘이 아닐 텐데. 예컨대 우리와 같은 처지였던 자들 말이다. 결국 아즈마리아도 그들과 다를 바 없었던 것이다. 공허해지는 기분이었다. 어쩌면 나는 아즈마리아가 그들과 달리 정말 '특별'하길 바랐던 것 같다.

"기분 상하게 할 의도는 아니었어요. 이런 분위기에 다시 속을 뒤집고 싶진 않으니, 내 질문은 수잔의 것으로 대신하도록 하죠. 안 그래도 그 아이가 영애에게 대신 물어 주길 부탁했거든."

입을 열기 전에 말라가는 목을 물로 축였다.

"『태양이 흐르는 강』이라는 제목의 책을 아나요?"

그래. 나는 오직 이 순간을 위해서 이 자리에 왔다. 쿵쿵 뛰는 심장 소리에 귀가 멀 것 같았다. 떨리는 손을 숨기기 위해 옷매무새를 매만지는 척 식탁 아래로 팔을 내렸다. 그러나 들려온 답은 나의 기대를 완전히 틀어 버렸다.

"아니요. 한 번도 들어 본 적 없는 책이에요. 소설인가요?"

"…정말 단 한 번도?"

아즈마리아가 고개를 주억였다.

"아무리 되새겨도 없습니다."

아.

그럴 리 없어.

혹시, 라는 기대를 배반당하자 실망감이 해일처럼 밀려왔다. 아니야. 아즈마리아는 거짓말을 하고 있어. 『태양이 흐르는 강』을 모른다고? 말도 안 되는 소리지. 나는 이미 여러 대화를 통해 그녀가 나와 같은 처지임을 확신하고 있었다. 아즈마리아가 보이는 모든 말과 행동이 그 증거나 마찬가지였으니까. 한데 만약, 그녀의 주장이 사실이라면?

"왕녀 전하. 실례가 되지 않는다면 제가 감히 부탁을 하나 드려도 될까요?"

정신을 가다듬고 아즈마리아와 시선을 맞추었다. 시종에게서 펜과 종이를 전달받아 적었는지, 그녀는 한 손에 작은 서신을 쥐고 있었다.

"아, 물론이에요. 내게 가능한 일이라면."

"감사합니다. 이 서신을 수잔에게 전해 주셨으면 합니다. 제가 직접 전달하는 건 여러모로 피해를 주는 행위 같아서요."

나는 그녀가 내민 서신을 물끄러미 내려다봤다.

"물음에 대한 또 다른 답이라고 하면 알아들을 겁니다."

그 말에 나는 마음속으로 미소 지었다. 이것 봐. 그녀는 나처럼 책 속으로 들어온 것이 맞았다. 『태양이 흐르는 강』을 모를 리가 없어.

"그러도록 하죠."

만족에 가까운 답을 얻어내 억지로 입을 열 필요가 없던 탓일까? 우리의 대화는 그것으로 막을 내렸다. 하지만 나의 신경은 만찬이 진행되는 내내 오직 아즈마리아만을 향해 있었다. 메인 음식이 비워져 갈 때도, 그녀가 조심스럽게 시종을 부를 때도.

"부탁해요."

아즈마리아의 곁을 떠난 시종이 리히튼에게로 다가가 입을 가리고 무언가를 속삭였다. 아즈마리아의 전언인 듯했다. 착각이 아니라면, 전언을 듣는 동안 그의 시선은 나를 향하고 있었다. 아즈마리아가 아니라, 정확히 내게로. 우리는 한동안 말없이 서로를 응시했다. 이윽고 몸을 일으킨 리히튼이 만찬장을 벗어났다. 만찬장은 이미 곳곳이 비워진 상태였다. 아즈마리아까지 자리를 비운 것을 확인한 후, 그의 말을 전했던 시종을 붙들고 물었다.

"각하께서는 어디로 가셨지?"

"아…."

"걱정하지 마라. 잠시 얼굴만 뵙고 오려는 것이니까."

안절부절못하던 시종이 재빨리 답하고 자리를 떴다.

"각하께서는 후원의 목련나무로 가셨습니다."

내일이면 고용인들 사이로 자극적인 소문이 하나가 더 퍼질 듯싶었다. '왕녀와 아즈마리아가 공작을 두고 서로 머리채를 잡았다' 수준이면 정확하겠지. 잉고르드의 하녀인 내게 후원의 목련나무를 찾는 일은 매우 손쉬웠다. 리히튼을 뒤따라 근처 정원 벤치에 자리를 잡고 숨을 죽였다. 곧이어 덤불 하나를 사이로 두고 그들의 말소리가 들려왔다.

"번거롭게 해 드려 죄송합니다, 각하."

"아닙니다. 그보다는 용건이라는 게 뭔지 궁금하군요. 이런 장소에서 만나니 마치 밀회라도 나누는 기분이라."

긴 침묵 끝에 아즈마리아의 목소리가 들려왔다. 그녀의 용건은 꽤, 아니 상당히 놀라운 것이었다.

"각하, 저와 결혼해 주세요."

들리는 말끝이 미약하게 흔들렸다. 나름대로 가진 모든 용기를 쥐어짜 뱉은 말이었나 보지. 이보다 더 어리석을 수 있을까? 아즈마리아는 아직도 눈치채지 못한 모양이었다. 이야기를 비틀려는 자의 대가가 늘 죽음이었다는 것을.

"물론 저 역시 알고 있어요. 당신에게는 마음을 채워 줄 여자가 아닌, 공작 부인의 자리를 채워 줄 여자가 필요하다는 것을."

아즈마리아의 숨 들이키는 소리가 여기까지 들렸다.

"…때문에 리히튼 각하께 제의 드립니다. 절 허울뿐인 공작 부인으로 맞이해 주세요. 혼인이 성사되더라도 잠자리는 물론 각하의 사생활에 일체 관여하지 않겠습니다."

작게 코웃음 소리가 들렸다. 리히튼의 것임이 분명했다.

"삼 년. 삼 년이면 돼요, 그 이후에는 자진해서 잉고르드를 떠날게요."

"무려 황자의 약혼자씩이나 되는 신분으로 날 이용하겠다는 소리인가? 무슨 생각인지 궁금하군요."

"이대로 빌힐름 전하와 혼인을 진행하고 싶지 않습니다."

"어째서?"

"어떻게 여기실지는 모르겠지만, 저는 그분이 무섭습니다."

정적을 눈앞에 두고 빌힐름의 약혼자가 할 법한 말은 아니었다.

"저는… 저는 그분의 얼굴을 마주하는 것만으로도 손이 떨리고 머릿속이 하얘져요. 각하께 많은 것을 바라지 않겠습니다. 삼 년 후에 절 버리시면, 각하의 눈에 거슬리지 않게 조용히 숨죽이고 살게요. 부디 빌힐름 황자로부터 도망칠 구실을 제게 빌려 주세요."

아즈마리아는 마치 빌힐름에게 개로 부려졌던 이들이나 할 법한 소리를 했다. 설마 그가 약혼녀에게까지 비인도적인 행위를 했던 건가. 아니, 그럴 리 없었다. 『태양이 흐르는 강』에서 둘은 서로를 위하고 아껴 주는 바람직한 약혼 관계였는데. 두려움에 물든 그녀의 얼굴이 눈앞에 그려졌다. 그런 그녀의 낯을 관망하는 리히튼의 시선까지. 리히튼은 과연 아즈마리아를 앞에 두고 어떤 생각을 하고 어떤 표정을 짓고 있을까?

"각하. 지금 당장은 각하께 밝힐 수 없지만…."

"당신은 어떻게 생각합니까, 베아트리체?"

갑작스러운 부름에 긴장으로 몸이 굳었다. 내가 따라오리라 짐작함은 알고 있었지만, 이런 식으로 끌어들일 거라곤 생각도 못했다. 명령받은 이상 나의 선택지는 정해져 있었다. 몸을 일으켜 덤불을 돌아 그들에게로 다가갔다. 만족스러운 웃음과 함께, 리히튼이 내 손을 잡아 자신에게로 당겼다. 언뜻 보인 아즈마리아의 얼굴이 당혹감으로 굳어 있었다.

"내게 혼인을 요구하는데, 소중한 연인의 의사를 묻지 않을 수 없지."

소중한 연인에게 다른 여자와의 결혼 허락을 받다니, 이보다 더 악질일 수 있을까.

"상냥한 리히튼. 내가 무르라면 무르기라도 할 건가요?"

"당연한 말씀을 하는군요. 말했듯 나의 연인은 당신밖에 없지 않습니까."

미온의 입술이 사로잡힌 손등에 닿았다.

"그 말은 즉, 저 사랑스러운 영애의 미래는 제 손에 달렸다는 뜻이겠네요."

잠시 당황한 듯했으나, 아즈마리아는 예상 외로 금방 담담해졌다. 여기까지 오기 위해 걸 수 있는 건 모두 걸었다는 의미일 터였다.

나는 그런 그녀가 우스우면서도 어여뻤다. 아즈마리아가 바라는 것이 리히튼과의 혼인에서 끝나지 않을 거란 걸 안다. 하지만 그건 내게 그리 중요한 사안이 아니었다. 이것 봐, 결국 아즈마리아도 길을 틀지 않았잖아. 트리비아체에서의 내가 멍청했던 게 아니야. 아즈마리아의 무지한 선택은 나에게 안도감을 선물했다.

"그렇게 하세요."

리히튼을 향해 더할 나위 없이 밝은 미소를 지었다. 이런 게 바로 우월감이라는 걸까? 진정한 연인도 아니고, 기껏해야 리히튼의 개에 불과한 내가 우월감을 느끼다니. 웃음이 나오지 않을 수 없는 상황이지 않은가.

"재밌게 됐네요, 리히튼. 나는 이제 부인이 있는 남자와 불륜을 저지르게 되는 건가? 삼 년이라 했으니 기간 한정 불륜인가요?"

"그래서 화났습니까?"

리히튼이 내 허리를 끌어당겨 자신의 품 안에 가두었다. 한 뼘도 되지 않을 거리에서 청회색 눈동자가 그림처럼 깜빡이고 있었다. 리히튼의 입술은 내 코 바로 아래에서 멈추었다. 이대로 비만 내린다면 그날을 그대로 재연할 수 있을 텐데. 나는 서로의 귀에만 들릴 정도로 작게 읊조렸다.

"설마 내게 입 맞출 생각은 아니겠죠. 비가 내리던 그날의 일도 모르는 척하는 당신이."

그의 청회색 눈동자는 조금의 미동도 없었다. 오히려 재미있다는 듯 웃음기를 띠고 있어, 되레 그에게 잡힌 내 허리가 굳어 버리고 말았다.

"마치 내게 애정을 갈구하는 것처럼 들리는데, 왕녀."

그의 입술이 호선을 그렸다. 차가운 온기가 입꼬리 바로 위에 깃털처럼 부드럽게 내려앉는다. 진짜 입을 맞춘 것도 아닌데 숨이 턱 막히는 기분이었다. 무겁고 진득한 시선에 내 얼굴이 그대로 뚫릴 것만 같았다. 천천히 고개를 올린 리히튼이 한 걸음 물러서며 말했다.

"왕녀께서 허락하셨으니, 이제는 모르는 척할 수도 없겠군."

멍하니 우리를 쳐다보고 있던 아즈마리아가 급히 제정신을 차렸다.

"그 말씀은…."

갖가지 감정으로 일그러져 있던 얼굴에 기대감이 깃들기 시작했다.

"하지만 윌 백작은 그대와 나의 혼인을 절대 허용하지 않을 겁니다, 아즈마리아 영애."

"아니요. 각하이시기에 가능한 일이에요. 제가 각하를 원하고 각하께서 저를 원하시는데 감히 누가 막을까요?"

"황제 폐하께서는 황실의 체면을 중히 여기십니다."

"잉고르드의 후사만큼이나요?"

변화는 찰나에 일어났다. 리히튼의 표정이 이를 데 없이 차갑게 얼어붙은 것이다. 그 반응을 자신에게 허가 찔린 것이라 여겼는지, 아즈마리아는 더욱 신이 나 말을 이었다.

"제 아무리 빌힐름 전하와 관련된 일이라도, 황제 폐하께서는 각하의 혼인을 더 우선시…."

"그만."

킨이 있었다면 다 들리는 소리로 혀를 찼겠어. 리히튼이 그대로 아즈마리아를 잡아채 씹어 먹을 것처럼 읊었다.

"하나같이 아는 척 입에 담는 소리가 똑같아. 그 멍청한 혀를 도려낼 수도 없고."

아즈마리아가 혼란스러운 얼굴로 입을 닫았다. 소름이 돋을 만큼 냉랭한 반응에 의문을 가지기보다는 자신의 실수를 인정한 분위기였다.

"아즈마리아."

"네."

짧은 대답이었다. 아즈마리아의 애절한 목소리는 마치 고난 끝에 재회한 오랜 연인을 대하는 듯했다.

"얻는 것보다 더 많은 것을 잃을 겁니다. 그래도 괜찮겠습니까?"

"정적에게 빠진 멍청한 여인이라는 별칭 정도야 미래를 생각하면 한없이 가볍습니다."

"내가 해 드릴 건?"

"당분간 이곳에서 지내고 싶어요. 절 데리러 올 윌 가문의 마차를 막아 주세요."

리히튼은 재주가 좋은 걸까, 아니면 운이 좋은 걸까. 발 벗고 나서지 않아도 먹이가 제 발로 목줄을 차러 들어오다니.

"그리고."

아즈마리아는 어찌하면 리히튼에게서 더 많은 것을 얻어낼 수 있을지 신중하게 고민하는 얼굴이었다. 적어도 그 얼굴에서 이 모든 계획이 충동적인 계획은 아니었다는 걸 알아챌 수 있었다.

"…수잔을 제 하녀로 쓸 수 있게 해 주세요."

그러니까, 이런 식의 전개도 그리 놀랍다고 여길 수 없지. 하지만 리히튼이 옆에 있다면 이야기가 조금 달라진다. 아무렇지 않은 척 손톱을 매만지고 있었으나, 내 오감 모두가 리히튼을 향해 고개를 트는 것이 느껴졌다.

"설마 윌 영애의 입에서 그 이름이 나올 줄이야."

리히튼의 음성은 차분했다. 괜찮아. 겁에 질리지 않아도 돼. 나는 그를 기만하는 행위 같은 건 일체 하지 않았어. 아즈마리아와 나 사이에 있었던 일은 킨을 통해 리히튼에게 고한 이야기가 전부잖아.

"이 또한 당신의 허락이 필요할 것 같습니다, 왕녀. 그 아이는 왕녀가 아끼던 아이지 않습니까?"

나는 가볍게 웃어 보였다. 아즈마리아를 살피기 위해 자발적으로 베아트리체가 된 나였다. 따라서 그의 물음에 대한 대답은 이미 정해져 있었다.

"리히튼도 빌려 주는데 고작 하녀 한 명 못 빌려 줄 이유는 없죠. 곧 그대의 하나뿐인 부인이 될 분인데, 그 정도 부탁이 별거겠어요?"

나의 충고 아닌 충고는 결국 아무런 소용이 없었다. 어찌 생각하면 당연한 결과였다. 아즈마리아의 입장에서는 오직 본인 외에 그 누구도 믿을 수 없었을 테니.

"허락해 주셔서 감사합니다, 전하."

"그럼 두 분이서 나눌 이야기가 아주 많으실 것 같으니… 불청객은 이만 자리를 피하도록 하죠."

리히튼을 돌아보자, 그가 허리를 숙여 내 뺨에 가볍게 입을 맞추었다. 착각이 아니라면 서늘해진 피부 위로 입술이 머무는 시간이 인사치고는 길었던 것 같다.

"불쾌한 농담을 하는군. 그대는 내 삶에서 단 한 번도 불청객이었던 때가 없었습니다, 왕녀."

허리를 끌어당기던 단단한 팔이 멀어졌다. 리히튼은 나에게 연인의 애정 표현이 분명한 상냥하고도 따스한 미소를 남겼다. 마주 웃을 자신이 없어 그에게서 몸을 돌렸다.

노란 달이 본관과 별관 사이로 동그랗게 솟아 있었다. 고아하고 정갈한 잉고르드의 별관이, 내 눈에는 너른 유리 어항처럼 보였다.

다음 날에는 이른 오전부터 저택이 어수선했다. 크로허츠 후작저를 떠나던 날과 유사한 분위기였다. 품위를 잃지 않은 차분하고 정적인 이별이었으나, 다소 서두르는 듯한 그런 분위기. 아즈마리아가 잉고르드에 남게 되었단 소식이 고용인들 사이로 퍼진 것이다.

"나 말고 어느 분이 공작저에 남아 계시느냐."

"아즈마리아 윌 영애께서 남으셨습니다."

정오도 되기 전에 잉고르드의 모든 손님이 썰물처럼 빠져 나갔다. 극은 무대에 서서 보는 것이 아니라 관객석에 앉아 관람하는 것이다. 귀족들 또한 이 흥미롭고 놀라운 소식을 코앞이 아닌 한 발자국 멀어져 느긋하게 관람하고 싶은 거겠지. 나는 가발과 베일이 완벽하게 착용되었음을 확인하고 홀로 내려갔다. 내가 떠난다는 소식을 들었는지, 아즈마리아가 굳이 인사를 전하러 나왔다. 마치 이 저택의 안주인이라도 된 것처럼.

"사랑스러운 아즈마리아 영애. 버려진 정부를 위로하러 내려오신 건가?"

"그런 말씀 마세요, 전하. 순수하게 감사 인사를 드리고 싶어서 온 거니까요."

아즈마리아의 얼굴색은 첫날과 이튿날에 비해 눈에 띄게 좋아 보였다. 지난 새벽에 마음을 다잡았을지도 모를 일이다.

"삼 년 후에는 모든 게 제자리로 돌아와 있을 겁니다. 약속드릴게요."

과연 삼 년씩이나 걸릴까.

"내게 서신을 전해 달라 부탁할 필요도 없었네요."

서신을 꺼내 아즈마리아에게 건넸다. 간밤에 확인한 서신의 내용은 짧은 단어 하나가 전부였다.

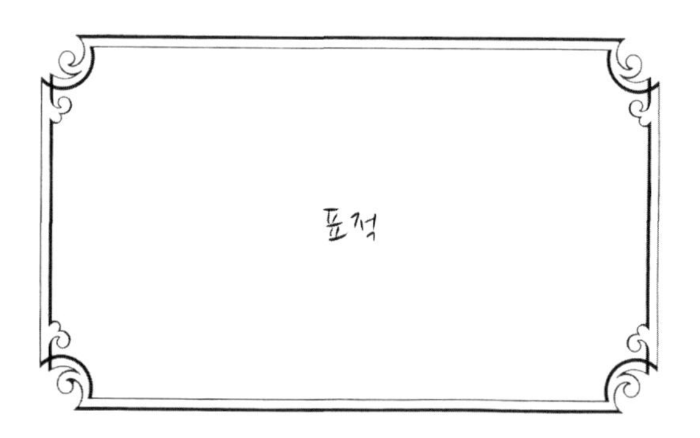

그 의미에 대해 긴 시간 고민했지만, 마땅한 답을 찾지는 못한 상태였다. 그렇다고 마음이 급해진 것은 아니다. 별관의 하녀로 지낼 시간은 충분히 길 테니까.

"아."

물끄러미 내려다보던 그녀가 내게 서신을 도로 건넸다.

"사실, 이 서신의 수신자는 수잔이 아니라 전하입니다. 잉고르드를 벗어나면 꼭 읽어 주세요."

고작 <표적>이 적힌 서신을 전달해 무엇 하겠다는 건지. 읽은 티를 낼 수는 없으니, 다시 내가 거두어 갈 수밖에 없었다.

"그러도록 하죠."

리히튼은 나오지 않았다. 어쩌면 더는 베아트리체의 존재가 필요 없을지도 모른다. 나를 태운 마차는 시종과 시녀, 그리고 아즈마리아의 배웅을 받으며 저택을 벗어났다.

우리는 서쪽으로 달렸다. 이대로 오 분가량을 더 달려서 버려진 초소에 도착하면 약속대로 마부와 호위 기사들은 마차를 버린 채 잉고르드로 돌아갈 것이다. 그때 나는 수잔으로 돌아가면 된다. 의복과 가발을 가방에 쑤셔 넣고, 덩그러니 남은 말에 올라….

덜컥.

그때였다. 마차 바로 옆에서 비명이 들려왔다.

"너는 누구… 크윽!"

"습격이다! 마차를 지켜라!"

어디쯤까지 와 있는 걸까. 마차가 멈추고 호위 기사들의 비명이 들리기 시작했다. 쇠 부딪치는 소리와 더불어 거친 잡음이 울렸다. 후드득. 창문으로 피가 튀었다. 거칠게 흔들리는 마차 안에서 나는 곱게 접어 두었던 서신을 다시금 펼쳤다.

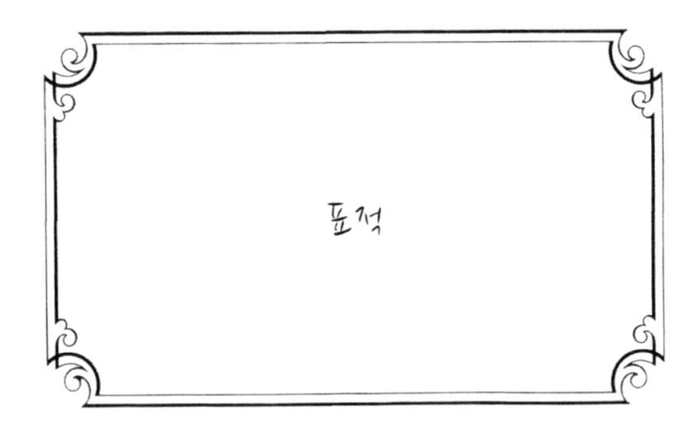
표적

이런 의미였구나. 생각보다 똑똑한 여자였네. 그래도 덕분에 마음 놓고 있으면 안 된다는 걸 깨달았으니, 나로서는 나쁘지 않은 교환이었다. 몇 분이 흘렀을까. 굳게 닫혀 있던 마차의 문이 열렸다.

"베아트리체 왕녀 전하 되십니까?"

나타난 이는 마부도, 호위 기사가 아니었다. 복면으로 얼굴을 가린 남자는 곤장 내 머리채를 잡고 끌어내리지 않았다.

"혹시 맡겨둔 서신 한 장 없으신지요."

펼쳐둔 서신을 그에게 건넸다. 내용을 확인한 남자가 내게 깍듯한 자세로 말했다.

"얌전히 저희 말에 따라 주신다면, 욕보이지 않고 고통 없이 빠르게 끝내드리겠습니다."

마지막 체면은 지켜주겠다는 의미인가. 우스웠다. 지금 누가 누굴 위해준다는 건지. 나는 이미 비슷한 위기에 봉착했던 경험이 있었다. 그리고 너 같은 놈들의 약점이 무엇인지 아주 확실히 알고 있지. 조심스럽게 팔을 뻗어 남자의 팔을 잡아당겼다. 나약하고 여린, 죽음을 앞둔 여자의 표정을 보이며.

"괘, 괜찮다면 조금만 더 가까이 와 줄 수 있을까요…?"

금방이라도 끊길 실타래처럼 미약한 음성을 선택한 게 도움을 주었던 것 같다. 마차 안으로 남자를 이끈 후 베일을 거두었다. 경계를 완전히 버린 것은 아니었으나, 그 시선에 진한 호기심이 스며들어 있었다. 사냥된 토끼를 연기하는 일은 이토록 쉽다. 어느 누가 이 창백한 왕녀의 혈관에 독이 흐른다고 생각하겠는가?

"죄, 죄송해요. 소, 손이 너무 떨려서… 설마 이런 식으로 끝을 보게 될 줄은 몰랐, 흐윽…. 자, 잠깐이라도 잡아 주시면 안 될까요?"

장갑을 벗은 맨손으로 그의 손등을 천천히 쓸었다. 덜덜 떠는 손은 내가 봐도 애처롭게 보였다. 경계심이 서려 있던 남자의 눈동자에 서서히 열기가 차오르는 것이 보였다.

"호, 혹시 나를 위로해줄 수 있다면…."

개소리를 입에 담으려니 혀가 따가웠다. 남자의 눈은 조금도 예쁘지 않았다. 눈동자는 구정물처럼 혼탁한 검회색이었고, 눈가에는 검버섯 핀 주름이 듬성듬성했다. 그는 천천히 상체를 들어 얼굴을 가까이했다. 금방이라도 날 잡아먹을 것 같은 눈이었다. 모르는 척 순진한 얼굴로 남자의 복면을 벗겼다.

"벼, 별 뜻은 없어요. 내 마음 이해하죠? 나는… 그저, 너무나 허무해서…."

혀 안쪽 살을 씹어 피를 내고, 남자에게 몸을 기댔다. 기다렸다는 듯 남자의 새까만 입술이 나를 삼켰다. 숨을 참고 그 안에 내 모든 상처를 들이부었다. 비릿한 피 냄새가 혀끝에 맴돌다가 멀어졌다. 일 초도 더 버틸 수 없이 더러웠다. 혈액을 넘겼다면 그것으로 볼 일은 끝이었다. 남자의 흥분한 몸을 온 힘을 다해 밀어낼 필요도 없었다. 기다림은 짧았다. 헐떡이던 얼굴이 고통으로 물들기 시작했다.

"큭."

목을 부여잡은 남자가 힘겨운 움직임으로 마차에서 벗어났다.

퍽.

순식간의 일이었다. 비틀거리던 남자의 고개가 옆으로 거세게 꺾였다. 주먹의 주인은 확인하지 않아도 뻔했다. 이윽고 적발의 남자가 마차 안으로 머리를 들이밀었다. 언뜻 보이는 검 표면에 굳지 않은 붉은색의 피가 선연했다. 눈이 마주치자 비죽 웃는 낯이 그렇게 평화로워 보일 수 없었다.

"좋아… 아주 잘했어, 수잔."

대답해 줄 기분도 아니었다. 입 안에 남은 모든 역한 냄새를 끌어모아 바닥에 뱉어냈다. 아침을 굶어서 다행이야. 열심히 헛구역질을 해도 넘어오는 음식물이 없었다.

“사내새끼들이 어디에 정신을 못 차리는지 정확히 알고 있군. 베르크네 씨에게 배운 건 아닐 테고… 아닌가? 배운 건가? 상상만으로도 끔찍한데 그래.”

“시끄러우니까 제발 입 좀 닥쳐.”

킨을 밀치고 마차에서 내렸다. 구두 아래에 지그시 밟힌 시체는 흙길에 비하면 무척이나 부드러웠다.

“누가 사주한 거냐?”

“아즈마리아 윌.”

“아하, 그 깜찍한 아가씨 말이지? 시도는 좋았으나 상대가 나빴군. 먼저 도착해 있길 잘했어.”

킨이 시체를 뒤질 동안 나는 가발을 벗고 옷을 벗기 시작했다. 마차에 다시 들어가고 싶지 않았다. 그 더러운 놈의 냄새가 아직도 남아 있는 기분이었다. 귀족 가문의 아가씨들은 참 대단해. 얇은 옷을 꼼꼼하게 몇 겹이나 껴입으니. 한창 어깨와 팔에 걸친 레이스를 뜯어내기 위해 발악할 때였다. 팔짱을 낀 채 이쪽을 바라보는 킨과 눈이 마주쳤다.

“뭘 쳐다봐?”

“…넌 부끄러움도 없냐? 내가 남자로 보이지 않나 보지?”

“헛소리할 시간에 등을 돌리는 게 좋을 거라고 생각해, 킨. 물론 구경한다고 해서 말리지는 않을게.”

고개를 절레절레 저으며 그가 내게 등을 보였다. 하지만 얼마 지나지 않아서 킨에게 쓴 소리를 뱉은 것을 후회해야 했다. 아무리 애를 써도 허리 부근의 끈 가봉이 풀리지 않았던 탓이다. 한숨이 나왔다. 어쩔 수 없이 그를 불렀다.

“킨.”

그가 살짝 고개를 돌렸다.

"이것 좀 풀어 줘."

이번에는 내 쪽에서 등을 돌리고 섰다. 쯧, 혀를 찬 킨이 뒤쪽에서 내 허리를 붙잡았다. 숨이 턱 막힐 정도로 세게 묶여 있는 상태라 푸는 데 적잖은 시간이 걸릴 터였다.

"얇은 천 쪼가리만 입히면서 꼼꼼히도 묶어놨네."

"아. 세게 잡아당기지 마!"

멀찍이 떨어져 있던 킨이 바로 등 뒤에 서 있던 탓일까. 그와 가깝다는 사실 하나만으로 반쯤 훤히 드러난 가슴이 의식되기 시작됐다. 어깨를 덮고 있던 레이스를 다 벗어낸 탓에 코르셋만 겨우 가리는 드레스만 남은 상태였다. 이런 건 침실에서나 보일 법한 모습인데. 살짝 고개를 틀어 살피니, 킨의 시선을 오롯이 내 허리로만 향해 있었다. 조금은 부자연스럽다고 느껴질 정도로. 마차에 홀로 남게 됐을 때부터였나. 나도 모르는 사이에 계속 긴장하고 있었던 것 같다. 굳은 어깨가 조심스럽게 풀어지며 옅은 웃음이 새어 나왔다.

"왜, 반쯤 헐벗은 몸을 보니까 좀 떨리니?"

늘 잘난 체하기 바빴던 킨이 내 앞에서 긴장을 한다는 게 재미있었다. 날 괴롭히던 게 이런 재미였다, 이거군. 뒤로 몸을 기울여 그의 가슴에 머리를 기댔다. 강렬한 적발 사이의 짙은 녹안이 차가운 시선으로 나를 응시했다.

"키스라도 할까?"

물론 너는 조금, 아니 많이 아프겠지만. 진심은 조금도 담겨 있지 않은 장난이었다. 그를 골리고 싶은 마음에 더 고약하게 군 감도 없지 않아 있었다. 무뚝뚝한 얼굴로 내려다보던 그가 돌연 내 어깨를 잡고 돌려 세웠다. 허리를 거칠게 잡아당기고 숨을 전부 집어삼키기라도 할 기세로 고개를 숙였다.

"이봐. 내가 이렇게 낭창한 몸을 두고 병신처럼 굴 거라 생각한다면 오산이야."

킨에게선 죽은 남자에게 느꼈던 역겨운 냄새가 나질 않았다. 허리를 더 강하게 끄는 팔의 힘이 느껴졌다. 격한 감정으로 일렁이는 시선이 보란 듯 내 가슴께를 노골적으로 훑다가 입술을 쓸었다.

"나는 가진 게 자존심뿐이라 너 같은 계집애에게 도발 당하고는 못 살거든. 차라리 혀가 녹아내려서 벙어리가 되는 걸 선택한다면 모를까."

우드득, 등 뒤에서 천이 찢기는 소리가 났다. 팔을 들어 너덜해진 등 쪽을 매만졌다. 킨이 악력을 이용해 끈이 달린 천 자체를 뜯어 버린 것이다. 끈을 풀어 달라던 부탁이 무섭게 이런 짓을 하다니, 무식하기는. 킨이 예의 그 얄미운 미소를 지었다. 내게서 몸을 뗀 그가 말에 걸어 둔 짐 가방에서 내 의복을 꺼내 던졌다.

"가진 게 자존심밖에 없다며? 왜 이렇게 얌전해?"

마차에 기댄 킨은 리히튼만큼이나 큰 골격을 지니고 있었다.

"이래봬도 내가 꽤 혈통 좋은 종마라서. 신사로서 일을 치르기 전에 한두 번 정도는 경고해 줄 용의가 있지."

"아쉽네. 네 그 뱀 같은 혀를 없앨 수 있는 기회였는데."

넝마가 된 드레스를 마차 안으로 구겨 넣고 킨의 앞에 올라탔다. 그는 말머리를 돌려 마차 근처를 가볍게 돈 후 왔던 길로 다시 향했다.

"저것들은?"

"내버려 둬."

고개를 돌렸다. 등 뒤로 마차와 널브러진 시체들이 점차 멀어져갔다. 자세히 보니 날 호위하던 자들은 검은매 기사단의 일원이 아닌 듯했다. 고용된 용병이었나. 하긴, 그러니 그렇게 맥없이 무너졌겠지.

"찝찝해. 내 얼굴을 본 남자가 있어."

"죽은 자는 말이 없다는 걸 잊지 마."

바보 같은 소리이긴 했다. 킨이 암살자들의 목숨을 붙여 놓을 리 없는데.

리히튼의 개가 그리 허술할 리 없지. 나는 안도의 한숨을 내쉬었다.

보통 명망 있는 귀족 가문에서는 연회가 끝난 후 고용인들에게 나흘간 포상 휴가를 내린다. 잉고르드라고 해서 다르지 않았다. 연회가 끝난 지 겨우 하루가 흘렀을 뿐인데 잉고르드 저택에 남은 하녀는 나와 콜렌토 부인이 전부였다.

"본래는 가주도 저택을 비우고 휴양지로 떠나는 게 관례야. 하지만 너도 알다시피, 각하께서 그런 성정은 아니시잖니."

주방이 이토록 고요한 건 처음 있는 일이었다. 트리비아체에서는 연회가 끝나면 동갑내기 하녀를 따라 그 댁에서 묵고는 했다. 화목한 가정 한가운데에서 식사를 할 때마다 괜히 왔다는 생각이 들었었지. 그곳이 내 자리가 아닌 것 같아서. 그 시절을 상기하면 적어도 휴가 때의 처우는 잉고르드가 훨씬 마음이 편했다. 누구의 눈치도 살피지 않고 이곳에 머물 수 있으니까.

"그래서 네가 남은 게 참 다행이구나. 너만 갑작스러운 휴가를 받은 일에 분개하던 아이들도 그 이야기를 꺼내니 다들 수긍했지."

새하얀 담배 연기가 콜렌토 부인의 얼굴을 감고 올라갔다. 나는 그녀가 건넨 담배 한 개비를 손안에서 천천히 굴렸다.

"전 휴가가 필요 없어요."

"왜?"

"갈 곳이 없거든요."

가만히 눈을 감고 있던 콜렌토 부인이 조용한 목소리로 대답했다.

"꼭 어딘가로 돌아갈 필요는 없어. 너도 알고 있으리라 본다. 각하께서는 널 특별히 아끼시니, 곧 가신들 중 하나와 혼인을 맺게 해 널 평생 거두실 거야."

콜렌토 부인이 직접적으로 그런 말을 하는 건 처음 있는 일이었다. 날 특별히 아낀다, 라. 남들 눈에는 그렇게 보이겠구나. 잉고르드에 온 지 벌써 다섯 달이 훌쩍 흘렀다. 처음에는 오직 이곳에서 벗어나겠다는 일념 하나로 하루하루를 버텼던 것 같은데. 이제는 리히튼과의 내기도 까마득하게 잊는 날이 더 많아지고 있었다.

이런 날이 과연 얼마나 더 지속될까. 하녀장인 콜렌토 부인은 휴가에도 이곳을 지켜야 하는 의무가 있지만, 올해는 내가 그 자리를 대신할 수 있었다. 콜렌토 부인은 내게 감사 인사를 남기고 모레 저녁까지 저택을 비우기로 했다.

덕분에 그녀의 눈치를 볼 필요 역시 사라졌다. 나는 평소라면 청소 같은 볼일이 없을 때는 얼씬도 못할 응접실로 가 편안하게 자리를 잡았다. 하녀 주제에 벽난로에 불을 피우고 타들어 가는 불꽃을 구경했다. 그 이후에는 무엇을 했는지 정확하게 기억나지 않았다. 따스한 온기가 주는 노곤함을 이기지 못하고 아주 오랜만에 잠에 들었던 것 같다.

나는 누군가를 기다리고 있었다.

성 밖에는 굵은 빗줄기가 주룩주룩 내렸고, 곧 도착할 방문자가 그 비에 젖으리란 사실을 알고 있었던 것 같다. 애탄 마음이 들거나 흥분되어 심장이 터질 것 같은 기다림은 아니었다. '해야 하는 일'이었을 뿐. 이윽고 문 열리는 소리와 함께 내 기다림은 끝을 맞이했다. 그 너머에서 나타난 이는 빌힐름이 내게 준 선물, 비비안느였다.

[비비.]

뛰어든 소녀가 빗물에 젖은 상태 그대로 날 껴안았다. 자신의 품 안에 나를 가득 채우고 내 목덜미에 코를 박아 깊게 숨을 삼켰다. 나는 간지러움을 떨쳐내기 위해 목을 움츠리며 웃었다.

[아그레인. 날 기다린 거야? 너, 너무 기뻐! 오늘 내가 받은 최고의 선물이야.]

나는 조용히 그녀의 등을 내려다봤다. 언뜻 보이는 뒷목의 상태가 영 좋지 않다. 날카로운 날에 베인 듯 기다란 흠집이 셔츠 안쪽의 등까지 이어져 있는 듯했다. 그리 오래된 상처가 아닌지 주위 살이 붉게 일어나 있었다. 고통스러웠을 게 분명한, 잔혹한 자국을 살살 쓸며 말했다.

[비 맞기 전에 들어오라고 했잖아. 자꾸 이럴 거야, 비비? 내 말을 듣지 않을 거면 돌아가.]

[으응… 싫어. 날 빌힐름에게 보내지 마. 그 애가 날 네게 준 거야, 돌아가지 않을래.]

투정부리며 절레절레 흔드는 머리칼 사이에서 짙은 아카시아 향이 났다.

[난 친구가 필요 없어, 비비.]

비비안느를 끌어 의자에 앉히고, 준비해 놓은 타올로 젖은 머리를 털어 주었다. 소녀는 두 다리를 감싸고 앉아 내 말을 묵묵히 들었다.

[내가 필요한 건 내 말을 아주 잘 듣고 내 말에만 복종하는, 귀엽고 사랑스러운 개야. 한데 넌 개가 아니잖니.]

아니. 개이기는 개인데, 내 것이 아닌 빌힐름의 개지. 비비안느는 한동안 아무런 말없이 상처받은 티를 여실히 냈다. 그러다가 문득 제 머리칼을 말리기 바쁜 내 손을 잡아 내렸다. 그리고 창가로 다가가 끊임없이 비가 떨어지는 숲을 내려다봤다. 빌힐름이 내 성을 방문할 때마다 지나치는 길목이었다. 비비안느는 그렇게 한참 동안 창 너머를 내려다 봤다. 누군가 이 행복한 시간을 해하러 오는지 감시하는 것처럼. 손안의 물기가 말라갈 때 즈음 그녀가 내 곁으로 돌아왔다.

[개가 되면 네 옆에 있을 수 있어?]

축 처진 장미꽃색 눈동자에는 약간의 우울과 약간의 기대가 서로 뒤엉켜 있었다.

[응.]

[개가 되려면 어떻게 해야 하는데?]

[…이리로 와.]

나는 비비안느를 의자 위에 앉히고 서랍 안의 연고를 꺼내왔다. 조심스레 비비안느의 뒤로 다가가 옷을 벗겼고, 흉측하게 자리 잡은 등 위 상처에 연고를 발랐다.

[개가 되려면, 가장 먼저 내게 상처를 숨기면 안 돼.]

고통에 젖은 숨이 내 머리 위에서 퍼지고 사라졌다. 익숙한 상처여도 늘 그렇듯 아픔이란 감각만은 선연하기 마련이다. 비비안느는 긴 시간 폭력과 무관심에 노출되어 왔다. 그녀는 빌힐름의 터전에서 없는 이로 치부되어 살아왔고, 그러한 취급을 당연시 여겼다. 그래서일까. 비비안느를 향한 나의 작은 애정과 관심은 고작 몇 주 만에 소녀의 세계에서 가장 큰 일부가 되어 있었다. 연인보다 사랑하고 친우보다 가깝지만 가족은 아닌 그런 존재가.

[빌힐름이 내 피는 불결하댔어.]

[왜?]

[나, 나도 잘 몰라. 원래 쌍둥이는 불결한 거래.]

차분한 음성은 남 일을 읊듯 무덤덤했다.

[그런데 쌍둥이가 아니라 아그레인의 개가 되면… 더는 불결하지 않겠다. 그렇지?]

비비안느가 입을 가리고 웃었다. 내 앞에서 늘 그래왔듯, 이보다 더 완벽할 수 없다는 듯 행복한 얼굴이었다. 고작 제 머리의 물기를 털어 주고, 상처에 연고를 발라 주는 것이 다인 날 본인 세계의 창조주라도 되듯 올려다봤다.

[아그레인처럼 상냥한 주인님은 내가 질렸다고 해서 버리지 않을 거야. 그렇지?]

[…아카시아 숲의 개처럼?]

[으응, 그 애처럼. 빼빼 마르고 불쌍한 금색 허수아비를 말하는 거잖아. 여우

의 밥을 챙겨 주러 갈 때마다 몰래 봤지….]

[빌힐름이 그곳은 아무도 못 들어간댔어.]

[나는 아니야. 불결한 쌍둥이어도 황족이니까.]

풍성한 속눈썹 아래의 부드럽게 굽어 있던 눈매가 싸늘해진다. 그 순간만큼은 마치 날 가르치기 위해 매를 든 빌힐름 같았다. 그러나 한기는 처음부터 그 자리에 없었다는 양, 찰나에 모습을 감추었다. 빌힐름과 같은 배에서 같은 양분을 먹고 자란 아이. 악랄한 금색 매의 형제가 쥐새끼일 순 없지. 나는 모르는 척 상처에 연고를 바르며 입을 열었다.

[그 아이 이야기를 해 봐.]

[이야기? 으음. 밖에 나와서 늘 책을 읽는데, 늑대 우는 소리가 나면 성으로 돌아가. 안개가 짙으면 문 옆에 등불을 달고, 비가 오면 숲속을 떠돌면서 홀로 비를 맞지.]

비비안느의 음성은 마치 애완 새가 노래하듯 맑고 고왔다.

[딱 두 번 웃는 얼굴을 봤어. 하녀가 식사를 가져다 줄 때랑, 비를 맞을 때. 긴 장마에는 창가에 기대서 하염없이 밖을 봐.]

[이름은?]

비비안느의 눈이 나를 향했다. 처음에는 의문을, 그 다음은 신경질적인 진심을 띄고서. 왜 자꾸 물어? 소리 없는 언어가 내게 몰래 묻는다. 무해한 눈빛에는 악랄한 금색 매의 탐애와 일그러진 욕심이 담겨 있었다. 그런 시선을 마주할 때면, 나는 이제껏 그래왔듯 살며시 웃었다. 내가 모르니까 너도 모르는 거야. 나에게 필요한 건 비비안느의 집착이 아니었다. 집착에서 비롯되는 충성심이었지. 그랬기에 내가 웃으면 소녀도 마주 웃는다. 아름다운 장밋빛 눈동자에서 무한한 신뢰와 사랑이 느껴졌다.

[리히튼. 빌힐름은 그 애를 리히튼이라고 불렀어.]

Episode 6.
에고

눈을 떴다.

쉼 없이 떨어지는 가느다란 빗소리가 들렸다. 손등으로 떨어지는 창 너머의 빛이 어두운 회색이었다. 하늘이 검은 것으로 보아 소나기로 끝날 비는 아닌 듯했다. 그 너머에 조용히 앉아 창밖을 응시하는 리히튼이 보였다. 예전처럼 마른 지푸라기와 같이 버석거리는 백금발이 아니었다. 몸을 굽히고 책에 코를 박은 채 몰두하지도 않았다. 남자는 그저 그림처럼 앉아 있었을 뿐이다. 몽롱했던 정신에 지독한 현실감이 몰려들기 시작했다. 흐릿했던 기억 속의 소년도, 손 뻗으면 닿을 거리에 앉아 있는 남자도 모두 리히튼이 맞았다.

"비를 좋아하세요?"

그가 천천히 날 향해 고개를 돌렸다. 나는 느릿하게 말을 이었다.

"긴 장마가 오면 창가에 기대 하염없이 쳐다볼 만큼."

청회색 눈동자 아래로 보이는 음영이 짙었다.

"영원히 증오하는 여인의 환상이 나타날 만큼."

"멋대로 내뱉는군."

"수잔이 아닌 아그레인의 입에서도 못 나올 말인가요?"

그는 내게, 아니 아그레인에게 원하는 것이 있다. 형체가 없어 어렴풋이 짐작해 온 것이 다였으나 이제는 확신할 수 있었다.

"제가 아그레인이길 바라시잖아요."

리히튼. 우리는 빌힐름의 개였어. 지금은… 글쎄. 개라고 불릴 만한 건 나밖에 남지 않은 것 같지.

"아니면 수잔이 주인님의 총애를 등에 업고 기어오른다고 생각하시려나."

리히튼은 반쯤 눈을 감은 채 내 말을 경청하고 있었다. 역정을 내거나 벌을 내릴 생각은 조금도 없어 보였다.

"주인님이 바라시는 대로 가진 모든 것을 버렸어요. 텅 빈 그릇에는 내 것이 아닌 증오가 대신 채워져 있죠. 그런 제게 멋대로 굴 권리도 없나요?"

"부족해."

그의 목소리에는 망설임이 없었다. 아주 오래전부터 이미 그렇게 여겨왔다는 듯 간결하고 확고했다. 완벽하게 거두어진 눈꺼풀 아래로 적발의 창백한 여인이 담겼다. 리히튼은 내 쪽으로 목과 어깨를 내밀고 한 글자씩 또박또박 읊었다.

"그냥 부족한 것도 아니라 턱없이 부족하지. 그러니까 내게 가진 것을 더 바쳐. 이렇게 말한다면 그리 할 건가?"

"그럼요. 남은 건 몸뿐인데 몸이라도 바칠까요?"

리히튼이 웃었다. 적어도 즐거워서 웃는 느낌은 아니었다.

"이전에도 말했지만. 날 자극해서 좋을 것 하나 없어, 수잔."

광증에 휩싸여 내게 장식 검을 건네던 리히튼과 지금의 리히튼은 무엇이 다른가. 나는 아그레인의 과거를 인지하게 된 대가로, 이전보다 더 수월하게 리히트을 바라볼 수 있게 되었다. 그의 눈에는 예전에는 알 수 없던 지극히 인간적인 감정이 울렁이고 있었다.

분노, 증오, 집착, 후회.

"나는 이미 널 위해 너무 많은 것들을 희생했어. 아니, 전부 희생해서 남은 것이라곤 재가 된 껍질뿐이지. 네가 이곳에 앉아 있을 수 있는 건 내게 재만 남았기 때문이야. 그렇지 않았으면 난 네 손등에 닿는 그 희미한 빛조차 허락하지 않았을 테니까."

들끓는 눈동자와 달리 음성은 시를 읊듯 고저 없이 차분했다. 어쩌면, 과거의 아그레인은 새장에서 어둠 속에 웅크려 있던 그를 더 깊은 지옥으로 밀어 넣었을지도 모른다. 그렇지 않고서야 이토록 열렬한 증오가 나를 향할 리 없었다.

"주인님. 주인님은 스스로를 미쳤다고 생각한 적 있으세요?"

우리의 거리는 세 발자국 이상 떨어져 있었지만, 내게는 마치 리히트이 바로 옆자리에 앉은 것처럼 느꼈다. 불이 꺼진 세계에 우리 둘만이 남은 기분이었다. 리히트을 안 이래 이토록 그가 가깝게 느껴진 적이 없었다. 남자를 알아갈수록 막연한 공포는 안개 걷히듯 서서히 희미해지고, 정의할 수 없는 진득하고 불결한 마음이 생겨났다.

"아그레인을 향한 증오 때문이든, 혹은 잉고르드의 독 때문이든. 저는 종종 제가 미쳤다고 생각될 때가 있어요. 특히 두통에 잠 못 드는 날이 사흘에 다다를 때, 관 속에 갇혀 구더기에 머리를 파먹히는 기분이 들곤 해요."

그리고 겨우 눈을 붙이고 떴음에도 여전히 잉고르드에 남아 있다는 사실을 깨달을 때 역시.

"요즘은 꿈속에서조차 신경이 날카롭게 깨어 있어요."

꿈을 꾸면 꿀수록 아그레인에 동화되는 느낌이 생생했다.

"내게 미쳤느냐고 묻는 건가? 건방지기 짝이 없는 질문이군. 네가 가진 그 권리처럼 말이야."

그의 투명한 백금발은 넘실대는 벽난로의 불이 비쳐 붉은 노을처럼 보였다. 수십 가지 감정에 흔들렸던 눈동자가 그새 본래의 시린 색으로 돌아온 후였다. 능숙하게 내면을 숨기는 모습에 순수한 감탄이 일 정도였다. 리히튼은 대체 어떤 시간을 살아 온 걸까? 어떤 시간을 버텨왔기에 저리도 태연할 수 있을까. 감히 상상할 수 없었다.

"그래, 나는 미쳤지. 광증이라 묻고 싶은 건가? 하지만 그건 병이 아니야. 순전히 내가 내 손으로 선택한 길일뿐."

"주인님이 가지신 힘의 대가가요?"

광증을 일으키는 그 힘. 내게서 시선을 거둔 리히튼이 눈을 감은 채 되물었다.

"수잔. 너는 미래를 보았을 때, 네가 본 것이 미래라 확신할 수 있을까?"

착각이 아니라면 그는 조금 지쳐 보였다.

"그 미래가 하나가 아닌 수십 가지로 겹겹이 쌓이면? 그리고 소용돌이치며 끊임없이 변화한다면…."

리히튼의 힘이 미래를 보는 힘이라도 되는 걸까. 장담컨대 아닐 것이다. 그는 이런 식으로 은밀히 자신의 비밀을 내보일 사람이 아니었다.

"주어진 모든 것들이 마치 내 것이 아닌 삶처럼 느껴질 수도 있겠지. 그렇다면 미래를 보는 것이 과연 무슨 소용인가? 내가 나인지도 모르게 하는 힘은 저주나 마찬가지일 텐데."

나는 얌전히 그의 말에 귀를 기울였다.

"대가란 그런 거야. 가진 것이 있느니 못한 기분을 느끼게 하는 것. 맞아. 내가 선택한 길은 그 대가를 감수하는 길이었지."

리히튼은 다시 눈을 떴다.

"그래서, 수잔… 지금이라면 답할 수 있겠군. 나의 잉고르드가 언제 무너질 것 같냐는 물음에 말이야."

그 말을 듣고서야, 나는 리히튼이 나의 이야기를 하고 있었다는 걸 알아차렸다. 이제는 확신할 수 있었다. 리히튼은 내가 미래를 알고 있단 사실을 알았다. 어떻게 아느냐는 의문에 대해선 당장 죽도록 머리를 굴려 봐도 캐낼 수 없을 터였다. 대가가 있다는 그 힘에 의해서든, 리히튼이 이제껏 사냥해 온 다른 빙의자들 때문이든. 예전의 나였다면 전전긍긍했을 텐데 오히려 지금은 마음 한구석이 가벼웠다. 왜일까. 여타 빙의자들에게 그런 것과 달리, 나만은 죽일 것 같지 않아서?

"무너질 거예요."

메말라 갈라지는 음성이 나왔다. 문득 그런 생각이 들었다. 베르크네가 지금의 나를 본다면, 자만하지 말라고 충고하지 않았을까. 하지만 이건 자만이 아니다. 리히튼에게 있어 나는 특별한 존재가 맞았다.

"그래야 이 이야기가 완성되니까요."

"누가 만든 이야기지?"

그런 건 몰라. 내가 아는 건 『태양이 흐르는 강』의 작가가 아닌 등장인물이다. 리히튼은 몰락이 예고된 인물이고, 나는….

"이곳은 무너지지 않아."

그건 다짐이 아닌 확신이었다. 리히튼은 인기척 없이 유령처럼 의자에서 몸을 일으켰다. 나를 내려다보는 시선이 홀에 걸린 그림처럼 고아했다.

"적어도 내 숨이 붙어 있는 한 제국에서 가장 견고한 요새가 될 거다. 누구도 넘볼 수 없겠지. 빌힐름은 물론 황제조차도. 그게 내가 선택한 길이니까."

등을 스쳐지나가며, 리히튼의 하얗고 기다란 손가락이 내 머리칼을 파고들었다. 목덜미에 닿는 손끝이 얼음장처럼 차가웠는데 이상하게 뜨거웠다.

"너 역시 곧 선택해야 될 때가 올 거다. 우리 내기의 종착점이 보이기 시작했으니."

리히튼은 그렇게 응접실을 떠났다. 그래, 내기. 까마득하게 잊고 있었어. 우리에게는 그런 것도 있었지. 나는 목덜미에 남은 온기가 완전히 사라질 때까지 멍하니 창밖을 응시했다.

텅 빈 잉고르드 저택은 유령의 성이라 여겨도 될 만큼 스산하고 조용했다. 검은매 기사단의 일원은 평소처럼 저택의 안팎을 누볐으나, 겨우 안면만 익힌 정도였고 지내는 공간도 달랐기에 남처럼 느껴졌다. 아즈마리아는 당분간 별관이 아닌 본관에서 지내기로 했다. 저택을 관리할 인원이 나밖에 남지 않았기에 그것이 최선의 방도였다.

오늘 점심부터는 시내에서 고용한 주방장이 올라와 리히튼과 기사들의 식사를 준비했다. 해마다 맡아 온 일이어서 그런지 딱히 신경 쓰지 않아도 모두가 능숙했다. 나는 자리를 비운 시종을 대신해, 아즈마리아의 잔에 물을 따르며 말했다.

"입맛에 맞지 않으시다면 바로 말씀해 주세요. 시내의 주방장이 대신 요리를 해 주고 있는 터라."

아즈마리아가 거세게 고개를 저었다.

"아니에요. 이 정도면 충분해요, 민폐를 끼치고 있는 건 오히려 나인걸요."

잠시간 넓은 식탁과 텅 빈 의자들을 살펴보며, 아즈마리아가 물었다.

"각하께서는?"

"각하께서는 늘 집무실에서 홀로 식사하십니다."

"아, 그렇군요. 손님이 방문해도 집무실에서 식사하시는 건가요?"

"네."

손님을 접하는 데 예의는 아니었으나, 잉고르드의 공작쯤 되면 본인의 행동 자체가 예절이며 법규가 되기 마련이다. 아즈마리아의 하얀 얼굴 위로 옅은 실망감이 떠올랐지만, 금세 자취를 감추었다. 이제 열여덟이 되는 것으로 아는데 감정을 숨기는 데 꽤 능숙한 여자였다. 하기는. 이 정도는 되어야 아무렇지 않은 낯으로 베아트리체에게 죽음의 표식을 남길 수 있을 터였다.

"베르크네 씨?"

한적한 다이닝 룸에서 아즈마리아 혼자 조용히 식사하던 때였다. 문 너머로 지나쳐 가던 베르크네를 용케 알아본 그녀가 커다란 목소리로 외쳤다. 퍽 친숙한 부름이었기에 절로 눈길이 갈 수밖에 없었다. 외침을 들었는지, 한 박자 느리게 다이닝 룸 안으로 들어온 베르크네가 허리를 숙였다.

"아즈마리아 윌 영애."

"이게 대체 얼마 만이죠? 이렇게 뵙게 되니 너무나 반갑네요."

제 집 앞마당이었으면 금방이라도 자리를 박차고 나갈 기세로 밝은 목소리였다.

"저도 다시 뵙게 되어 반갑습니다, 영애. 예정대로였다면 영애와 제가 다시 만날 일은 다신 없었을 텐데 말입니다."

한데 베르크네의 표정과 어투는 즐거운 재회의 순간이라 표현하기에 다소 딱딱한 감이 있었다.

"베르크네 씨는 그동안 전혀 늙지 않으셨네요. 예전 황성에서 지내실 때 그대로의 모습이셔요."

"영애께서는 아리따운 숙녀로 자라셨습니다."

"괜찮다면 잠깐 시간이라도 내주셔서 그간 어떻게 지내셨는지 말씀해 주실 수 있으세요?"

또다. 『태양이 흐르는 강』에서는 언급되지 않았던 관계와 이야기. 베르크네가 황성의 사람이었다니, 전혀 예상하지 못한 과거였다. 베르크네 특유의 냉정한 눈길이 짧게나마 나를 향했다. 그것도 잠시, 그는 다시 허리를 숙이며 정중한 거절을 나타냈다.

"지금은 각하의 시중을 드는 중이라 힘들 것 같습니다. 기회가 된다면 그리하겠습니다."

"…아, 미안해요. 내가 바쁜 사람을 붙들었군요. 마저 일 보도록 하세요."

베르크네는 망설임 없이 등을 돌려 다이닝 룸을 나갔다. 나는 씁쓸함이 감도는 아즈마리아의 얼굴을 바라보며 물었다.

"괜찮으시다면, 영애. 저라도 말동무를 해드릴까요?"

평범한 하녀였다면 귀족 아가씨가 경을 칠 태도였지만, 그녀에게 나는 평범한 하녀가 아니니까.

"상냥하네요, 수잔."

그녀는 거절하지 않았다.

"베르크네 씨가 황성에서 일하셨을 줄은 몰랐습니다. 당연히 잉고르드의 가신일 거라 생각했거든요."

"아주 유능한 분이셨죠. 저 어릴 때만 해도 빌힐름 전하를 뵙기 위해 황성을 방문하면 정말 즐겁게 맞이해 주셨는데…."

아즈마리아는 그녀 자신만 아는 기억에 잠겨 있는 듯했다. 나는 전혀 공감해 줄 수 없는 추억의 편린 속에. 빌힐름의 이름이 나와 잠시 놀라기는 했지만, 황성의 사람이었다는 걸 감안하면 당연한 묶음이었다.

'이곳은 무너지지 않아. 적어도 내 숨이 붙어 있는 한 제국에서 가장 견고한 요새가 될 거야. 누구도 넘볼 수 없겠지. 빌힐름은 물론 황제조차도.'

그때의 그 단단한 목소리가 잊히질 않았다. 그렇다면 베르크네는 리히튼이 요새를 짓기 위해 빼앗은 빌힐름, 아니 황제의 팔다리 중 하나였던 건가. 새삼 그의 처세술이 대단하다는 것을 다시 한번 깨달을 수 있었다. 그런 남자를 겁도 없이 도발하다니, 나도 벼랑 끝까지 와 있긴 하구나.

"각하께서는 참 대단한 분이세요. 아무도 거들떠보지 않던 바닥에서 여기까지 홀로 올라오셨거든요."

베아트리체 앞에서 말을 가리던 것과는 꽤 다른 모습이었다. 나로서는 기쁜 일이었다. 적절히 이용해 먹을 수 있을 테니까.

"그래서 저의 충고도 무시하고 여기까지 오셨군요."

아즈마리아는 고민이 깊은 얼굴로 여러 번 눈을 깜빡였다.

"하지만 난, 도무지 그럴 수 없었어요."

목소리 끝이 미세하게 떨리고 있었다.

"당신의 조언을 이해하지 못하는 건 아니에요. 하지만 리히튼을 생각하면, 오랜 시간 버텨 온 마음이… 아, 이런. 내가 쓸데없는 소릴 했군요."

고개를 젓는 아즈마리아의 낯에 슬픔과 후회가 가득했다. 별다른 감흥이 전달되지는 않았다. 그 과잉된 감정에 공감할 정도로 나는 감성적인 사람이 못 되었다. 이래서 주인공의 연인인 거구나. 나 같은 일회성 조연은 감히 범접 못할 서사의 애절함이 느껴졌다. 비록 주인공의 사랑스러운 피앙세에서 이름만 남은 조연으로 추락하기까지 얼마 남지 않았다고 하여도.

늦은 오후가 되어도 비는 멈출 생각이 없어 보였다. 여름도 아니고, 이틀 내내 어둑한 하늘을 올려다보려니 장마가 시작된 것처럼 느껴졌다. 밖으로 나갈 상황이 여의치 않은 탓에 검은매 기사단의 일원도 항상 저택 내부에 상주했다. 반나절 이상을 저택 밖에서 보내던 킨 또한 습기를 떨쳐내려 벽난로 앞에 가만히 앉아 있는 시간이 길어졌다.

"할 말 있으면 하지 그래? 그렇게 사람 뚫어져라 쳐다보지 말고."

앞머리에 맺힌 빗물을 털어내며 킨이 말했다. 그가 신고 들어온 군화 밑창이 마르지 않은 진흙으로 범벅이었다. 기껏해야 오 초 정도 쳐다본 것 같은데, 생긴 것과 달리 감이 예민하다.

"그걸 어떻게 알아. 뒤통수에도 눈이 달렸어?"

"열렬한 시선은 눈이 없어도 느껴지기 마련이지."

킨은 큼직큼직한 걸음으로 다가와 난로 위에 놓여 있던 주전자를 집었다. 그대로 찻잎이 담긴 잔에 부어 휘휘 젓더니 한입 삼킨다. 입천장을 데지 않는 게 신기했다.

"베르크네 씨가 황성 사람이라는 소리를 들었어."

잔을 쥔 상태로 창밖을 살피던 그가 힐끔 내게로 시선을 돌렸다.

"아. 그 깜찍한 아가씨가 말했나 보군. 그게 그렇게 놀라운 일인가?"

적어도 지금은 그랬다. 이제까지 황성의 일은 내게 남 일이나 다름없었다. 하지만 베르크네가 빌힐름과 한 성에서 살아왔을 거라 생각하니 여러모로 기분이 기묘했던 것이다. 빌힐름은 이 세계의 주인공이지만, 내가 아는 이면이 존재하고… 또 그 이면의 피해자가 아그레인이기도 하니까. 빌힐름과 관련된 일에 관심이 생기는 건 자연스러운 일이었다.

"내가 유서 깊고 훌륭한 가문의 바깥 자식이라는 걸 알면 뒤집어 나자빠지겠는데."

헛웃음에 나는 단호하게 고개를 저었다.

"아니. 너한테 딱 어울려."

"어울린다고? 설마 바깥 자식이라는 부분이?"

"응."

킨의 표정이 언짢아졌다. 귀족가의 바깥 자식이 기사 서임을 받는 것은 흔한 일이다. 보통은 태어난 영지에서 서임을 받으나 가문의 미움을 사면 먼 곳으로 도망가 터를 잡는 일도 부지기수였다. 킨이 잉고르드의 혈통으로 보이지는 않으니 전자보다는 후자에 가깝겠지.

"그러고 보니… 내 동생이 지금 딱 너만 하겠군."

추억에 심취한 얼굴은 아니었으나, 그리 말하는 킨의 낯은 평소에 비해 조금 더 섬세했다. 이죽이거나 비꼬기 바빴던 표정에 보기 힘든 차분함이 감돌았다.

"이복동생?"

"그래."

"이복동생과 친할 수도 있나? 그것도 유서 깊은 가문에서?"

"친하지 못할 건 없지. 그래봤자 어릴 때의 일이라 얼굴도 희미하지만. 그 애도 날 기억할지 의문이군."

미련이 느껴지는 목소리였다. 침체된 눈빛을 거둔 그가 묵묵히 찻잔을 내려다보며 되물었다.

"너는?"

"나?"

처음에는 무엇을 묻는가 싶었고, 나중에는 그 의미를 파악했음에도 입이 열리지 않았다.

"나는…."

수잔은 혼자고, 아그레인 캐롤드에 대해 알려면 캐롤드 가문의 가계도를 뒤져야 할 것이다. 그렇다면 '나'는?

"케일 왕국의 제 22왕녀 베아트리체 아덴로지아 케일이지. 스물두 번째 왕녀인 걸 봐선 최소 스물한 명의 형제가 있는 모양이야."

킨이 어이없다는 듯 웃었다. 『태양이 흐르는 강』으로 들어오기 전 내게는 어떤 가족이 있었지? 기억이 희미했다. 아니, 희미하기보다는 처음부터 그 자리에 존재하지 않았던 양 기억이 완전히 소거된 느낌이었다.

'왜지?'

혼란한 감정을 숨기기 위해 벽난로에 시선을 고정했다. 킨이 그럴 줄 알았다는 투로 혀를 찼다.

"길을 잘못 들었어, 수잔. 비밀 많은 여자는 매력 없는데 말이야."

두통이 이는 이마를 부여잡으며 아무렇지 않은 목소리로 받아쳤다.
“무슨 소리야? 남자든 여자든 있는 대로 다 까발리는 사람이 매력 없는 거야.”
“그런 걸 바로 피곤한 취향이라고 하지. 다른 말로는 사서 고생할 취향.”
그 이상은 대답할 말이 떠오르지 않았다. 극심한 어지럼이 몰려왔다. 킨이 한시라도 빨리 이곳을 나가 어디론가 사라졌으면 했다. 나는 이 느낌을 안다. 여기서 두통이 조금만 더 심해지면 줄이 끊긴 인형처럼 쓰러져 정신을 잃고 말 것이다. 위태로운 외줄타기를 하는 기분이었다. 나는 사념을 다른 방향으로 돌리기 위해 갖은 힘을 다했다. 좀 더, 좀 더 쓸모없고 소모적인 생각을 하는 거야. 비는 언제 멈출지, 낙엽은 언제 다 떨어질지….
“이봐.”
그때, 돌연 막혀 있던 숨통에 공기가 통하는 기분이 들었다.
“아.”
나도 모르게 길게 참고 있던 숨을 내쉬었다. 어느새 킨과 내가 얼굴을 마주보고 있었다.
“쯧, 좀 사람다운 몰골이 되었나 했더니. 다시 죽을상으로 변해가네.”
킨이 내 턱을 제 손에 쥔 채 이리저리 돌렸다. 눈과 입술 곳곳을 뜯는 시선이 이상하게 매서웠다.
“손 치워.”
“독 때문인가? 하지만 베르크네 씨는 이 정도로 낯빛이 안 좋지 않았는데. 설마 성격이 더러운 만큼 더 고생한다던가.”
내 말은 귓등으로 들었는지, 킨은 보란 듯이 얼굴을 더 꼼꼼하게 뜯어 살폈다. 의자 앞에서 몸을 구부린 그와의 간격이 너무 좁아 이제는 숨소리까지 들릴 정도였다.
“치우라는 말 안 들어? 개새끼라서 사람 말을 못 알아듣나?”

픽. 재수 없는 웃음이 킨의 입술을 비집고 나왔을 때였다. 문 근처에서 들려온 인기척에 킨의 손을 떨쳐내고 고개를 돌렸다. 활짝 열린 문 앞에서, 베르크네가 우리를 가만히 응시하고 있었다.

"내가 실수를 했나? 그래도 이 한마디는 해야겠군. 마음 정은 생겨도 몸 정은 생기지 않도록 주의해라. 잉고르드의 독 때문에 눈이 멀고 귀가 멀…."

"끔찍한 소리 하지 마시죠, 베르크네. 제가 그래도 나름 여자 보는 눈은 있어서 말입니다."

구렁이 같은 웃음과 함께 킨이 다시 창가로 걸음을 옮겼다. 나는 그 뒤통수에 침을 뱉으려다 말았다.

"어리석은 소리를 하는군, 킨. 수잔 정도면 손에 꼽는 미인이잖나."

"사람은 얼굴이 다가 아니잖습니까."

킨의 목소리에는 대놓고 짜증이 서려 있었다. 나는 불쾌한 티를 풀풀 풍기는 얼굴에 대고 방긋 웃어 주었다.

"내가 예쁜 걸 인정하긴 하나 보네."

"들으셨습니까? 바로 저런 점이 학을 떼게 만든단 겁니다."

"둘이 생각보다 더 가까운 사이란 건 알겠군."

베르크네 역시 킨과 만찬가지로 습기 젖은 한기를 식혀 줄 따뜻한 차가 필요했던 모양이다. 그가 뒤집어 있던 찻잔에 주전자를 부으며 물었다.

"너는 주방이 아닌 이곳에 있어도 되는 건가, 수잔?"

나는 가볍게 어깨를 으쓱였다.

"아즈마리아 윌은 고용인들에게도 매우 자비로운 여자라서요. 휴일을 맞이한 하녀를 부리기 위해 종을 울리지는 않아요."

"윌 영애를 잘 아는 듯한 투야."

"그 여자가 저를 아주 좋아하거든요."

베르크네가 조용히 내 눈을 들여다봤다.

"변했군, 수잔."

짧은 시간이었지만, 말문이 턱 막혀 버렸다. …사람은 계속 변한다. 날씨만 해도 화창했던 가을 하늘이 지금은 비를 줄줄 쏟아내고 있지 않은가. 흥미로운 주제는 아니었기에 바로 말머리를 돌렸다.

"베르크네 씨. 아즈마리아 윌이 왜 공작 부인이 되려 하는지 아세요?"

"영애의 입으로 직접 듣지 않는 이상 모두 추측에 불과할 테지."

베르크네는 리히튼만큼이나 표정 변화가 적다. 리히튼이 내내 살결이 떨리는 냉랭한 얼굴이라면, 베르크네는 무슨 생각을 하는지 모를 덤덤한 얼굴에 더 가까웠다. 지금 역시 그랬다. 모르는 척하는 걸까, 아니면 순수하게 관심이 없는 걸까. 상대가 베르크네라면 둘 모두 그럴싸했다.

"빌힐름 황자가 무섭대요."

"동의하기 힘든 주장이로군. 아즈마리와 윌 영애와 빌힐름 황자의 사이는 친남매와 다름없는 사이였는데."

꿈을 꾸기 시작한 이후로 내내 궁금했었다.

"제게 몰래 말하던데요. 빌힐름 황자의 개가 싫다고."

고립된 그 성의 존재는, 아즈마리아의 말대로 물밑에 완전히 숨겨진 진실인 것일까? 베르크네의 표정이 눈에 띄게 굳었다. 보기 드문 광경이었기에 나는 모르는 척 말을 이었다.

"개를 무서워하는 걸까요? 고작 그런 이유로 잉고르드에 오지는 않았을 텐데."

"…윌 영애가 직접 그런 말을 했나?"

그럴 리가.

"무슨 의미인지 아세요?"

"그건 황실의 권력으로 유지되는 치부다. 설마 윌 영애가 알고 있을 줄은 몰랐지만."

기밀이라면서 정말 개나 소나 다 알고 있네. 아니, 베르크네는 황성 출신이라 했으니 개나 소에 포함되지는 않는 건가. 하지만 아즈마리아는 소수의 고위 귀족만이 그 사실을 알고 있다고 했다. 이는 베르크네의 힘이 그 드높은 황성에서도 어느 정도 영향력이 있었음을 암시하고 있었다.

"그래, 너도 조금씩 알아 가는 게 좋겠지. 황성 가장 깊숙한 곳에는 두 개의 성이 있다. 힐 성과 예일 성. 이 두 성의 존재는 황실에서도 극비에 해당되며, 극히 일부의 귀족들만이 알고 있다."

힐 성. 빗물에 젖어 있던 리히튼의 절절한 음성이 뇌리를 스쳤다.

'내 방은 없어. 우리가 갈 곳은 힐 성이야.'

확실했다. 꿈속에서 내가 갇혀 있던 새장의 이름이 바로 힐 성이었던 것이다. 나는 자연스럽게 킨을 향해서 고개를 돌렸다. 예상과 달리 그의 낯빛은 베르크네보다 훨씬 더 좋지 않았다. 그림자가 내려앉은 눈으로 말없이 바닥을 응시한 채였다. 킨도 알고 있었던 건가. 어째서? 리히튼의 최측근이라는 이유 하나로?

"그리고 잉고르드 가문과 캐롤드 가문 각각이 황실에 충성하는 의미로 아이를 바친다."

잉고르드와 캐롤드. 달리 생각할 여지가 없었다. 리히튼 잉고르드와, 내가 빙의한 아그레인 캐롤드를 가리키는 소리였으니.

"이해가 되지 않는데요. 아이를 바치는 게 어떻게 충성하는 행위가 될 수 있죠?"

"평범한 아이가 아니니까."

순간, 둔기로 뒤통수를 가격당하기라도 한 듯 머릿속이 멍해졌다. 리히튼의 광증은 힘의 대가라고 했다. 만약 그 힘이라는 것이 내게도 존재한다면?

"아이들은 황성에서 사육된다. 그리고 때가 되면 처분되지. 윌 영애는 황성의 이면을 받아들이지 못한 모양이야."

나는 대답할 수 없었다. '그것 참 놀라운 일이네요.'라든지 '황실에 그토록 더러운 이면이 있었군요.'라든지. 전혀 입 밖으로 내뱉지 못했다. 무섭고 두려워서. 그 대단한 리히튼조차 이성을 제어하지 못하고는 살인귀로 만든 것이 바로 광증이었다. 그럼 아그레인의 광증은? 언제 어떠한 형태로 찾아오는 거지? 아니면 이미 지니고 있는 것인가? 나만이 모르고 있는 걸까?

"누구라도 쉬이 받아들이기 힘든 이야기이기는 하지. 제국을 번성케 한 유서 깊은 가문의 자손들이 대대로 황실의 개가 되어왔다는 사실이."

아니야, 이 모든 건 추측이야. 내게도 리히튼과 같은 광증이 있으리란 보장은 없어. 하지만 캐롤드의 마지막 백 년은 혈통 대대로 광증이 휘몰아친 시대라고 하지 않았는가. 정신적 안정을 되찾기까지는 꽤 긴 시간이 필요했다. 지금 당장 광증에 대해 고민해 봤자 바뀌는 건 아무 것도 없을 거란 자위가 큰 역할을 했다.

짧은 대화가 오가는 것이 들렸다. 얼마 지나지 않아 주위는 다시 조용해졌다. 밖의 빗소리와 벽난로에서 들리는 불꽃 튀는 소리가 이곳에서 들리는 소리의 전부였다. 킨이 사라지고, 베르크네는 벽에 걸린 유화를 말없이 보았다. 주전자의 물이 끓기를 기다리고 있는 듯했다. 창 너머로 검은 인영이 말에 올라탄 채 저택으로 다가오는 것이 보였다. 저 실루엣의 주인은 얼굴을 확인하지 않아도 알 수 있었다.

"이 날씨에 사냥을 가셨던 건가요?"

몸 한 번 틀지 않고 그림을 들여다보며 베르크네가 대답했다.

"각하께서는 비를 좋아하시니까."

이제는 고개를 끄덕일 수 있는 문장이었다. 그렇지. 리히튼은 비를 사랑하지.

"조금은, 병적일 정도로."

이 감상 또한 이견이 없었다.

날이 흐린 만큼 해 역시 빨리 졌다. 이 비가 그치면 겨울의 초입이 시작되겠구나. 나는 아즈마리아의 저녁 시중을 든 후 가만히 응접실에 앉아 천장을 올려다봤다. 이대로 짧은 잠에 들었다 깨어나면, 어제처럼 리히튼이 내 옆에 앉아 있을까. 오늘은 종일 그를 만나지 못했다. 저녁 식사하기 전에 스치듯 창밖에서 본 것이 전부였다. 휴가가 끝나고 별관으로 들어가게 되면 더 마주하기 힘들 것이다. 아즈마리아가 공작 부인이 되어 본관에 입성하게 되면 조금 나아질 수 있겠지만.

'…뭐가 나아지겠다는 건지.'

나는 정말로 미쳐가고 있는 게 아닐까? 그렇지 않고서야 그런 미친 생각을 할 수 없잖아. 가슴이 꽉 막힌 것처럼 답답했다. 나는 응접실을 벗어나 다리가 이끄는 대로 걸었다.

쏴아아아.

우산을 펼쳐 밖으로 나갔고, 킨이 기대어 있던 울타리를 지나 냇물이 불어난 다리를 건넜다. 까마귀 털처럼 새까만 숲이 눈앞에 나타났다.

'늪을 지나 사흘을 걸으면 지오르타 초원. 그리고 그 너머에는 지오르타 백작령.'

지금이라면 도망칠 수 있을까? 주위는 고요했다. 떠돌이 늑대도, 총을 쥔 리히튼도 보이지 않았다. 고민은 짧았다. 나는 까마귀 털 숲 안으로 몸을 던졌다. 산보라도 하듯 천천히 걷다가 나중에는 미친 듯이 내달렸다. 흙과 풀이 치마에 정신없이 튀었다.

"헉, 헉…."

그렇게 당장 눈앞의 시야만을 분간할 수 있는 미세한 빛만이 남았을 때. 어쩌면, 아주 어쩌면. 지금쯤 응접실에 그가 앉아 있지는 않을까라는 생각을 하게 됐다. 헛웃음이 났다. 동시에 엇나가 있던 이성이 돌아왔다.

"내가, 여기서…."

무슨 헛짓거리를 하고 있는 거지.

몸의 온기가 급속도로 떨어지는 이 기분. 흡사 산 채로 땅 아래에 매장되는 느낌이 이럴까 싶었다. 왔던 길을 따라 다시 잉고르드로 돌아갔다. 길이 잘 다듬어져 있어서 망정이었다. 잠시 정신이 나간 탓에 숲속에서 개죽음을 당할 뻔하지 않았는가. 숨이 차오를 정도로 뛰었던 것 같은데, 얼마 되지 않아 그리 멀지 않은 곳에 잉고르드 저택이 보였다. 흘러내리는 빗물 탓에 마치 작은 강처럼 느껴지는 흙길 또한.

"늦었군."

그 길 위에, 어둠에 휩싸인 저택을 배경으로 한 리히튼이 서 있었다.

"돌아가지."

부드러운 힘이 내 팔을 끌었다. 나는 전신에 힘이 풀린 상태로 그의 옆에 나란히 섰다. 손아귀에서 우산이 빠져나와 저 뒤로 날아갔으나, 리히튼은 개의치 않았다. 그는 반쯤 젖은 내 어깨를 감싸고 산을 내려갔다.

"어떻게 알았어요?"

물은 건 나였으나 대답은 듣지 않아도 뻔했다. 항상 보고 있기 때문이라고 말하겠지. 이제는 그 말이 어느 정도 진심으로 다가왔다.

"내가 도망갈 거라고 생각하지 않는 건가요?"

리히튼은 여기서 나를 기다렸다. 마치 돌아오리란 걸 진작 알고 있었다는 양.

"네가 왜?"

조금도 그렇지 않았다는 음성에 울컥 화가 올라왔다. 나 홀로 안달이 난 이 상황이, 문득 너무나 끔찍하게 느껴졌다. 그를 밀어내 걸음을 멈추고 피를 토하듯 외쳤다.

"왜겠어요? 잃었던 기억을 찾았으니까요. 당신이 날 증오하게 된 그 기억을!"

반은 거짓이지만, 반은 진실이었다. 나는 아그레인의 기억을 되찾아 가는 중이었으나 그가 아그레인을 증오하게 된 경위는 조금도 알지 못했으니까. 이제 더는 눈이 먼 상태로 버틸 수 없다. 나는 리히튼이 아그레인을 놓지 못하는 이유를 반드시 알아내야 했다. 그래야 이 역겨운 감정을 미련 없이 버릴 수 있을 것이다.

"틀렸어."

추락하는 빗속에서도 그의 목소리만은 매우 선명했다.

"그것도 아주 확실히 틀렸지. 날 속이려면 조금 더 머리를 굴리는 게 좋을 거야. 기억을 찾았다면 너는 더더욱 날 떠나지 못했을 테니까."

리히튼이 다시 어깨를 이끌었다. 하지만 나는 꼼짝하지 않고 그를 올려다보기만 했다. 리히튼은 나를 억지로 끌고 가지 않았다. 내 몸이 하늘에서 완전히 가려지도록 우산을 기울이고, 축축하게 젖은 어깨를 내게로 기울였다.

"변했군. 내 앞에서 설설 기던 트리비아체의 하녀는 어디로 갔을까."

"변한 게 아니라 돌아가는 거죠. 주인님이 바라는 그 옛날의 아그레인으로."

"아직도 그 이름으로 불리지 않길 바라는 건가."

"내 것이 아닌 이름으로 불려서 기분 좋을 사람이 어디 있을까요?"

"정말 네 것이 아니라고 생각해?"

"제 것은 이곳에 아무 것도 없어요."

두 손을 들어, 가진 것 하나 없이 텅 빈 손을 리히튼에게 보였다.

"봉급으로 받는 돈 몇 푼과 주인님께서 주신 수잔이라는 이름이 전부지요."

"그것도 나쁘지 않군."

거리가 좁혀졌다. 리히튼이 빗물에 흠뻑 젖은 내 손을 잡아 내렸다.

"아니, 차라리 그게 더 나을 수도 있겠어."

숲의 어둠 속에서 그의 안광이 내게로 떨어졌다.

"하지만 그래서는 안 돼, 아그레인."

맞닿은 이마에서 미약한 온기가 전달되었다. 나는 호흡을 멈추었다. 안개가 낀 호숫가의 습한 청회색 눈동자. 그 눈동자가 내게 외쳤다. 자신을 삼켜 달라고.

"나는 오직 너 하나만을 보고 여기까지 왔어. 이 끝나지 않는 끔찍한 지옥에서 너 혼자 편한 꼴은 못 보지. 내가 지금 누구 때문에 이 꼴이 되었는데."

뜨거운 숨이 내 입술 위에 내려앉았다. 거기서 끝이었다. 금방이라도 잡아먹을 듯한 시선이었지만, 끝내 입을 맞추지는 않았다. 이대로 시간이 멈춘 것 같았다. 두 눈을 길게 감았다 뜨며, 리히튼이 허리를 폈다.

"…빌어먹을."

그리고 아무 일도 없었다는 듯 내 어깨를 감싸고는 흙길을 따라 걸음을 이었다. 왜일까. 나는 그런 리히튼이 혐오스럽지 않았다. 또한 이것이야말로 내가 점차 아그레인이 되어가고 있다는 확실한 방증이었다. 내가 그녀의 몸을 삼켰듯, 돌아오는 아그레인의 기억과 감정이 내 정신을 하나둘 빼앗아 가고 있었다. 이 길의 끝에서 나는 결국 아그레인에게 패배할 것이다.

"잊지 마, 아그레인."

…그래. 필요하다면 모든 걸 받아들이는 것도 나쁘지 않겠지.

"네가 내게서 도망칠 수 있는 방법은 내기에서 이기는 것뿐이야."

어쩌면 아그레인이야말로 날 이곳에서 벗어나게 할 최후의 방책일지도 모른다. 무거운 몸은 사념과 잡생각에서 머릿속을 자유롭게 한다. 나는 젖은 몸을 질질 끌고 침실로 돌아가려 했다. 지금 나에게 필요한 것은 리히튼과 나 사이의 관계를 정의하는 것이 아닌, 충분한 휴식이었다. 하지만 그런 바람도 고용인들의 공간으로 넘어가는 문 앞에 선 아즈마리아를 마주하면서 저 뒤로 물려야 했다.

"수잔? 괜찮아요? 세상에, 흠뻑 젖었네요!"

귀족 자제들은 이제 막 잠들어야 할 시간대였다. 이 늦은 저녁에 찾아온 걸 봐선 내게 볼 일이 있는 게 분명해 보였다. 적어도 주전자에 물이 다 떨어진 것과는 좀 더 다른 차원의 볼 일이.

"죄송해요, 영애. 절 찾으셨나요?"

아니나 다를까, 걱정은 이만하면 충분하다고 여겼는지 아즈마리아는 진중해진 얼굴로 고개를 주억였다.

"부탁할 게 있어서 찾아왔는데… 일단 몸을 좀 말리도록 해요. 이야기는 나중에 해도 되니까."

물에 빠진 생쥐 꼴에서 탈피하기 위해서는 벽난로에 불도 붙여야 하고, 그 불에 주전자 물도 끓여야 하며, 옷을 갈아입어야 한다. 한데 그 시간 동안 아즈마리아와 함께 있으라고? 조금도 반갑지 않은 제안이었기에 정중히 거절했다.

"아니요. 지금 말씀하세요, 아즈마리아 영애. 어차피 몸을 말리려면 오래 걸릴 것 같아서요."

며칠간 살펴본 바로, 아즈마리아는 자기애가 강하지만 상황 파악이 빠름은 물론 기회를 놓치지 않는 타입이었다. 즉 나를 필요 이상으로 귀찮게 하지 않는단 의미였다.

"수잔 양만 괜찮다면, 모레 하루만 시간을 내줬으면 해서요."

보통 이런 일은 귀족 아가씨의 외출에 동참하는 경우였다.

"어디 가시나요?"

"그리 먼 곳은 아니고, 친우들을 잠시 만나고 올 생각이에요."

친우라니. 이해하기 힘드네. 빌힐름 황자를 배신하고 리히튼과의 혼인 발표를 앞둔 이 시기에? 연회가 끝난 지 겨우 이틀이었다. 소문이 제국 곳곳에 퍼지기까지는 충분치 않은 시간이었으나, 알 만한 사람은 다 알기에 적절한 시간이었다. 더군다나 아즈마리아는 빌힐름 황자를 전폭 지지하는 윌 가문의 장녀이지 않은가. 그녀의 친우라면 빌힐름 황자의 측근일 텐데, 배신자로 낙인찍혔다 하더라도 이상하지 않았다.

"그런데, 걱정이 워낙 많은 친구들이라…. 하녀로 따라오는 것은 아니고, 수잔이 잉고르드의 방계로 이곳에서의 내 친구 역할을 해줬으면 해요. 물론 그들 앞에서만요."

심지어는 요구조차 어처구니가 없는 요구였다.

"각하의 허락이 필요할 텐데요."

"이미 허락은 받아 놨어요. 필요한 건 수잔의 허락뿐이에요."

웃기는 소리 하네. 하녀 따위가 귀족 여식에게 허락을 하고 말고가 어디 있다고. 나는 아즈마리아가 기다리고 있을 답을 내놓았다.

"네. 그러도록 하겠습니다. 제가 어떻게 하면 될까요?"

"의복을 비롯한 준비는 제가 전부 해 둘게요. 사실 마음에 걸리는 건 귀족 예절이었는데…."

아즈마리아가 날 보며 다소 어색한 웃음을 지었다.

"각하께 수잔이 유서 깊은 가문 출신이라는 소릴 들어서요."

내 기분을 상하게 하지 않기 위한 조심스러운 음성이었다. 하지만 눈은 거짓말을 하지 않지. 아즈마리아는 은근슬쩍 내게 보여 주고 있었다. 자신과 리히튼이 이 정도의 이야기를 나눌 만큼 의미 있는 사이가 되었다고. 이해했다. 여자라면 리히튼처럼 근사하고 위압적인 분위기를 풍기는 남자에게 호감을 느끼지 않을 수 없었다.

"네, 맞습니다."

나는 그저 아즈마리아가 가여울 뿐이었다. 명예로도 모자라 마음까지 주게 됐다는 사실이.

"그런데 왜 시녀가 아닌 허드렛일 하는 하녀를…."

"그럴만한 이유가 있어서요. 영애께 말씀드릴 수 있을 만큼 근사한 이유는 아닙니다."

"실례되는 질문이었다면 미안해요."

"아닙니다. 이미 오래전 일인걸요."

조금도 기억 못하는 아주 오래전의 일이지. 부드럽게 웃은 아즈마리아가 몸을 돌려 멀어졌다. 아니, 멀어지기 직전에 다시 몸을 돌려 나와 눈을 맞추었다.

"수잔. 그때 나에게 왜 포기하라고 말했나요?"

이게 진짜 볼일이었군. 나는 망설임 없이 대답했다.

"불길에 뛰어드는 불나방처럼 보여서요."

아즈마리아가 의문이 서린 얼굴로 고개를 저었다.

"내 말은, 고작 몇 가지 물어본 것으로 나를 어떻게 판단할 수…."

"영애와 제가 같은 처지이기 때문이죠."

긴장으로 빳빳하게 굳은 말간 낯을 보며 말을 이었다.

"아. 물론 윌 가문의 여식인 아즈마리아 영애와 하녀에 불과한 제 처지가 같다는 의미는 아닙니다."

"당신도 앞으로의 일을 알고 있나요?"

앞으로의 일을 알고 있느냐니. 이리 갑작스럽게 훅 들어올 줄은 몰랐는걸.

"알고 있다 하더라도 이런 곳에서 나눌 대화는 아닌 것 같군요."

너랑 달리 나는 리히튼의 무서움을 제대로 알고 겪어봤거든. 이번에는 내 쪽에서 몸을 돌렸다. 그렇지 않으면 질문 세례가 끝도 없이 이어질 판이었기 때문이다. 다행히 아즈마리아는 나를 붙잡지 않았다.

그녀의 존재는 나를 안심시킨다. 잉고르드에는 나만큼이나, 아니 내가 있는 곳보다 더 어두운 늪에 빠진 존재가 있었지. 고맙게도 나는 아즈마리아와 나눈 대화 덕분에 휘몰아치는 사념과 우울에서 벗어날 수 있었다.

소년의 이름을 들은 이후로 비비안느는 내게 종종 소년의 이야기를 꺼냈다. 신나서 떠든 것은 아니었다. 자발적으로 내게 말했다기보다 내가 그리하도록 종용한 것에 더 가까웠기 때문이다. 시간이 조금 더 흘러서는 일부러 그 길로 돌아오길 부탁했다. 살살 간질이기는 했으나 강요나 마찬가지였다. 그러면 비비는 심통이 난 얼굴로 나를 노려보다가 어쩔 수 없이 그곳을 빙 돌아갔다 와서는 줄줄 내뱉었다.

[있잖아… 그 애는 아그레인이 생각하는 것보다 더, 더 바보였어. 이제는 나랑 눈이 마주치면 바보처럼 웃어. 불쌍하고 더러워. 내가 자기를 훔쳐보는 것도 모르고….]

소년과의 기억을 떠올리는 비비의 낯은 그녀를 바라보는 빌힐름의 얼굴과 많은 부분이 비슷했다. 멍청하고 더럽고 하찮은 것을 바라보는 시선. 그래서 안도하는 눈빛. 나는 그런 비비를 더없이 사랑스러운 시선으로 응시했다.

[그래도 계속해서 찾아갔어. 아그레인이 궁금해하니까. 나 착하지?]

[응. 착하네.]

비비안느가 유리구슬처럼 투명하게 반짝이는 눈동자를 깜빡였다. 그녀가 내 옆에 바짝 몸을 대고 물었다.

[저어, 아그레인. 나는 아그레인이 그 바보 같은 아이에게 자꾸 관심을 갖는 이유를 모르겠어.]

[재미있으니까.]

[나보다 더 재미있어? 그 애에게도 개가 되어 달라고 할 거야?]

나만 사랑해 줘. 나만 더, 더 사랑해 줘. 비비안느는 귀여운 데다가 다루기도 참 쉬운 아이다. 생각이 얼굴에 드러나니 그에 맞게 대처하기도 쉬웠다. 빌힐름이 나를 대할 때 이런 기분이겠지.

[그럴 리가! 비비는 나의 귀여운 개이고, 아카시아 숲의 그 애는….]

…아니야. 방금 판단은 너무나도 멍청했어, 아그레인. 빌힐름이 고작 이런 기분이었을 리 없었다. 이것보다 훨씬 더 즐겁고 훨씬 더 재미있었을 거야. 내 굴복과 아양을 보면서 단순히 귀엽다는 감상이 아니라 그보다 더한 고양을 느낄 테니.

[우리의 놀잇감이지.]

[하지만… 놀거리라면 여기에도 많잖아.]

비비안느의 투정에 천천히 방 안을 둘러봤다. 그의 말대로 이 방에는 놀 거리 천지였다. 그림, 퍼즐, 새장에서 꾸벅꾸벅 조는 앵무새, 커다란 인형의 집…. 하지만 아카시아 숲의 소년은 달랐다. 이것들은 빌힐름의 것들이지만, 그건 빌힐름의 것이 아니었다. 나는 그게 필요해. 내게 주어진 것들과는 비교도 되지 않게 훨씬 더 간절히.

[그 애는 특별한 놀잇감이야, 비비. 살아 움직이잖니.]

가엾은 비비안느는 내 말을 이해하지 못하는 듯했다. 하지만 괜찮아, 귀여우니까. 나는 우울한 표정의 비비안느를 두 팔 벌려 꼬옥 안았다. 나보다 한 뼘은 더 큰 몸이 내 품 가득 안겨 왔다. 비비안느는 내 어깨에 얼굴을 묻고 수줍게 웃었다.

[네게서 평소보다 더 좋은 냄새가 나.]

[정말?]

[응. 기분 좋고, 편안해….]

마음이 안정되었는지, 비비안느는 눈을 감고 내 어깨에 뺨을 비볐다. 더 사랑받길 원하는 그녀의 바람대로 하얀 뺨에 입을 맞추자 호선을 그린 입술이 기분 좋은 웃음을 터트렸다. 그 모습이 진짜 목줄 달린 개 같아서, 나 또한 웃음을 멈출 수가 없었다.

[그렇다니 다행이네. 오늘은 빌힐름이 오거든.]

비비안느가 굽어 있던 등을 천천히 폈다.

[아, 아그레인은….]

날 향한 눈빛이 불안하게 흔들렸다.

[빌힐름을 사랑해? 으응? 그런 거야?]

나는 보란 듯이 밝은 미소를 지어 보였다.

[그럼. 나는 빌힐름을 정말 사랑해. 봄에 피어나는 꽃보다도 훨씬.]

[나보다?]

답지 않게 안정된 분위기였으나, 눈만큼은 나를 처절하게 비난하고 있었다. 거짓말이라도 아니라는 대답을 하길 바라면서. 하얀 눈가가 붉게 물들기 시작했다. 고개를 끄덕이면 금방이라도 빗속으로 뛰어 들어가 호숫가에 몸을 던질 것 같은 얼굴이었다. 안 되겠네. 이러다가는 곧 빌힐름에게 들통나고 말겠어.

[그런 표정은 빌힐름에게 보이지 마, 비비. 오직 내 앞에서만 보여야 해.]

나는 비비안느의 바람대로 고개를 끄덕이지 않았다. 그 대신 자비로운 주인이 되어 구불거리는 금빛 머리칼을 부드럽게 쓸어 주었다.

[그래야 내가 널 빌힐름보다 더 사랑할 수 있으니까.]

과거의 꿈을 꾸면 불편한 점이 하나 있다. 그날 하루가 뜬 눈으로 밤을 샌 것만큼 피곤하고 고되다는 것이었다. 물론, 대부분의 밤을 뜬 눈으로 지새우는 나로선 피곤하다는 사실을 특별히 불편한 사안이라 꼽을 순 없었다.

내가 진정으로 불편한 건 몸뿐만 아니라 정식적인 고됨이 배는 더 심해진다는 의미였다. 연회가 끝난 지 사흘째. 아즈마리아의 요구대로 간단한 아침 식사 후 외출을 준비해야 했다. 그녀가 빌려준 드레스는 화려하기 짝이 없었던 베아트리체의 복장보다 훨씬 활동적이고 깔끔한 의상이었다.

"아, 수잔."

하녀의 의무를 생각해 십 분 더 일찍 나왔음에도, 아즈마리아는 이미 마차 앞에서 나를 기다리고 있었다. 미묘하게 들뜬 분위기 때문인지 안 그래도 아리따운 얼굴이 배는 더 환하게 보였다. 문제는 그 옆에 정복 차림의 킨이 말에 올라 있었다는 점이었다.

"이자는 왜…."

"아! 오늘 외출에 킨 경도 함께하기로 했어요."

아즈마리아의 볼이 보일 듯 말 듯한 분홍빛으로 물들었다.

"제가 걱정되었는지, 각하께서 다른 기사도 아닌 무려 킨 경을 호위로 붙여 주셨지 뭐예요. 그러실 필요 없는데."

"그렇군요."

아즈마리아의 기분은 화창한 날씨만큼이나 매우 좋아 보였다. 그녀는 킨의 도움을 받아 마차에 올랐다. 다음 차례로 내 손을 잡은 킨이 자신에게 잡아끌어 귓가에 속삭였다.

"도망치다가 잡히기라도 했냐?"

나는 눈동자만 굴려 그를 노려봤다.

"부정 안 하네. 너는 똑똑한 것 같다가도 한없이 멍청하단 말이야."

그의 도발은 귀에 들어오지 않았다. 도망치다가 잡혔느냐고? 아아, 속을 알 수 없는 리히튼. 내가 절대 도망가지 않을 거라 확신하는 것처럼 굴더니. 킨을 무시하고 아즈마리아를 따라 마차에 올랐다. 이것으로 확실해졌다. 내가 리히튼에게 붙잡혀 있는 게 아니다. 우리는 서로에게 붙잡혀 있었다.

"지오르타 백작령은 이곳에서 멀지 않아요. 두 시간 가량밖에 걸리지 않죠. 오고 가는 데 금방이니 그리 피곤하지 않을 거예요."

지오르타 백작령. 비집고 나오려는 웃음을 숨기기 위해 고개를 숙였다.

그래, 그 지오르타 백작령이란 말이지. 늪을 건너 초원을 지나면 나타나는 땅. 어떤 땅인지는 알지도 못하지만 이상토록 내게 도망칠 구멍으로 느껴지는.

리히튼은 나를 골리고 있었다. 예전의 그였다면 킨을 붙이지 않고, 내게 멋대로 해 보라는 양 홀연히 풀어놨을 터였다. 하지만 이번에는 다르다. 그는 내게 킨이라는 확실한 목줄을 걸었고, 모든 것은 부질없는 희망이란 걸 느끼게 해 주려는 모양이었다. 지독한 미친놈이 아닐 수 없다.

"그런데 수잔… 안색이 어제에 비해 더 안 좋아요. 혹시 비를 맞아 몸살이라도 걸린 건 아닌지 걱정되네요."

"제 안색은 늘 안 좋지 않나요?"

창백하다, 다 죽어간다, 시체 같다. 잉고르드의 독을 복용한 후 귀에 못이 박히도록 들은 소리였다.

"그러니 걱정하지 마세요. 몸은 아주 괜찮으니까요."

흘러간 과거를 되새기느라 깊은 잠에 들지 못한 탓이었다. 비비안느. 『태양이 흐르는 강』에는 등장하지 않았던 인물. 처음에는 별다른 영향 없이 죽음을 맞이하는 인물인 줄 알았지. 하지만 과거의 기억이 돌아올수록, 그에 대한 확신이 줄어들고 있었다. 이유는 모르겠지만 이상하게 그런 느낌이었다. 아즈마리아에게 비비안느에 대해서 물으면 기대한 대답을 들을 수 있을까.

"오늘은 날이 화창해서 다행이에요. 어제 밤새 비가 와서 걱정했거든요."

"잉고르드는 날씨 변덕이 심한 편이지요."

"아. 그렇죠, 잉고르드는 바다와 가깝죠."

아니다. 아직은 아니야.

지금 당장 필요한 건 그녀의 신뢰다. 아즈마리아는 눈치가 빠른 편이었다. 여기서 조금이라도 서두르게 행동한다면 의심을 살 수도 있었다.

"저도 익숙해져야겠네요."

부드럽게 웃는 아즈마리아의 얼굴에는 공작 부인으로서의 책임감이 엳게 서려 있었다. 책임감? 제 입으로 꼭두각시 노릇을 하겠다 선언했으면서, 공작 부인으로서의 책임감을 느끼다니.

"사흘밖에 지나지 않았는데, 리히트 각하와 더 가까워지신 것 같네요."

내 눈으로 확인하지 못했을 뿐, 그간 둘 사이에는 꽤 많은 대화가 오갔을 것이다. 아즈마리아의 표정이 이토록 부드러워 보이는 데는 그만한 이유가 있었다고 생각했다. 예를 들어 리히튼이 계약 연인 그 이상의 신사적인 태도로 그녀를 대했다거나. 속이 좋지 않았다.

"수잔이 그렇게 말한다면, 어느 정도 사실이겠죠."

극도로 안심하는 표정이었다. 사자의 아가리에서 살 길을 찾았다는 안도감은 아니었다. 오히려 그녀는 그러한 변화가 마땅하다는 표정이었다.

"다행이에요. 아직 풀어야 할 실타래가 많이 남아 있지만…."

대체 무엇이 문제일까? 그녀의 무엇이 이리도 걸리적거리는 거지? 리히튼을 향한 아즈마리아의 감정은 나로서도 정확히 파악하기 힘들다. 그녀는 마치 오래전부터 리히튼과 인연을 지닌 양 행세하고 있었다. 하지만 『태양이 흐르는 강』 속에서 아즈마리아 윌과 리히튼 잉고르드는 정적 그 이상도, 이하도 아니었다. 그렇다면 이쪽도 책에 서술되지 않았던 뒷이야기가 있었던 건가? 아즈마리아가 그에게 애틋한 감정을 느끼게 하는 모종의 무언가가. 문득 궁금해졌다. 리히튼은 아즈마리아를 어떻게 생각하고 있을지 또한.

"아. 이제 다 왔네요."

그녀의 말대로 마차는 두 시간이 채 되지 않아 지오르타 백작저에 도착했다. 우릴 맞이한 자들은 아즈마리아의 또래로 보이는 귀족 영식과 영애였다.

"세상에, 아즈마리아…."

둘은 아즈마리아가 마치 지옥에서 돌아온 양 깊게 안도한 얼굴이 되어 마주 껴안았다. 특히 여자 쪽은 마음고생이 심했는지 양쪽 눈가에 눈물이 그렁그렁했다.

"네가 건강해 보이니 그걸로 충분해."

기나긴 해후로, 내 차례가 오기까지는 적잖은 시간이 걸렸다.

"아! 내 정신 좀 봐…. 이쪽은 나와 함께 잉고르드에서 온 메어리 잉고르드 양이야. 내가 잉고르드에 적응할 수 있도록 도와주신, 정말 감사한 분이지."

두 명의 시선이 동시에 나를 향했다. 남자 쪽은 적의의 시선을 숨기지 않았고, 여자는 누구든 좋다는 듯 눈물 맺힌 밝은 얼굴로 내게 인사를 건넸다.

"만나서 반가워요, 메어리 양. 아즈마리아를 도와주셔서 정말 감사드려요."

나 역시 상냥하게 마주 인사했다. 베아트리체가 되기 위해 갈고 닦았던 귀족 예법을 이런 곳에서 활용하게 될 줄이야.

"뭘요. 이 정도야 미래의 잉고르드 공작 부인을 위해서는 당연히 해야 하는 일인걸요."

순간 무거운 정적이 돌았으나, 상관 않고 시선을 지오르타 백작저로 돌렸다.

"정원이 아주 멋지네요. 감격적인 재회가 끝났다면 이만 안으로 들어가는 게 어떨까요?"

"아… 무, 물론이에요. 저희가 손님을 너무 오래 세워 뒀네요."

말과 함께 힐끔 킨을 훔쳐보는 여자의 시선이 불안감에 차 있었다. 하기는, 그들도 검은매 기사단의 부단장을 집으로 초대하게 될 줄은 몰랐겠지.

조용히 뒤따라 걷는 동안 그들 사이에는 많은 대화가 오갔다.

"네가 우리에게 서신을 보내서 얼마나 기뻤는지 몰라. 크렉도 네 걱정을 참 많이 했어.”

“그건 내가 할 소리지, 밀. 사실…. 지오르타 백작께서 내 방문을 한사코 거절하실 줄 알았거든.”

“하아. 가엾은 아즈마리아…. 걱정하지 마. 오늘 어머니와 아버지는 이모님 영지로 휴가를 가셨으니까. 이 넓은 저택에 남은 건 우리뿐이니 안심해도 돼.”

쉬이 넘길 수 없는 발언이었다. 이리도 적절한 타이밍에, 느긋하게 휴가를 떠났다니. 아무래도 몸을 조심하는 게 좋을 듯했다.

“이쪽으로 안내해 드리겠습니다.”

고용인의 안내를 따라 너른 응접실에 자리를 잡았다. 하지만 테이블에 티 세트가 준비되는 와중에도 아즈마리아와 지오르타 백작성의 남매는 문 곁에 서성이며 그들만의 대화에 바빴다. 일부러 나만 먼저 보낸 건가. 독에 중독된 내 감각이 무척이나 예민하다는 걸 몰라서겠지.

“아즈마리아. 너 정말 잉고르드에 정착하기로 마음먹은 거냐?”

“크렉. 그 이야기는 이미 서신으로 충분히 전했잖니.”

“너의 오래된 친우로서 마지막으로 묻는 거다.”

나는 안 들리는 척, 허리와 팔을 곧게 뻗어 잔에 물을 부었다.

킨은 지금쯤 밖에서 무얼 하고 있으려나. 무얼 해도 상관없으니 내가 비명을 지르면 황급히 달려와 줬으면 하는데.

“아즈마리아.”

“응. 이미 리히튼 각하와 혼인을 약속했어. 서신에도 언급했듯, 너희에게 자세한 이유는 말해 줄 수 없지만….”

아즈마리아의 목소리에는 짙은 서글픔이 깃들어 있었다.

“이게 내가 선택한 나의 길이야. 정말 미안해.”

오오, 안타까운 아즈마리아! 가족이 아닌 사랑을 선택한 대가로, 모든 걸 포기해야 하는 비련의 여주인공. 사랑이라. 설마 아즈마리아가 리히튼에게 느끼는 그 애틋함이 사랑인 건 아닐 테지. 대화가 멈추더니, 곧 기척이 다가왔다.

"기다리시게 해서 죄송해요, 잉고르드 양. 오랜만에 만난 회포를 푸느라 정신없이 바빴어요."

"신경 쓰지 마세요. 친우와 만나는 기쁨이 바로 그런 것이죠."

돌아온 지오르타 남매에게 귀족 영애가 지녀야 할 배포를 보였다.

"아, 아즈마리아! 내가 따라 줄게. 이런 건 손님의 역할이 아니지. 너는 밀크티를 좋아했지?"

"아, 응."

"아즈마리아, 잉고르드에서 어떻게 지내는지 궁금한데. 재미있는 이야기는 없었나?"

밀이 호들갑 떨며 아즈마리아에게서 티 포트를 빼앗아 갔다. 나는 관심 없는 척 고개를 숙인 채 그 모습을 유심히 관찰했다. 크렉이 그녀의 시선을 빼앗을 동안 밀은 아즈마리아의 찻잔에 홍차와 우유를 섞었다. 의심스러운 행동 없이, 아주 완벽한 방식으로.

"아즈마리아."

내 부름에 입을 가리며 웃던 아즈마리아가 고개를 돌렸다.

"잊었나요? 이틀 전에 비를 맞고 열병이 나서 속이 크게 고생했잖아요."

"열병이요?"

그녀가 의아한 목소리로 반문했다. 의아할 만했다. 거짓말이었으니까.

"배탈이 아직 다 낫지 않았을 거예요. 오늘은 우유를 드시면 안 됩니다. 자, 여기 제 차와 바꾸지요. 아직 입을 대지 않았답니다."

아즈마리아는 묵묵히 내가 두 개의 찻잔을 바꾸는 모습을 응시했다. 그리고는 얌전히 대답했다.

"맞아요. 밀과 크렉을 만난 게 너무 기뻐서 잠시 잊고 있었네요. 하마터면 더 고생할 뻔했어요. 고마워요, 메어리 양."

너무나도 평온하게 대응하는 모습에 다시 한번 생각이 바뀌었다. 이 상황을 이미 예견하고 있었구나. 그래서 날 데려온 거야. 나를 시험하기 위해서.

"이 정도야."

『태양이 흐르는 강』에는 이와 유사한 상황이 등장한다. 준비된 티 디임에 손님의 잔은 무조건 밀크티로 채워진다. 선호하든, 선호하지 않든 상관없었다. 이건 일종의 규칙이었다. 빌힐름을 배신한 자들이, 그의 측근에 의해 암살당하는 방식. 따뜻한 우유가 담긴 티 포트 입구에는 아마 치명적인 독이 묻어 있을 것이다.

연기를 꽤 하네. 역시 『태양이 흐르는 강』에 대해 모른다던 아즈마리아의 발언은 거짓말이었던 거야. 쉴 새 없이 맞장구치던 크렉이 돌연 입을 다문다. 밀 역시 다소 당황한 낯으로 나를 쳐다보고 있었다.

"메어리? 그냥 새로운 차를 따르는 게 어떨까요? 혹시 아까워서 그런 거라면, 전혀 그리 생각할…."

계속 찻잔을 들고 있던 내가 불안했는지, 아즈마리아가 내 팔을 붙잡았다. 커다랗게 뜬 눈동자에는 당혹감이 서려 있었다. 마치 내가 정말로 차를 마실 거라고는 생각하지 못하는 것처럼.

"아까워서 마신다니요? 그런 구질구질한 생각을 할 리가 있나요."

신뢰? 요구한다면 얼마든지 보여줄 수 있었다. 지금의 나에게는 아즈마리아가 필요하다. 내가 모르는 수많은 정보, 그녀의 확실한 정체를 비롯해 이용할 수 있는 구석은 전부 이용해야만 했다. 이 차를 마시면 아즈마리아는 죽을 것이다. 하지만 나는 아니지. 아즈마리아의 낯이 창백해졌다.

"메어리? 잔을 내려놓으세요. 하녀를 불러 새로운 잔을 가져오라고 시킬게요."

이왕 얻을 신뢰, 확실하게 얻는 것이 좋지 않겠는가. 나는 너를 위해 이 정도까지 할 수 있어. 잔에 든 밀크티를 천천히 목 뒤로 넘겼다. 정말 독이 든 게 맞는 건가 싶을 정도로 평범한 맛이었다. 홍차의 맛은 적당히 씁쓸했으며, 달궈진 우유 역시 적당히 부드러웠다. 나는 의도적으로 시선을 들지 않았다. 어린아이를 위한 세공품처럼 장식된 색색의 디저트를 응시하며 맛을 음미할 뿐이었다.

열은? 쓰림은? 아무 것도 느껴지지 않는다고 생각할 때쯤, 식도가 부어오르는 느낌이 만연했다. 급작스레 몰려온 현기증에 쥐고 있던 잔을 놓쳐 버렸다.

쨍그랑!

누군가 내 옆자리에서 벌떡 일어섰다. 아즈마리아였다.

"수…!"

"충격적일 정도로 형편없는 맛이네요."

호들갑 떨지 마. 백지장이 된 아즈마리아의 얼굴을 올려다봤다. 판을 짜는 능력은 대단하나, 예상하지 못한 상황에서 침착함을 유지하는 데는 부족한 듯싶었다. 나는 최대한 아무렇지 않은 표정으로 지오르타 남매를 응시했다.

"너무 충격적이라서 잉고르드로 돌아갈지 말지 고민될 정도예요."

"시, 실망시켜 드려서 죄송…."

"밀."

크렉이 밀의 말을 가로막았다. 그의 눈 속에서 오랜 벗, 아즈마리아에게 보였던 따스한 애정은 흔적도 남기지 않고 사라진 후였다.

"내가 기대를 너무 많이 한 걸까요?"

이제는 잉고르드 독이 내 몸을 완전히 해독할 때까지 기다리는 일만 남았다. 독으로 독을 해독한다는 말이 다소 우습기는 했으나, 이 정도면 잉고르드 독에 중독된 보람이 있다고 할 수 있겠다.

"갈 데까지 갔구나, 아즈마리아."

배신감이 끓어오르는 목소리로 크렉이 중얼거렸다.

"예전의 순수하고 선했던 너는 어디로 간 거냐. 우릴 배신한 것으로 모자라 이제는 같은 여인을 방패로 사용하다니!"

"크, 크렉. 아즈마리아도 그러고 싶어서 그러는 게 아닐 거야."

"입 닥쳐, 밀! 아직도 못 믿겠어? 아즈마리아는 리히튼 공작의 뜻을 거스를 수 없는 게 아니야. 자신이 원하는 대로 행동할 뿐이지!"

밀이 애처로운 얼굴로 아즈마리아의 팔에 매달렸다.

"아즈마리아…."

"그의 말이 맞아, 밀. 나는 너희를 배신했어. 이건 리히튼 각하의 뜻이 아닌, 나의 뜻이야."

아즈마리아의 단호한 목소리에 밀의 눈에서 참고 참았던 눈물이 뚝뚝 떨어졌다.

"읏, 흑…. 대, 대체 왜? 갑자기 왜 그러는 거야, 아즈마리아? 빌힐름 전하는? 빌힐름 전하에게는 오직 너밖에 없는 걸 알잖아…!"

"그렇지 않아, 밀. 나는 그분을 믿을 수 없기에 내 모든 것을 걸고 리히튼 각하에게로 간 거니까."

목을 매만지니 목구멍 또한 부어 있는 게 느껴졌다. 쓰러지기 전에 돌아가야 할 텐데. 이 지루한 극은 대체 언제쯤 끝날까.

"하! 각하? 각하라고? 이제 완전히 그 괴물의 사람이 됐구나, 아즈마리아…. 이 더러운 배신자 같으니라고."

좀 닥쳐줬으면 싶은데. 그리 외치고 싶었으나 목이 부어 말이 나오지 않았다.

"마지막 기회를 주지. 윌 가문의 명예를 지키고 싶다면 지금 당장 자결해

라. 네 그 탐스러운 머리는 내가 직접 빌힐름 전하께 가져다 드리마!"

슬슬 시야도 흐릿해져 가는데, 빌어먹을 아즈마리아는 언제까지 말다툼을 할 생각인걸까? 이러다가 밀이 징징거리며 울기 시작하면 두통에 머리가 깨져도 이상하지 않을 것 같았다. 이럴 시간에 자리를 박차고 나가 킨을 데려오는 것이 더 효율적….

"킨 경?"

고개를 들었다. 아즈마리아의 시선을 따라가니, 그 끝에 커다란 신장을 지닌 익숙한 적발의 남자가 보였다. 남자의 시선은 정확히 나를 향해 있었다.

"여느 때처럼 사랑스러운 제 애마, 줄리엣의 갈기를 쓸어 주고 있었는데 말입니다. 돌연 안면도 없는 미인이 나타나 자신을 도와 달라며 제 팔을 잡아끌더군요. 하나도 아닌 무려 셋이나."

그리고 대뜸 이상한 소리를 지껄였다.

"못 이긴 척, 끌려가 주려 했으나 갑자기 각하께서 해 주셨던 말이 생각나더이다. 세상에 잉고르드의 주인을 직접적으로 노릴 만큼 무지한 놈들은 없다는 말씀이."

킨이 어깨를 으쓱였다. 그는 기다란 다리로 뚜벅뚜벅 걸어 이쪽으로 다가왔다.

"뭐, 구구절절 설명하기는 했으나… 제가 드리려던 말씀은 간단합니다. 이제 슬슬 아가씨들을 모시고 잉고르드로 돌아가 봐야겠다는 거지요."

벌떡 일어난 크렉이 배에 힘을 꽉 주고 외쳤다.

"무례하군, 킨 경. 이곳은 잉고르드가 아닌 지오르타다. 그대가 멋대로 굴 수 있는 땅이…."

"두 분께서도 제 어마어마한 무훈을 들어 보셨으리라 생각합니다. 잉고르드의 마차를 노리던 도적놈들 일곱을 맨손으로 제압했다는 소문 말입니다. 아, 위협은 아니니 안심하시길."

명백하게 조롱하는 투였다. 나를 지나친 킨이 크렉의 코앞에서 걸음을 멈추었다. 머리 하나는 더 차이 날 듯한 높이에서 그가 위협적인 눈으로 크렉을 내려다봤다.

"위협은 아니지만 산 채로 지오르타 백작저 앞에 머리가 걸리고 싶지 않다면 얌전히 제 말에 따르시는 것을 추천 드립니다. 제 주인과 달리 저는 그래도 자비심이 넘치는 편이라."

"무엄한 녀석! 네가 지금 무슨 죄를 짓고 있는지 알고 있느냐? 리히튼 공작의 이름을 등에 지고 못하는 짓이 없구나."

킨은 예의상 몸을 움츠리지 않았다. 오히려 특유의 뻔뻔한 웃음을 지으며 역으로 협박했다.

"제 죄를 물으시려거든 각하의 화를 맞이할 준비 역시 하셔야 할 겁니다. 크로허츠 후작 꼴이 나고 싶지 않다면 말입니다."

"이, 이 씹어 죽일 빌어먹을 놈이! 감히 크로허츠 후작님의 이름을 입에 담다니!"

"이야기는 여기서 끝난 것으로 알겠습니다. 윌 영애? 마차로 가시지요."

킨의 말이 끝난 직후 누군가 날 안아 들었다. 이제는 눈앞이 완전히 캄캄해 아무것도 보이지 않았다. 나는 사지를 늘어뜨린 채 킨의 가슴팍에 힘없이 머리를 기댔다. 가까운 곳에서 빽빽 시끄럽게 우는 크렉의 목소리가 들렸다.

"너는… 말이 너무 길어."

"이런 게 바로 기선제압이라는 거지."

걸음이 점차 빨라지고, 그에 따라 내 정신도 아득히 멀어져 갔다. 이제는 숨조차 제대로 쉬기 버거워지고 있었다. 사그라지는 이성 속에서 유일하게 남은 것은 익숙한 킨의 목소리였다.

"편안한 잠에 들도록 해, 메어리 영애. 눈을 떴을 땐 네 침실로 돌아가 있을 테니."

전신이 바늘로 찌르듯 아팠다. 이 고통은 내게 익숙하면서 반갑지 않은 것이었다. 잉고르드 독에 중독되어 가던 과정과 끔찍하리만치 똑같았기 때문이다. 평생 인연도 없을 줄 알았던 독과 나는 어느새 둘도 없는 단짝이 된 듯했다.

제대로 눈을 뜰 수 있었던 때는 어슴푸레한 새벽의 푸른빛이 밝아 온 시간대였다. 목은 아직 부어 있었고, 시야도 흐릿했으며 꿈속을 헤매는 듯 정신이 몽롱했다. 다만 어지럼은 많이 줄어 두 다리로 제대로 걸을 수 있을 것 같았다. 나는 타오르는 목을 축이기 위해 침대에서 몸을 일으켰다. 정확히는 일으키려 했다. 몸이 물 젖은 솜처럼 꼼짝도 못했을 뿐. 그제서야 깨달았다. 지금 누워 있는 방은 내 침실이 아니라는 사실을.

"네 몸은 네 것이 아닌 내 것이지."

익숙한 천장과 익숙한 목소리. 하지만 팔에 감겨 오는 부드러운 천의 감촉은 생경하기만 하다. 창을 반쯤 가린 커튼의 자수가 화려했다. 가을 연회 직전에 갈아 끼운 커튼이었기에 머릿속에 선명히 남아 있었다. 아마, 리히튼의 방에 걸어 두었었지.

"용기가 가상한 점은 칭찬해 주마. 하지만 두 번째는 용납 못해."

"용납 못하면?"

이성이 희미했다. 나는 메마른 혀를 움직여 힘겹게 답했다.

"어차피 나를 어쩌지도 못하면서."

그의 얼굴이 보이지 않아 답답했다. 하지만 이대로 몸을 일으키기에는 내 몸이 지칠 만큼 지쳐 있었다. 심해에 가라앉는 기분이 들 정도의 극심한 피로가 날 짓눌렀다.

"이제껏 그래왔듯 나는 이용할 수 있는 모든 걸 이용할 뿐이야. 너에게 그러했듯이."

나도 내가 무슨 말을 하는 건지 알 수 없었다. 나는 바다 위의 종이배처럼 흔들리는 파도를 따라 입술을 움직였다.

"가엾은 리히튼. 너는… 언제쯤 나를 포기할 수 있을까."

내 위로 기다란 음영이 졌다.

"너로군, 아그레인."

꽉 막혀 울렁이는 목소리가 나를 불렀다. 흔들리는 세상 속에서 힘들게 눈꺼풀을 들어 올려 목소리의 주인을 찾았다.

"네가 내 곁으로 돌아오고 있어."

그리 말하는 리히튼은 이제껏 한 번도 본 적 없는, 세상 모든 것을 내려놔 버린 비참한 얼굴을 하고 있었다.

얼마나 긴 시간이 흘렀는지 알 수 없었다. 해가 한 번 뜨고, 한 번 더 졌다. 정신을 차렸을 땐 새 지저귐이 들리는 환한 낮 시간이었다. 이번에는 다행히 몸이 움직였다. 목에 모래가 낀 것처럼 텁텁하고 답답했다. 상체를 일으키자마자 내 어깨를 잡아 오는 손이 느껴졌다. 아즈마리아였다.

"기다려요, 수잔."

그녀는 내게 물이 든 잔을 건넸다.

"감사합니다."

"아니요. 그건 내가 할 말이죠."

물 한 잔에 죽어 있던 정신이 말끔하게 되살아나는 기분이었다. 볼품없이 엉킨 머리칼을 넘기며 길게 한숨을 내쉬었다. 호기롭게 독을 삼키기는 했으나, 고통이란 건 역시 느낄 때마다 새롭고 후회스러운 것이었다. 몸으로 때우는 방식은 앞으로 삼가야겠어. 답답한 분위기에서 먼저 말문을 튼

건 아즈마리아였다.

"수잔, 나는…."

"이제 절 믿으세요?"

아즈마리아의 눈에서는 더 이상 혼란이 느껴지지 않았다. 그녀는 내가 누워 있는 동안 굳게 마음먹은 듯했다. 그래, 그런 눈빛이어야지. 내가 무엇을 위해 그 아픔을 견뎠는데.

"그래요."

"그럼 우리, 이제부터는 조금 생산적인 대화를 해볼까요."

짧은 한마디에 그녀와 나 사이로 흐르던 공기가 변했다. 물을 한 입 더 삼키고 덤덤하게 말을 이었다.

"나는 수잔이에요. 하지만 이 몸의 원래 주인은 아니었지요."

예전의 이름을 알려 주고 싶어도 방도가 없었다. 숨기려는 의도가 아니라 순수하게 모르기 때문이다. 『태양이 흐르는 강』 속으로 들어오기 전의 나는 어떤 사람이었을까? 떠올리려고 하면 극심한 두통이 찾아오고 숨이 가빠졌기에 번번이 포기할 수밖에 없었다. 그러나 아즈마리아와 대화하기 위해서는 이 정도의 소개로도 충분할 거라 생각했다.

"당신은 누군가요, 아즈마리아 윌?"

아즈마리아가 차분히 숨을 골랐다. 이윽고 그녀는 무언가 큰 결심을 한 듯, 곧고 총명한 시선으로 나를 응시했다.

"아그레인 캐롤드."

아즈마리아의 목소리는 조금의 떨림도 없이 선명하며 청아했다.

"내 진짜 이름은 아그레인 캐롤드예요. 이유는 알 수 없지만, 병에 걸려 죽은 아즈마리아 윌의 몸에 들어오게 됐죠."

이 이야기의 시작은 어디서부터였을까?

맨 처음, 트리비아체의 낡은 침대에서 눈 떴던 순간을 떠올렸다. 함께 몸을 구기고 자던 여인을 따라 허겁지겁 일어나던 어슴푸레한 새벽. 나란히 서서 찬물을 뒤집어 써야 했던 서늘한 목욕탕. 도축될 돼지를 끌어오는 것부터 시작했던 주방의 아침. 모든 것이 익숙했으나 낯설었다. 습관적으로 몸을 움직이면서 이 모든 것이 내 것이 아니라는 사실을 인지했다. 마치 새로운 세계에 홀로 뚝 떨어진 듯 두렵고 생소했다.

나는 하루아침 만에 말을 잃었다. 언어를 이해하지 못한 것은 아니지만, 마치 그랬던 양 입을 꾹 닫아 버렸다. 고용인들은 내가 기억을 잃은 것이라 판단했다. 그들이 말하길 나는 며칠 내리 지독한 열병을 앓았으며, 그 여파가 가엾은 결과를 초래한 것이라 여겼다. 열병을 전염시킬 수는 없는 노릇이니 나흘을 독방에서 돌봤다고 했다. 그 다음 날은 몸을 추슬렀기에 괜찮은 줄 알았다고 덧붙이던 게 기억난다.

한데, 그 상황에서 고작 하루 사이에 내게 많은 변화가 찾아온 것이다. 가장 먼저 떠오른 것은 『태양이 흐르는 강』이라는 제목의 책이었고, 그 책을 통해 읽었던 수천 가지의 미래들이 머릿속으로 흘러 들어왔다. 그리고 그 미래 속에 나는 없었다. 어째서 없는 걸까? 긴 고민 끝에 가장 그럴싸한 결론을 내렸다. 미래에 내가 없는 이유는 간단했다. 내가 이곳의 사람이 아니기 때문인 거야. 그랬기에 가진 이름도, 몸도, 주변의 모든 것이 다 이토록 생경하게 여겨지는 것이다.

하지만 바뀌는 건 없었다. 아니, 하나 있기는 했지. 미래의 기억을 이용해 내 가치를 좀 더 높일 수 있지 않을까, 하는 기대감이 생겼으니까. 다만 예상과 달리 내가 본 미래는 여러 번 어긋났다. 또한 그 중심에는 이제껏 들어본 적 없는 낯선 존재들이 있었다. 그들은 혜성처럼 제국 중심에 등장해 모두의 이목을 끌었지만, 하나같이 석 달을 채 채우지 못하고 잊혀졌다. 만약 저 자리에 내가 있었다고 해서 달라졌을까? 아니, 그럴 리 없었다.

조연의 반격은 없다.

때문에 나는 숨죽여 살아왔고, 그 끝에서 리히튼을 만났다. 이는 아즈마리아의 주장과 동일했다.

'처음에는 믿을 수 없었어요. 내가 윌 가문의 아즈마리아가 되다니….'

'아가씨께서는 아그레인 캐롤드의 기억을 갖고 계신 건가요?'

내 물음에 아즈마리아는 단호한 얼굴로 고개를 저었다.

'단순하게 기억만 갖고 있는 게 아니라, 이 몸에 갇혔을 뿐 나는 분명히 아그레인이에요.'

'그렇다면 아그레인의 몸은 어디로 간 거죠?'

'…모르겠어요.'

아즈마리아가 이마를 부여잡고 고개를 푹 숙였다. 혼란에서 기인한 자신 없고 처연한 목소리가 방 안을 울렸다.

'아직 되찾지 못한 기억이 많아요. 천천히 기억해 내고는 있지만… 내가 이 몸에 갇혀 있는 이상 원래 몸은 죽었다고 보는 게 맞겠죠.'

서글픈 미소와 함께 그녀의 촉촉한 눈동자가 나를 응시했다.

'그동안 너무 외로웠어요. 이곳으로 오기까지 얼마나 힘들었던지…. 수잔, 당신을 만나서 정말 다행이라고 생각해요.'

그 말을 듣고 확신할 수 있었다. 아즈마리아는 아그레인에 대해서 나와 똑같은 기억을 가졌다. 아니, 어쩌면 더 많은 기억을 가지고 있을 수도 있었다. 그녀가 빌힐름을 두려워하는 이유는 나처럼 '그로부터 개로 키워진 아그레인'의 과거를 알고, 자신이 그 아그레인이라 여기기 때문이었다.

제기랄.

'수잔?'

미친 듯이 뛰는 심장박동이 머리를 울렸다. 숨을 크게 들이쉬며 가빠지는 폐부를 진정시켰다. 아즈마리아가 딱딱하게 굳은 내 손을 힘껏 부여잡았다.

기분이 극도로 안 좋아졌다. 그 손을 떨쳐내고 싶은 욕구를 힘겹게 참았다. 버텨. 그녀와 척을 져서 좋을 일은 하나도 없어.

'죄송해요, 아가씨. 갑자기 어지러워서… 조금 쉬어야겠어요.'

'이런, 내가 아픈 사람을 앞에 두고 말이 많았네요. 푹 쉬어요. 우리 둘이서 이야기를 나눌 시간은 충분하니까.'

눈이 납혔다. 아스마리아의 걸음 소리가 더는 들리지 않게 되기까지는 오랜 시간이 걸렸다. 귓가에 걸리적거리는 소음이 사라진 후에도, 나는 한동안 멍하니 천장만을 올려다봤다. 나는 아그레인이다. 그리고 아즈마리아는 자신의 전생이 아그레인이라 주장한다. 이게 무슨 개 같은 일이지?

"…그래서 누구에게 일을 대신 맡길지 고민이구나. 아무리 생각해도 수잔, 너만큼 눈치 빠르고 일 잘하는 아이도 없는데."

하루 일과가 모두 끝나고 어둠이 내린 한산한 주방. 들려오는 피오라 부인의 음성에 사흘 전의 기억을 털어내고 느리게 고개를 주억였다. 잔 안에 든 포도주에서는 아무런 맛도 느껴지지 않았다.

"사람을 더 구할 순 없나요?"

포상 휴가가 끝난 날 밤에 시녀 한 명과 잡일꾼 한 명이 돌아오지 않았다. 주변인의 증언에 의하면 그 둘은 새벽마다 저택을 나가 함께 돌아오는 일이 잦았으며, 아마 먼 곳으로 도망쳤을 거라 했다. 여자의 친모인 시녀장, 피오라 부인이 절름발이와의 혼인을 불허할 게 분명하기 때문이었다.

피오라 부인은 놀라기는 했으되 반나절 만에 금방 정신을 차렸다. 그녀는 자신의 딸이 곧 잉고르드로 돌아올 것이라 굳게 믿고 있는 것 같았다. 하기는. 젊은 여자가 절름발이를 데리고 얼마나 오래 살 수 있을까.

"당장 이틀 후에 손님들이 오는 상황에서 어떻게 구하겠니. 시간에 쫓겨 데려오는 사람은 문제를 일으키기 마련이야. 더군다나 잉고르드의 시녀들은 대대로 가신들만 뽑았고… 너는 모르려나?"

대충 들어 알고는 있었다. 보통 유서 깊은 가문의 기사단과 시녀들은 가신들로 이루어지기 마련이다. 잉고르드도 마찬가지였다. 대개 가신들은 가주가 맺어 준 또 다른 가신과 혼인한다. 그들은 대대로 주인 가문을 보필하며 그 일부로 살아갔다. 피오라 부인의 남편 역시 검은매 기사단의 전 부기사단장이었다.

"결국 하녀들 중 한 명을 골라야 하는 건가. 눈에 들어온 아이가 한 명도 없는데…."

"카센 경과 혼인하게 될 하녀인가요?"

카센은 피오라 부인의 막내아들이자 검은매 기사단의 일원이었다.

"그 수밖에 더 있니. 마음 같아선 수잔, 널 데려가고 싶은데 각하께서는 아무래도 킨 경과 혼인시키실 것 같으니."

난 이곳의 기사들과 혼인할 생각이 조금도 없었다. 그게 킨이라면 더더욱 평생을 수절하며 살 예정이었다.

"두고 볼 일이죠."

시녀장에게 역정 내는 꼴을 보일 순 없었기에, 남 일이라는 표정으로 웃어 주는 것이 다였다.

"한데 킨은 바깥사람인 것으로 알고 있는데요."

"맞아. 너처럼 어느 날 돌연 각하께서 데리고 왔지. 신뢰가 남달라… 모두 각하의 고된 어린 시절과 연관된 자라 생각하고 있단다."

리히튼의 고된 어린 시절이라. 그가 개로서 지내 온 삶은 그런 식으로 포장된 건가. 말을 끝내고 얼마 지나지 않아서 피오라 부인이 길게 한숨을 내뱉었다.

"하아. 술이 들어가서 그런지 별말이 다 나오는구나. 이만 내일을 위해 눈을 붙여야겠어. 너도 이만 별관으로 돌아가렴."

머리를 쓸어 올린 그녀는 느릿한 움직임으로 의자에서 몸을 일으켰다. 나는 잠시 고민했다. 별관에서 지내는 동안, 리히튼을 살필 수 있는 시간이 현저히 줄었다. 자신을 아그레인이라 주장하는 아즈마리아. 그리고 이 『태양이 흐르는 강』 속에서 수년을 아그레인으로 살아온 나. 무엇이 진실인지 알기 위해서는 그를 살필 눈이 필요했다.

"메어리는 어떠세요?"

비틀비틀 주방을 나서던 부인이 내게로 고개를 돌렸다. 이건 단순한 제의일 뿐이었다. 나는 최대한 지나가는 투로 말을 이었다.

"어린 데다가 눈치가 빠르고 순종적이에요. 일도 꽤 잘하고요."

"그 애는 너무 아담해. 아이를 낳다가 큰일이 날까 봐 걱정이야."

"신장이 크다고 건강한 건 아니죠. 절 보세요. 키는 하녀들 중에서 눈에 띄게 커도 매일 빌빌대잖아요."

피오라 부인이 속을 읽을 수 없는 얼굴로 어깨를 으쓱였다. 나는 그녀가 떠난 자리에서 마지막 술 한 모금을 들이켜고 별관으로 돌아왔다. 역시 아무런 맛도 느낄 수 없었다.

다음 날 늦은 오전. 점심 식사가 끝난 후, 담배를 피우기 위해 후문에 무릎을 굽히고 앉은 메어리에게 지나가듯 말했다.

"피오라 부인과 카센 경에게 잘 보이도록 해."

처음에 메어리는 내 말을 이해하지 못한 듯했다. 그러나 그녀는 내가 아는 하녀들 중 가장 눈치가 빠른 아이었다. 아니나 다를까, 곧 깜짝 놀란 표정으로 담배를 내버리곤 코앞에 얼굴을 들이댔다.

"설마 빈자리에… 절 추천하셨군요? 그렇죠?"

그녀의 음성은 한껏 고양되어 있었다.

"왜 선배가 아닌 저를?"

말을 잇다 말고 메어리가 목소리를 죽였다. 아마 또 자신만의 무한한 상상의 나래에 빠져 있겠지. 나와 리히튼이 어떤 그림으로 이 아이의 머릿속에서 나뒹굴고 있을지, 보이지 않아도 뻔했다. 솔직히 이제는 완전히 틀리다는 말도 거짓이 되지 않았는가.

"나는 말만 꺼낸 게 전부야. 나머지는 네게 달렸지."

메어리가 감격스러운 감정을 못 숨기는 얼굴로 내게 고개를 숙였다.

"가, 감사합니다. 설마 이런 호의를 받게 될 줄은 꿈에도 상상 못했어요."

"너도 알겠지만, 메어리. 나는 차기 공작 부인을 모시는 몸이 되었어."

"네. 저도 선배를 향한 아즈마리아 아가씨의 신뢰가 대단하다고 들었어요."

솔직히 말해서 아즈마리아의 신뢰가 완전한 신뢰라 여기기엔 많은 부분이 부족하다. 내가 그녀에게 보여 준 면은 서로가 비슷한 처지라는 것 정도가 전부였으니.

"아니. 이건 날 괴롭히는 행위에 가까워. 아가씨께서 나와 각하의… 그 관계를 눈치채셨거든."

"아."

짧은 감탄사에서는 내 거짓말에 대한 그 어떤 의심도 느껴지지 않았다.

"나는 네 도움이 필요해, 메어리. 여기서는 나 혼자야. 내가 믿을 사람은 너밖에 없어."

메어리는 더없이 진중한 얼굴로 고개를 끄덕였다.

"물론이에요. 제가 도울게요. 선배와 각하 사이에는 그 누구도 끼어들 수 없어요. 끼어들어선 안 돼요."

메어리는 나와 리히튼을 관찰하며 과연 어떤 욕망을 충족하고 있는 걸까? 이루어질 수 없는 남녀 간의 사랑? 혹은 비약적인 신분 상승?

"…제게 비밀을 털어놔 주셔서 감사해요."

나는 길게 숨을 뱉으며 최선을 다해 빚은 우울한 웃음을 내보였다. 굳이 노력하지 않아도 원체 우울한 얼굴이려나.

"그건 내가 할 말이야."

감사하기는. 고마운 건 네가 아니라 나인데.

아즈마리아의 영향력은 알게 모르게 빠른 속도로 퍼져갔다. 잉고르드 저택의 고용인들은 자리에 엉덩이를 붙였다, 하면 그녀의 이름을 입에 담았다. 아즈마리아를 향한 그들의 관심사는 다양했다. 그녀와 리히튼의 관계가 어떤 식으로 진전되는지, 고용인의 복지에 얼마나 관심이 있어 보이는지….

내가 직접 들은 건 아니었고, 모두 메어리의 입에서 나온 소리였다.

"각하는 여자가 정말 많으셨지. 하지만 단 한 번도 침실에 들인 적이 없으셔."

"제가 모시는 분이라지만 도무지 이해가 안 가요. 제 친구가 일하는 곳의 주인은 일주일마다 침대에 두는 여자가 다르다던데."

잉고르드의 하녀들 사이에서는 고용주와 관련된 음습한 소문들이 알게 모르게 돌고 있었다. 주인의 성욕이 동성에게만 반응하는 게 아닐까, 하는 추측이 대표적이었다. 그러나 나이를 꽤 먹은 하인은 어린 하녀들의 의구심을 담백하게 받아쳤다.

"잉고르드는 대대로 핏줄에 대한 자부심이 대단한 가문이야. 선대께서도 공작 부인 외 그 어떤 여인도 침실에 들인 적 없으시거든. 그러니 너희들은 자부심을 가져도 돼. 종마처럼 이곳저곳에 씨만 뿌리는 귀족보다야 훨씬 품격 있으시잖니."

안타까운 말이지만, 리히튼이 금욕적인 이유는 단순히 제 침대 위에 시체를 두고 싶지 않아서일 터였다.

"그래서 다들 기대 중이잖아요. 아즈마리아 아가씨가 그 이례를 깰 수 있을지 말이에요."

"난 각하께서 여인 때문에 별관을 들르시는 건 처음 봤어요. 여인이라면 늘 전시장 안의 전리품처럼 취급하시던 분인데."

바구니에 아즈마리아가 요구한 홍차를 담으며 눈으로 조용히 메어리를 좇았다. 착하게도 피오라 부인 옆에 다소곳이 앉아 말동무를 해 주고 있었다. 옆에서 감자를 깎는 둥 마는 둥 하던 리냐가 목소리를 낮춰 물었다.

"이번 아가씨가 몇 번째죠?"

"일곱?"

"혹시 모르지. 다른 이들 몰래 아가씨와 밀회를 즐겨 오셨을지도. 사람 오래 살고 볼 일이야, 그 냉혹한 각하께서 정적의 여자를 빼앗아 오시다니…."

딱히 귀담아 들을 만한 이야기가 없었기에 볼일이 끝난 즉시 본관을 나와 별관으로 향했다. 오늘은 어쩐지 예감이 좋지 않았다. 가급적이면 한시라도 빨리 일과를 종료하고 침실로 돌아가고 싶었다. 다행히 아즈마리아가 평소보다 이른 시간에 잠을 청했고, 나 역시 자정이 되기 전에 몸을 뉘였다. 잠들기 직전까지도 불안한 감각은 사라지지 않았다.

날이 유독 흐렸다. 족히 이십 분은 걸어야 나타나는 호수의 안개가 성을 두텁게 휘감고 있었다. 보이는 것은 오직 회색빛 하늘과 회색빛 안개 사이로 듬성듬성 보이는 수풀이 전부였다. 하지만 나는 창밖의 풍경으로부터 도통 시선을 거두지 못했다. 오늘은 이상하리만치 심장이 크게 뛰었다. 얼마나 빠르고 큰 울림인지 갈비뼈를 뚫고 밖으로 튀어나올 것만 같았다.

[기억이 나. 리히튼의 그 하녀 이름 말이야…. 분명 제인이라는 이름이었어.]

동그란 턱이 내 정수리에 닿았다. 비비안느는 반나절 만에 이름을 기억해냈다는 사실이 어지간히 기쁜지, 두 팔로 내 몸을 부드럽게 안았다.

[으으음. 너무 흔한 이름이어서 잊어버렸던 걸까…? 우리 성에도 제인이라

는 이름의 하녀가 꽤 많아서.]

[하녀들의 이름도 일일이 기억하는구나.]

[가끔은. 빌힐름의 밤놀이 상대들은 보통 안 잊어. 콧대가 하늘을 찌를 정도로 건방져. 아그레인이 혼내 주면 좋을 텐데….]

그들의 성에서 일하는 예의 제인이라는 하녀가 이번 여름 동안 빌힐름의 침대를 뜨겁게 해 줄 여인인 듯했다. 비비안느의 해사한 얼굴이 유리장에 비쳤다. 그의 시선은 울창하고 음습한 숲이 아니라 유리에 비친 나를 훑고 있었다. 해사한 시선이라 뺨이 간지러울 정도였다. 하지만 나는 뺨의 간지러움을 거두어내지도, 비비안느의 시선을 털어내지도 못했다. 짙은 안개 속에서 유유히 걸어 들어오는 기다란 인영에 몸이 바짝 굳었던 탓이다.

[빌힐름.]

그 이름은 내가 아닌 비비안느의 입에서 나왔다. 빌힐름은 혼자가 아니었다. 풍성한 회색 털을 지닌 거대한 짐승이 그의 뒤에서 개처럼 쫓아오고 있었다. 짐승이 찬 흉흉한 입마개에 머릿속이 새하얘지는 기분이었다. 나는 본능적으로 뒷걸음쳐 창문에서 멀어졌다.

[아그레인?]

[가, 비비.]

비비안느가 영문을 모르겠다는 얼굴로 어깨를 움츠렸다. 그러나 지금은 하나하나 친절히 설명해 줄 시간이 없었다. 아니, 절대 그럴 수 없지.

[돌아가. 아니, 여기서 가장 먼 방으로 가. 가서 두 손으로 귀를 막고 눈을 가려.]

[아, 아그레인.]

[어서! 당장 나가라고!]

비명을 내지르고 싶은 욕구를 참았다. 그 대신 꼼짝도 안 하는 몸을 문 밖으로 밀어냈다. 코앞에 보이는 내 손등이 미세하게 떨고 있었다.

[나 안 버릴 거지? 으응? 그렇지?]

대답 없이 문을 닫았다. 안 버릴 거냐고?

[읏.]

올라오는 토기를 참았다. 그녀의 잘못이 아니다. 잘못이라면 비비안느를 믿은 내게 있었다. 아니야, 자책하지 마…. 누구라도 그 애를 믿었을 거야. 저 사랑스러운 얼굴로 내가 전부인 것처럼 행동했잖아. 내 모든 말을 곧이곧대로 따랐잖아. 비비안느는 빌힐름이 나를 어떻게 대하는지 모른다. 그랬기에 이제껏 빌힐름 앞에서 언행을 조심하라 했던 내 모든 말을 귓등으로 들었을 터였다. 비비안느는 여전히 빌힐름에게 복속되어 있었는데…. 잠깐이나마 비비안느를 가졌다고 착각했던 내가 너무나 우스웠다.

똑똑.

내가 저에게 무엇을 물었는지, 무엇을 요구했고 무엇을 궁금해하는지. 가감 없이 모두 빌힐름에게 불었겠지.

똑똑.

[누이.]

그게 비비안느가 살아가는 방법이었을 거야. 그래, 이건 그 애 탓이 아니야. 불쌍한 비비. 나와 다를 바 하나 없는 아이라 증오심이 들지도 않았다. 그저 가엽고 안쓰러웠다.

[누이, 문 열어야지.]

그럼 나는? 나는 누가 가여워하지?

[내가 더는 같은 말을 하게 하지 마.]

쓰러졌던 몸을 일으키고, 그가 바라는 대로 문을 밀었다. 새벽의 달빛을 녹아내린 진한 금발이 차가운 공기 속에서 모습을 드러냈다.

[안녕. 오늘은 마치 순장이라도 당하는 얼굴이네.]

적색 눈이 설렘을 가득 담고서 나를 내려다 봤다. 그는 유리 인형을 대하듯 조심스러운 움직임으로 내 뺨에 입을 맞추었다.

[물론 누이라면 그 전에 내게서 멀리 도망가겠지만.]

입마개를 낀 거대한 회색 털의 늑대가 그의 뒤에 얌전히 앉아 숨을 고르고 있었다. 아아. 빌힐름은 나를 벌할 것이다. 자신의 시야에서 벗어나려 한 죄를 명목으로. 내가 할 수 있는 일은 한껏 몸을 낮춰 기는 것이 전부였다. 그리고 빌힐름 역시 그것을 바랄 터였다.

[내가 잘못했어.]

[너는 아무런 잘못도 하지 않았어, 아그레인.]

[아니야. 내 잘못이야, 빌힐름… 미안해. 사죄할게. 무엇이든 하라는 대로 할게. 그러니까 제발….]

[아무런 잘못도 하지 않았대도.]

다소 질린 듯한 목소리였고, 나는 숨을 들이키며 입을 닫았다.

[앉아.]

짧은 명령이었다. 익숙한 공포가 내 복부를 후려치고 강제로 앉혔다. 식은땀이 턱 아래로 떨어지는 착각이 일었다. 이윽고 한 번 더 문이 열렸다.

[주, 주, 주인님….]

그 소년의 이름은, 당연히 모른다. 문 너머에서 들여보내진 소년은 눈이 가려진 상태였다.

[헉, 헉….]

두려움에 점철된 헐떡이는 목소리가 내 주위를 맴돌았다.

[주, 주, 주, 주인님… 너무 추워요, 무서워요….]

어쩐지 손끝이 따끔한 기분이 든다. 본능적으로 무릎 위에 올려둔 손을 내려다봤다. 손톱에 깊게 팬 손가락 사이가 피로 얼룩져 있었다. 바닥은 이미 늑대의 긴 주둥이에서 떨어진 침으로 흥건했다. 흥분으로 달아오른 짐승의 눈이 빌힐름의 눈처럼 붉었다.

[지금부터 고개를 돌리거나 눈을 감으면….]

부드럽게 무릎을 굽힌 빌힐름이 입마개에 손을 댔다.

[주, 주, 주인님. 어, 어디 계세요?]

그의 복종을 요구하는 시선이 내 턱을 잡아 위로 올렸다.

[알지?]

늑대의 입마개가 벗겨졌다. 아아아아아악! 나의 것이 아닌 비명이었으나, 마치 나의 것처럼 느껴지는 비명이었다. 나는 최대한 아무런 생각도 하지 않으려 노력했다. 초점을 흐트러트렸다. 입술을 굳게 닫고 숨을 골랐다. 뜨거운 피가 손등에 튀어도. 안대가 벗겨진 소년이 나에게 도움을 요청해도. 그 도움이 결국 죽음에 묻혀도. 소년이 도륙되는 장면에서 시선을 틀지 못했다. 길고 긴 시간이었다. 얼마나 더 참아야 할까. 반나절이, 아니 하루가 훌쩍 흐른 것 같은데.

[이것도 이제 무료하군.]

빌힐름의 목소리를 기점으로 주위가 고요해졌다. 어느새 전신이 땀인지 눈물인지 모를 것으로 흥건했다. 다행히 오늘은 속을 게워내지 않았다. 다만 역한 피 냄새가 고역이었다. 곧 방을 치울 사람들이 들어왔다. 형체를 알기 힘든 고깃덩이가 늑대와 함께 방에서 사라졌다.

[착해, 예뻐.]

[아…!]

어깨를 감싸오는 손길을 무심코 쳐냈다. 나는 속절없이 떠는 양손을 꽉 맞잡았다.

[겁먹지 마, 내가 하나뿐인 누이를 저리 만들 리 없잖아.]

강한 힘이 날 소파 위로 이끌었다. 그는 겁먹은 나의 얼굴을 감상하듯, 한동안 조용히 앉아 있기만 했다.

[역시 나는 너를 진심으로 사랑해, 아그레인.]

빌힐름의 뱀 같은 입술이 내 손가락 사이사이에 입을 맞추었다. 손은 뜨겁고 등에는 오한이 돌았다. 그가 황홀경이 담긴 술처럼 진득한 붉은 눈동자로 나를 핥아 내렸다.

[이 가느다란 손으로 내 목을 노리다가 구렁텅이에 빠진 그 얼굴이… 너무나 사랑스럽고 흥분돼.]

눈이라도 감을 수 있나면 좋으련만. 지금 딩징 손을 뻗이 잡이 뜯고 싶은 낯을 가만히 응시했다. 내가 할 수 있는 건 고작 그것이 전부였다.

[이게 사랑이 아니면 뭐겠어?]

빌힐름이 내 손을 떨어뜨리고 오롯이 나를 응시했다. 하얀 손가락이 내 아랫입술을 파고들었다. 나도 모르는 사이에 안쪽 입술이 너덜너덜해 있었다. 아릿한 고통이 느껴졌다. 그의 손가락 끝에서 비릿한 맛이 감돌았다.

[너는 내가 가진 것들 중 가장 아름다고 가장 약하며 가장 처절하고, 가장 추잡하지. 하지만 괜찮아. 난 그런 너를 통해서 살아 있다고 느끼니까.]

개새끼.

[널 안을 수 있다면 좋을 텐데. 그럴 수만 있다면 평생….]

하지만 개새끼여도 괜찮아. 나는 나를 위해서라면 얼마든지 네게 웃어 줄 수 있어. 그래서 수줍은 얼굴로 웃었다. 이따위 비참함과 역겨움은 더 이상 아무것도 아니었다. 내게 어떤 영향도 끼치지 못했다. 이건 일종의 연극이었으니까.

[나를 사랑하지? 누이.]

그의 몸이 점차 나를 향해 기운다. 턱을 잡아끄는 악력에 절로 입이 벌어졌다.

[사랑해.]

그가 나를 집어삼켰다. 집착과 열망으로 물든 숨이 내 혀와 입천장을 잡아먹을 기세로 쓸었다. 입 안을 엉망으로 헤집었다. 나의 주인, 빌힐름. 이딴 게 그렇게 듣고 싶어? 너만 원한다면 백 번 천 번 해 줄게.

[사랑해… 빌힐름.]

사랑해.

너무 사랑해, 빌힐름.

나는 너를 반드시 죽일 거야.

눈을 떴을 땐, 창백한 빛이 머리 위로 떨어지고 있었다. 나는 소스라치게 놀라며 발작하듯 몸을 일으켰다. 뜨거운 온기가 입술과 목 근처에 선연했다. 환상이나, 환상처럼 느껴지지 않는 감각이었다. 지워야 해.

"하아, 하아…."

정신없이 침실을 달려 나가 후원을 건넜다. 빌힐름의 손길이 전신에 달라붙어 떨어지지를 않았다. 가을 말미에 불어오는 차가운 바람이 뺨을 때리고 멀어졌다. 물결이 흘러 내려가는 냇가 한가운데서 미친 듯이 맨살을 문질렀다.

"제발."

물은 얼음장처럼 차가워서, 이가 서로 맞부딪힐 정도로 몸이 덜덜 떨렸다. 하지만 제아무리 물로 씻어내도 빌힐름의 숨과 온기는 지워지지 않았다.

"제발!"

차라리 더 깊은 곳으로 들어갈까. 발이 닿지 않을 만큼 깊은 곳으로 가야 떨쳐낼 수 있을까? 누군가 내 이름을 불렀던 것 같다. 그보다 더 중요한 일은 전신을 온전히 감싸 줄 깊은 수심을 찾아내는 것이었다. 물이 흐르는 방향을 따라 걸음을 옮겼다. 팔을 잡아채는 악력이 있었으나 가까스로 떨쳐냈다.

"…봐!"

몸이 식을수록 내 허리와 뺨과 입술을 쓸던 빌힐름의 온기가 더욱 뜨거워졌다. 안 돼, 잡아먹히고 말 거야. 어서 빨리…!

"제기랄, 나를 보라고!"

뒷목이 얼얼했다. 가장 먼저 시야에 들어온 것은 하늘만큼이나 흐린 청회색 눈동자였다. 가쁜 숨이 점차 잦아들었다. 맨살에 달라붙어 있던 더러운 숨결도 씻은 듯 사라졌나.

"정신 차려. 여기에는 너랑 나밖에 없어."

너른 가슴이 턱 바로 아래에서 헐떡였다. 차가워야 할 그의 손이 오늘따라 델 것처럼 뜨거웠다. 살아 있는 온기를 인지하자 가빴던 숨이 점차 차분해진다. 나는 쓰러지듯 그의 가슴에 머리를 기댔다. 극도의 피곤함이 몰려왔다. 리히튼은 무슨 생각을 하며 여기까지 달려왔을까? 오르락내리락 반복하던 그의 가슴도 얼마 지나지 않아 평정심을 되찾았다.

"나를 잡아. …아니, 움직이지 말고 가만히 있어."

리히튼은 내 몸을 한 손으로 안아 들었다. 머리가 어지러워 주변을 살필 여력도 없이 그의 어깨에 이마를 기댄 채 가만히 안겨 있었다.

얼마나 걸었을까. 젖은 몸에서 올라오는 한기와 그에 반하여 들끓는 열이 점차 심해졌다. 리히튼이 부드러운 천 위에 나를 눕혔다. 어지러운 시야 너머, 오색의 화려한 천장화가 눈에 익었다. 리히튼의 침실에서나 볼 수 있는 그림이다. 곧 마른 장작 타는 냄새가 났다.

"왜 나를 여기로 끌고 왔어요?"

물기 젖은 백금발이 흔들렸다. 날 내려다보는 냉랭한 얼굴에 완벽하게 갈무리 못한 노기가 스며들어 있었다.

"아직 완전히 씻어내지 못했는데."

그는 자신의 외투를 거칠게 벗어 아무렇게나 내던졌다. 그리고 구겨진 채로 물에 빠져 볼품없어진 내 상의의 단추를 천천히 풀어내기 시작했다. 나는 손끝도 까딱할 수 없었다. 네 번째 단추를 풀던 손이 잠시 멈췄다.

"너는 더럽지 않아. 그러니 방금처럼 머저리 같은 짓 하지 마."

그 말을 끝으로 기다란 손가락이 남은 단추를 마저 풀어냈다. 미세하게나마 가슴께를 짓누르는 움직임이 느껴졌다. 배 안쪽이 울렁이는 감각에 두 눈을 질끈 감았다.

"당신이 내게 입 맞추지 않는 이유를 알겠어요."

빗줄기를 뚫고 돌아오는 길에서도, 아즈마리아 앞에서도 그는 의도적으로 나를 회피했다. 물론 그렇지 않았던 날도 있기는 하지. 제정신이 아니었을 때까지 고려한다면.

"진심으로 하는 소리는 아니겠지."

리히튼은 나를 증오하고 집착하고, 어쩌면 그에 더해서 역겨운 여자라 여기고 있지 않을까.

"아니면 인내심을 시험하고 있다던가. 어떤 이유인지는 모르겠지만, 몹시 쓸모없을 거란 걸 알아둬."

어깨 바로 위를 내리누르는 무게가 느껴졌다. 느리게 눈을 떴다. 머리 옆쪽에 앉은 리히튼이 침구를 끌어다가 내 몸을 감쌌다. 어느새 위아래로 속옷만 걸친 상태였다. 그것이 전부였다. 짧은 시간 내 뺨 위에 머물었던 시선이 멀어진다. 그는 내게 등을 보인 채로 침대에서 몸을 일으켰다. 나는 본능적으로 손을 뻗어 그의 셔츠를 붙잡았다. 그리고 돌아본 창백한 낯을 끌었다.

"말만으로는 못 믿어요."

누가 먼저였는지 모르겠다. 확실한 건, 내 얼굴을 감싸 쥐는 손길이 스친 살을 아리게 할 만큼 거칠었다는 점이다. 열기가 내 안으로 침투했다. 우리는 그대로 입을 맞췄다. 숨도 제대로 들이키지 못할 만큼 거친 입맞춤이었다. 나는 뼛속까지 스며드는 한기도 잊고 리히튼을 잡아끌었다. 커다란 손이 침구 사이를 파고들어 내 허리를 바짝 당겼다. 독에 중독된 것처럼 머릿속이 몽롱하고 발끝이 저릿했다. 더, 더 깊은 곳을 삼켜 주길 원하는 마음으로 그의 등에 매달렸다.

등과 허리를 지분거리던 손이 살결을 거슬러 속옷 바로 아래를 맴돌았다. 뜨거운 혀가 입천장을 쓸고 내 안쪽 살 곳곳을 건드렸다. 그 어느 때보다 생생하게 살아 숨 쉬는 청회색 눈동자가 날 씹어 먹을 기세로 응시했다. 자제력을 잃은 움직임이 허리춤으로 내려와 젖은 피부를 긁었다. 아픔보다는 흥분이 컸다. 하지만 그것으로는 부족했다. 메스껍고도 한없이 추악했던 기억을 잊기 위해선 이보다 더한 충만함이 필요했다.

허벅지를 꽉 잡고 있던 손이 서서히 위쪽을 향했다. 마르지 않은 천에 닿아 오는 감각이 몸을 뒤흔들었다. 내치고 싶지 않았다. 그러나 그러한 감정이 여실히 드러나 있을 얼굴만큼은 숨기고 싶었다.

오히려 리히튼은 내 어떤 변화도 놓치지 않겠다는 듯, 자신에게서 도망치려는 내 턱을 강하게 붙들었다. 이목구비 전부를 샅샅이 살피는 시선에 목이 말랐다. 마른 목을 그의 숨과 혀가 채웠다. 속옷 위를 스치던 허벅지 사이의 손가락이 천 안쪽을 파고들었다. 읏. 소리를 참기 위해 고개를 돌리고 입술을 깨물었다. 동시에 어질한 머릿속이 새하얘졌다. 이대로 모든 것을 놓아 버리고 싶었다. 들뜬 숨이, 들떴으나 조금도 더럽게 느껴지지 않는 숨이 내 목덜미를 따라 가슴 바로 위에서 멈추었다.

"제기랄…."

낮게 가라앉은 욕설과 함께 그가 내 목덜미를 깨물었다.

"아!"

피가 나지는 않았을까, 싶을 정도로 강렬한 고통이었다. 곧이어 리히튼이 내게서 몸을 뗐다. 나는 헐떡이는 숨을 참으며 그에게 물린 목을 쓸었다. 새빨간 피가 손톱 아래에 묻어 나왔다.

"아그레인, 이건 명령이야."

지독할 정도로 쉰 목소리였다.

"너를 더럽다고 생각하지 마. 그게 빌힐름 그 개자식 때문이라면 더더욱."

그리고 다시 침구를 끌어 내 몸을 덮었다. 거기서 멈추지 않고 두 팔로 나를 꽈악 끌어안았다. 빳빳한 새 천에 쓸린 목덜미의 상처가 쓰라렸다. 달아올랐던 몸이 서서히 식었다. 열이 식자 다시 한기가 돌았다. 덜덜 떠는 몸을 리히튼이 더 강하게 끌어당겨 안았다. 나는 그와 어떤 관계이고 싶은 걸까. 그는 나를 도대체 어떻게 여기는 걸까.

리히튼이 욕구를 완전히 풀어낼 수 있는 여자는 세상에 오직 나뿐일 것이다. 그럼에도 자제력을 잃지 않는 그가 놀랍기만 했다. 허무하지는 않았다. 그에게 내가 몸으로 대화하는 것 그 이상의 의미가 있다는 뜻이었으니까. 무엇이 리히튼을 이토록 이성적이게 만드는지 궁금했다.

"왜 참으세요?"

"이러려고 널 데려온 게 아니야."

"초야도 아니고 계획대로 이루어지는 게 더 우스운 일 아닌가요?"

"어떻게 비꼬아도 널 덮칠 일은 없어."

"참 신사다우시네요."

가슴 속이 울렁였다. 그와 나 사이에 이리도 평범한 대화라니. 품 안에 가만히 안겨 있다가 무심코 머릿속에 맴돌던 것 중 가장 쓸데없는 속내를 내뱉었다.

"저는 늑대가 싫어요."

"그렇담 씨를 말려 버리면 되겠군."

일말의 고민도 없이 나온 대답이라 농담인지 한참 고민해야 했다. 하지만 리히튼이 농담할 위인은 아니니까. 얼마의 시간이 흘렀는지 모르겠다. 그를 밀어낸 후 널브러져 있던 옷을 걸쳤다. 축축한 의복을 걸치는 동안 리히튼의 눈길은 오롯이 나를 향했다.

"내가 한 말 잊지 마."

그는 내게 늘 명령만 한다. 그런 것이 바로 주종 관계이기는 해도.

"아즈마리아 아가씨에게 오늘 일을 알려도 되나요?"

무슨 생각으로 그런 말을 했는지는 모르겠다. 리히튼은 내 눈을 시그시 응시하며 대답했다.

"너는 잉고르드까지 찾아온 아즈마리아의 저의를 알아야겠다며 스스로 왕녀 노릇을 했지."

그가 마르지 않은 베스트와 셔츠를 천천히 벗었다.

"그리고는 아즈마리아가 잉고르드의 공작 부인이 되길 희망하지 않았나? 그 입으로 직접 그 여자의 요구를 허락할 정도로. 그런데 오늘은 내게 오늘 일을 알리겠다는 말장난을 하는군."

창문을 통해 떨어지는 새벽빛이 그의 널따란 등을 환하게 비췄다. 맞물려 있는 크고 작은 흉터가 마치 별자리 같았다.

"무슨 심보일까?"

저 짐승처럼 크고 단단한 몸이 내 위에 올라타고 있던 건가. 목이 메었다.

"아즈마리아 아가씨는 아마… 제가 오늘 일을 말해도 잉고르드를 떠나지 않으실 거예요."

"어떻게 구슬렸는지는 몰라도 꽤 사이가 좋군."

"그럼요. 아가씨는 퍽 솔직한 성정이에요. 주인님께 몹시 절절한 감정을 지니고 있던 것 같았어요. 마치 전생의 연인이라도 되는 것처럼. 왜일까요?"

그는 이제껏 그래왔듯 입을 다물고 나의 무지를 즐겼다. 리히튼은 알까? 그의 이런 반응이 오히려 내 머리를 더 차갑게 식힌다는 것을.

침실의 문을 닫고 별관으로 돌아왔다. 개 같은 꿈을 꾼 대가가 썩 나쁘지만은 않았다. 덕분에 리히튼이 아즈마리아의 그 비밀 아닌 비밀을 알고 있음을 파악했으니. 얼마나 재미있을까? 스스로를 아그레인이라 여기는 두 여자라니!

'아그레인은 나야.'

그리고 아즈마리아 또한 나처럼 여기겠지. 한데 만약 내가 틀리고 그녀가 옳다면….

그때가 되면 나는 어떻게 해야 하는 걸까.

Episode 7.
공명

타앙!

벌써 일곱 번째 격발이었다. 아즈마리아의 머리를 빗으며 힐긋 창 너머의 풍경을 응시했다. 깃털을 휘날리며 추락하는 새라든가, 다음 차례의 사냥감을 든 시종이라든가, 하다못해 승마복을 걸친 리히튼조차 보이지 않는다.

"당분간 저택이 조금 시끄러울 거예요, 수잔. 각하께서 일대의 늑대 사냥을 명하셨거든요."

그랬었구나. 사냥이라…. 그것도 하필이면 늑대라니. 어제 이른 오전의 일이 어렴풋이 떠올랐다. 늑대의 씨를 말리겠다던 농담 같은 목소리도.

"얼마나 상냥한 분이신지."

꿈결에 젖은 표정인 걸 봐선 리히튼을 가리키는 표현인 듯했다.

"어젯밤에 악몽을 꿨어요. 커다란 늑대 두 마리가 어린아이들을 사냥하는 꿈을요."

헛웃음이 나오려는 것을 겨우 참았다.

"잉고르드가 아직 익숙하지 않으신가 봐요."

"그런가 봐요. 윌에서 잉고르드가 먼 축이기는 하죠. 각하와 담소를 나누다가 얼떨결에 그 이야기가 나왔는데… 잉고르드에서만큼은 그런 위협을 느낄 필요 없다며 안심시켜 주시더군요."

그 말을 끝으로 아즈마리아가 하얀 낯에 수줍은 미소를 띠었다. 그러나 내 귀에는 이어지지 않은 뒷말이 들렸다. 그래서 늑대 사냥을 시작하셨나 봐요. 알리고 싶은 티를 숨기지 못하는 아즈마리아도, 안심시켜 줬다던 리히튼도, 그 이야기들을 듣고 있는 나도 우스웠다.

"고용인들도 다들 신기해하고 있어요. 각하께서 이토록 정성을 쏟았던 사람은 아가씨가 처음이에요."

"아니에요. 그냥 제 체면을 살려 주시는 걸 거예요."

만족스러운 반응이었는지 그녀의 양쪽 어깨가 위로 솟았다. 사랑 앞에서는 한없이 솔직해지는 아즈마리아. 그녀는 들려오는 거친 총성을 두 눈을 감고 감상했다. 마치 현악 사중주라도 되는 것처럼.

이건 다분히 의도적이다. 나는 시간이 흐를수록 점차 인정해 가고 있었다. 리히튼에게 '의도치 않은 일'이라거나, '우연히 발생한 일'은 존재하지 않는다. 그는 모든 수를 계산해 두는 남자였다. 그렇다면 그 계산의 범위는 어디까지일까. 혹시 내가 아즈마리아라는 존재로 인해, 스스로가 아그레인임을 부정하게 되는 단계까지 포함되어 있는 건 아닐까? 모든 게 리히튼의 손바닥 위에 놓인 양. 그게 사실이라면 나는 그 손바닥을 찢어 버리고 싶을 것이다.

"그러고 보니… 항상 나만 말을 하네요. 정작 수잔에 대해서는 아무 것도 모르고."

최대한 아무렇지 않은 음성으로 대답했다.

"저는 하녀였어요. 예전에도, 지금도."

"그것으로 만족할 수 있었나요?"

"물론이죠. 제 주제에 부합하는 일인걸요."

"그런 의미가 아니에요. 내 말은…."

"더 많은 것을 넘보다가 추락하게 된 경우는 많이 들어왔죠. 전 그러고 싶은 생각이 추호도 없어요."

"역시 현명해요, 수잔. 그때 당신이 날 말리려고 했던 것도 그런 이유에서였겠죠. 미래를 바꾸려했던 이들 중에서 좋은 결과를 본 자는 없으니까요."

너도 비슷한 생각이었구나.

"리히튼 각하가 무섭지는 않나요, 수잔?"

"아니라는 말은 못하겠네요. 하지만 전 그분에게서 봉급을 받는 처지니까요. 감사한 마음이 더 크죠."

"지오르타에서 돌아왔을 때 상당히 놀랐어요. 설마 각하께서 수잔을 침실로 데려가실 줄은…."

여태 마음에 담아둔 건가. 이쯤에서 적절한 변명거리가 필요하기는 했다.

아니야. 굳이 거짓말을 할 이유는 없지.

"저는 그분의 그림자예요. 베르크네 씨가 각하의 팔이고, 킨이 각하의 검이듯. 자세히 말씀드릴 수 없지만 크게 신경 쓰실 필요는 없습니다. 저는 존재하면서 존재하지 않는 사람이니까요."

아즈마리아가 무언가 깨달은 듯, 짧은 감탄사를 내뱉었다.

"아, 그래서 아낀다는 말이…."

하녀들에게서 리히튼이 나를 아낀다는 소리를 듣기라도 한 걸까. 아즈마리아는 한시름 내려놓은 얼굴이었다.

"네. 각하께서는 저를 통해 아가씨를 살피고 계세요. 공작 부인이 되실 소중한 분이니까."

"하지만 수잔, 당신을 고른 건 리히튼 각하가 아닌 나예요."

"굳이 절 고르지 않으셨어도 제가 아가씨를 돕게 되었을 거예요."

최대한 다정한 미소를 짓기 위해 얼굴의 온 근육을 활용했다.

"아가씨께서는, 그렌페르크 제국에서 각하의 비호를 받는 유일한 존재니까요."

아즈마리아가 고개를 푹 숙였다. 얼굴이 보이지는 않아도 그녀의 거세진 심장박동이 내 귓가에 도달했다. 그런 그녀를 바라보는 이 기분을, 대체 무어라 설명해야 할지. 너는 그 자리에서 그렇게 계속 안도하도록 해, 아즈마리아. 그래야 내가 편히 이용할 수 있을 테니까.

늦은 오후. 아즈마리아에게 요깃거리를 전하고 돌아오는 길에 두 다리가 멈추었다. 창문 너머로 평소와 다른 분위기의 정문이 눈에 들어왔기 때문이다. 가을 연회가 열렸을 때처럼 정문에 마차가 길게 서 있었다. 굳게 닫혀 있던 문이 휘황찬란한 마차에서 내리는 방문객으로 북적였다. 콜렌토 부인에게 며칠간 저택이 시끄러울 거란 소리는 들었지만, 저렇게 많은 사람들이 방문할 줄은 몰랐다.

"잉고르드파. 다른 말로는 반 빌힐름파지."

한창 창문 밖으로 내다보며 그 숫자를 짐작하던 때였다. 익숙한 음성의 기사가 지척에 다가와 창문에 기대어 섰다. 누구인지 확인할 필요도 없다, 킨일 테니까.

"저래 보여도 대단한 작자들이 꽤 많아. 조나단 후작에 헨져 백작…. 한자리에서 보기 힘든 인물들이지."

가만히 듣다가 고개를 돌려 물었다.

"빌힐름 황자에게 무슨 힘이 있다고 반대파가 있는 거야? 적통은 그 황자 말고도 존재할 텐데."

킨이 이상한 얼굴을 했다.

"너 어디 가서 그런 멍청한 소리 하지 마라. 쯧. 이제 좀 사람이 됐나 했는데."

"한 번 더 물려 볼래?"

"정말 개라도 된 거냐? 그런 어처구니없는 위협이라니. 빌힐름 황자는 비비안느 황녀와 함께 황실을 양분하고 있는 실세야. 크로허츠 후작도 죽고, 지금은 각하의 기세가 워낙 강해 몸을 숙이고 있을 뿐. 언제 다시 발톱을 세울지 모를 일이지."

머릿속이 멍했다. 비비안느라니, 이토록 갑작스럽게?

"설마 반 빌힐름파라는 의미가…."

리히튼이 비비안느를 돕고 있다는 건가? 답을 기다리며 가만히 킨을 올려다봤다. 적당히 그을린 피부에 이른 봄 새싹처럼 옅은 녹안이 투명하다. 늘 느끼지만 남자치고, 그것도 상당히 듬직한 남자치고는 쓸데없이 맑은 눈동자였다.

"흐음."

대답은커녕 반응이 영 미적지근하다. 알고 보니 본인도 잘 모르는 거 아니야? 의심은 오래 가지 못했다. 무언가 내 입술을 강하게 깨물고 멀어졌다. 그 주체가 킨이라는 걸 깨닫자마자 저절로 손이 나갔다.

"이… 미친 새끼!"

하지만 내 손은 킨에 의해 허무하게 막혔다. 그는 내 얼굴을 물끄러미 쳐다보다가 뒤늦게 손을 놓았다.

"아. 한 대 맞아 줄까?"

뭐가 어쩌고 어째? 나는 그의 정강이뼈를 온 힘을 다해 걷어찼다.

"윽!"

그리고 입술에 남은 감각을 소매로 열심히 훔쳤다. 너무 어이가 없으니 이 이상 반응하고 싶은 마음도 없었다. 킨이 앓는 소리를 내며 말했다.

"그러니까 누가 그렇게 바보 같은 표정 지으래? 괴롭히고 싶게."

"계속 입 열어 봐."

“뭐, 멍청한 얼굴이 그나마 귀엽기는 하네.”

킨은 나머지 한쪽 정강이도 차이고 나서야 좀 조용해졌다. 사람 열 받게 하는 방식이 날이 갈수록 진화한다. 나는 정강이를 붙들고 소리 없이 아우성을 치는 킨을 지나쳐 침실로 돌아왔다. 지끈거리기 시작하는 머리에 힘을 쭉 빼고 침대로 몸을 던졌다. 고요한 공기 속 규칙적으로 울리는 초침이 불안감을 자극했다.

‘나는 그대로인데….’

주변은 계속해서 변화한다. 리히튼을 중심으로 속절없이 빨려 들어가는 기분이었다. 이러다가는 휘둘리기만 하다가 가루처럼 분쇄될 게 분명했다.

‘아니야. 이대로 가만히 있어서는 안 돼.’

지금 내게 가장 큰 혼란을 야기하는 것은 무엇인가? 아즈마리아가 아그레인의 기억을 가지고 있다는 점. 그래, 우리 두 명의 아그레인 사이에는 큰 차이점이 둘 존재한다.

하나, 아즈마리아는 『태양이 흐르는 강』을 알지 못한다. 둘, 아즈마리아는 책 속에 들어온 것이 아니라, 죽어서 타인의 몸속에 들어온 것이라 생각한다. 또한 공통점도 존재했다. 스스로가 아그레인임을 입증할 수 있는 완벽한 증거가 없다는 것. 리히튼의 증오는 믿을 수 있지만, 리히튼 자체는 믿을 수 없다. 미래가 불투명하니 언제 개죽음을 당할지 모를 일이었다.

‘이용할 수 있는 다른 사람이 필요해.’

잉고르드에서 얻을 수 있는 정보는 너무 폐쇄적이며 일방적이다. 또한 나에게는 그나마 얻은 정보조차 사실 유무를 파악할 판단력도 부족했다. 나보다 많은 진실을 알며, 손을 뻗으면 닿는 존재가 필요했다. 등불을 켜고 서랍 깊숙이 넣어 두었던 보석함을 꺼냈다. 메모장은 여전히 그 자리 그대로 놓여 있었다.

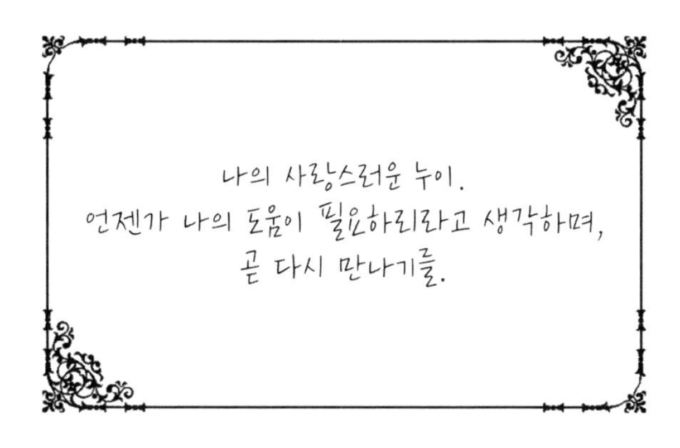

빌힐름. 내가 과연 그를 이용할 수 있을까? 나의 주인이었으며 황실의 실세이자 리히튼과 대적해 온 그를.

하지만 빌힐름 외에 마땅한 수가 떠오르지 않았다. 또한 나에게는 두 눈을 가리고 있는 암막을 거둘 필요성이 존재했다. 나는 만년필을 들어 브릿길 삼십육 번 건물에 전달할 서신을 작성했다.

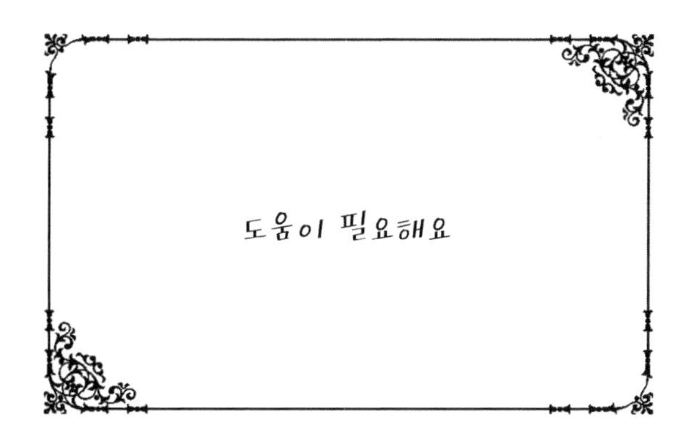

어차피 여기서 더 막다른 길도 없을 테니까.

다음 날 늦은 오후에 아즈마리아가 독서하는 틈을 타 본관으로 건너갔다. 메어리는 며칠 사이에 피오라 부인과 퍽 가까워진 듯했다. 오전 일과로 모두가 바쁜 시간대에 부인 옆에서 시시덕거리는 모습이 그 증거였다. 내 예상이 틀리지 않는다는 가정하에, 메어리는 오늘 오후 번화가로 외출할 것이다.

진심으로 반했든 단순한 이용거리로 인식하든, 피오라 부인의 아들인 카센 경에게 잘 보이기 위해서는 스스로를 꾸밀 수밖에 없다. 하녀는 장식품을 걸칠 수 없으니 머리에 바르는 오일이나 향유를 고르는 데 고심할 게 분명했다. 다행히 내 판단은 옳았다. 나는 메어리가 저택을 나가기 직전에 조심스러운 목소리로 불러 세웠다.

"메어리. 이 서신을 브릿길 서점 주인에게 전해 줘."

"서신이요?"

메어리의 호기심을 잠재우기 위해 가장 위협적인 이름을 빌렸다.

"각하께서 내게 몰래 부탁하신 명령이야. 한데 나는 아가씨의 수발을 거드느라 도저히 시간이 나지 않아서."

"각하의 명령…."

서신을 품에 갈무리한 메어리의 안색이 단숨에 무거워졌다.

"제가 감히 선배의 일을 대신해도 될까요?"

"당연히 너라서 부탁하는 거잖니, 메어리. 누구도 알게 해서는 안 돼."

메어리가 바짝 긴장한 얼굴로 고개를 주억였다.

"네. 잘 숨길게요."

남자들로 북적이는 저택은 가을 연회 때와 또 다른 분위기였다. 반 빌힐름파라는 공통분모가 있어서일까. 가을 연회가 정말 연회처럼 느껴졌다면 이들의 모임은 무겁고 진중했다. 응접실에 모여 친목을 나누거나 후원을 감상하는 이는 단 한 명도 없었다. 오히려 작은 방에 모여 반쯤 술에 취해 토론하고 서로 언성을 높이느라 바빴다. 시종을 부를 때도 누구를 데려오라, 음식과 술을 가져오라 명할 때가 전부였다. 그 엄숙하고도 거친 공기에 고용인들 역시 절로 말수가 줄었다.

"윌 백작이 각하와 아즈마리아 아가씨의 결혼을 극구 반대하고 있나 봐요."

만찬 준비가 한창인 시간대였다. 내 심부름을 빌미로 별관까지 찾아온 메어리가 의자에 앉으며 속삭였다.

"오늘 만찬이 열린 이유가 그 문제 때문인 것 같아요. 귀족들 사이에서 윌 백작을 무시하고 결혼식을 속행하느냐, 아니면 돌려보내느냐로 계속 언쟁 중이에요."

"그래서야 오늘 안에 어디 결정이 나겠나."

"피오라 부인 말씀에 의하면 저녁 만찬에서 강압적으로라도 의견이 모아질 거라던데요?"

메어리의 목소리는 이전보다 훨씬 피곤에 찌들어 있었다. 그녀 앞으로 아즈마리아가 내게 선물한 초콜릿 상자를 밀었다. 예전이었다면 비명을 내지르며 받아먹었을 텐데, 이제는 그럴 기운도 없는지 종이 포장지를 까는 손길이 느릿했다.

"콜렌토 부인과 피오라 부인 사이에 은근한 신경전이 있다는 걸 이제야 알았어요."

"그만큼 두 분이 우리에게 최대한 피해 가지 않게 하려고 신경 쓰시니까."

"전에 있던 곳에서는 하녀들끼리도 파벌 싸움이 엄청 심했거든요. 역시 잉고르드구나 싶기도 하고…."

"피오라 부인의 사람이 된 만큼 콜렌토 부인에게 더 깍듯이 대하는 게 좋을 거야."

"네. 그럴게요."

별관에서 지내니 원하지 않아도 외딴 섬에 동떨어진 기분이 들곤 한다. 그런 나를 배려하는 건지, 아니면 단순히 마음 털어놓을 곳이 필요한 건지는 몰라도 메어리는 종종 별관을 찾아와 내게 이런저런 이야기를 남기고 갔다. 나로선 본관의 소식을 빠르게 들을 수 있는 기회인 만큼 메어리의 방문이 기꺼웠다.

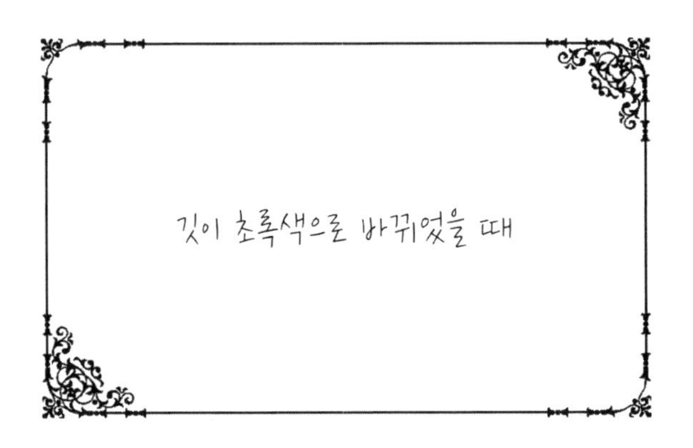

그리고 어젯밤에는 서점에서 답신까지 받아왔으니…. 이제 하루에 한 번씩 번화가로 내려가 서점 간판에 걸린 깃의 색만 확인하면 될 일이었다.

"저 모레부터 따로 방이 생겨요."

"그거 축하할 일이네. 카센 경과는 어때?"

"나쁘지 않아요. 이야기해 보니 각하와 검밖에 모르는 남자더라고요. 차라리 그게 낫다 싶어요."

"멋진 로맨스를 꿈꾸던 아가씨는 어디로 가고."

"하나를 얻으면 하나를 포기해야 하잖아요. 전 지금으로 만족할래요."

메어리는 변했다. 늦여름에 잉고르드 저택을 찾아왔던 어린 여인은 이제 다소 지친 얼굴을 하고 있었다. 고작 한 계절도 안 되어 메어리는 잉고르드에 순응하고 성숙해졌다. 베르크네가 내게 했던 말이 이런 의미였을까 싶었다.

"수잔."

그때, 주방 밖에서 그녀를 부르는 목소리가 들려왔다.

"베르크네 씨."

호랑이도 제 말하면 온다더니. 메어리가 눈치 좋게 몸을 일으켜 주방을 벗어났다. 베르크네는 선 자세 그대로 내게 안부 인사를 건넸다.

"안색이 눈에 띄게 좋아졌군."

"제가요? 그럴 리가요."

베르크네가 나를 찾아오는 경우는 하나밖에 없다. 바로 리히튼에게 데리고 갈 때. 그러나 베르크네는 딱히 그럴 생각이 없어 보였다.

"할 말 있으세요?"

말을 고르듯, 잠시간 턱을 쓸던 베르크네가 내게 물었다.

"수잔. 킨과 결혼할 생각 없나?"

"미치셨어요?"

베르크네를 안 이래로 그에게서 들은 말 중 가장 어처구니없는 소리였다. 그러고 보니 피오라 부인도 비슷한 소릴 했었지. 엮여도 하필 킨이랑 엮이다니. 당장 어제의 헛짓거리만 상기해도 머릿속이 싸늘하게 식었다.

"킨은 유서 깊은 귀족 가문 혈통이야. 역모 죄를 뒤집어쓰고 영지와 재산을 몰수당한 터라 무고를 입증할 시간이 필요할 뿐."

"그 입증을 각하께서 해 주실 거란 소린가요?"

거래를 한 건가. 어렴풋하게나마 킨이 나와 베르크네처럼 잉고르드 독에 중독되지 않은 이유를 알 것 같았다.

'그는 돌아갈 곳이 있었던 거야.'

그를 나와 같은 개로 취급했던 과거의 행적들이 의도치 않게 우스워졌다.

"킨의 가문은 네가 예상하는 것보다 훨씬 더 대단한 집안이다. 남은 혈족이 킨뿐이니, 무죄가 입증되면 누구도 넘볼 수 없는 자리에 오를 거야. 그의 부인이 되는 것도 나쁘지 않을 텐데?"

"전 각하의 개잖아요."

킨이 비록 나와 다른 처지라고는 해도 베르크네의 헛소리가 이해되는 건 아니었다. 백 번 양보해서 죽지 못해 사는 내 꼴에 동정심이 일었다고 치자. 그런데 왜 하필이면 킨이란 말인가. 그것도 하필이면 이런 시기에.

"게다가 살아 숨 쉬는 독이나 마찬가지죠. 이런 저보고 결혼이요? 제가 비록 킨을 싫어하긴 하지만, 그에게 몹쓸 짓까지 하고 싶지는 않네요."

"해독제는 있어. 킨이 각하께 부탁한다면 들어 주실지도 모르지."

지극히 현실적인 조언만을 하는 베르크네의 입에서 나왔다기엔, 너무나 두루뭉술한 소리지 않은가. 어물쩍 넘기기에는 상대가 상대다. 내게 무엇을 알리려는 거지?

"아즈마리아 아가씨의 영향력이 그렇게 큰가요?"

"영향력? 기사와 고용인들이 시끄러워졌다는 것 외엔 솔직히 모르겠군."

알고는 있었지만 베르크네의 입을 통해 직접 들으니 이상하게 마음이 놓였다.

"마치 제가 더는 필요 없다는 듯 이야기하시기에. 각하께서 아즈마리아 아가씨의 열렬한 구애에 못 이겨 홀라당 넘어가신 줄 알았어요."

"그것과 이게 무슨 상관이지?"

"사랑하는 여자를 위해 잔혹하고 비열했던 과거의 흔적들을 지우는 거죠. 이를 테면 잉고르드 독이나 저 같은."

"건방진 소리는 삼가라, 수잔."

"그것도 아니면 무슨 일 있나요?"

대체 무슨 일이기에 별관까지 찾아와 내게 결혼이나 하라는, 평범해서 더욱 수상한 잔소리를 해대는 걸까. 긴 침묵 끝에 베르크네가 입을 열었다.

"당분간 킨 옆에 붙어 있도록 해. 녀석이 좋아하는 사과 파이로 꼬셔서 별관에 붙여놓든지, 아니면 억지로 끌고 다녀서라도."

그 말이 끝이라는 듯, 베르크네는 반쯤 몸을 돌린 채 내게 대답을 종용했다. 그것도 웃음기 하나 없는 얼굴로.

"노력할게요."

그가 떠난 후 나는 주방에 덩그러니 남겨졌다. 그 주인에 그 측근 아니랄까 봐. 속 시원하게 알려 주는 구석이 조금도 없었다. 하지만 반대로 생각하면… 이것이 베르크네의 최선일 수 있다는 생각이 들었다.

"베르크네가 조심할 정도라."

설마 리히튼이 날 처리하려고 하는 건 아니겠지. 아닐 거야. 하지만 아니라는 보장이… 없다. 오히려 그는 모종의 이유로 날 증오하고 있지 않은가. 아아. 지친다.

해가 진 후, 아즈마리아와 함께 본관에서 열리는 만찬에 참석했다. 나는 멀찍이 선 시종들 사이에 껴서 아즈마리아만을 보필했다. 일렁이는 촛불 속에서 간간히 보이는 얼굴이 백옥처럼 곱고 아리따웠다. 만찬의 분위기는 좋게 표현해도 무난하다고 말하지 못할 것 같았다. 리히튼은 가만히 앉아 음식만 삼켰다. 힐끔 그를 훔쳐보기 바빴던 아즈마리아도 나중에는 지쳤는지 얌전히 식사에만 집중했다.

"하다못해 그 간악한 빌힐름이 보낸 간자라는 생각은 안 드는 것이오!"

"자네, 월 영애를 앞에 두고 무례하군."

"우리는 죽어도 찬성할 수 없소. 그래, 차라리 죽는 것이 나아! 이제껏 쌓아온 것들이 단숨에 무너지는 꼴은 절대 못 보오."

아즈마리아는 자리에 없는 취급을 당했다. 마른 등이 지쳐 보였다. 그녀는 내가 시중을 들기 위해 가까이 다가갔을 때만 숨통이 트이는 얼굴을 했다.

공교롭게도 만찬은 생각보다 훨씬 이른 시간에 끝났다. 일부 귀족들이 더는 한자리에 있을 수 없다며 자리를 뜬 탓이다. 의견은 모아지지 않았다. 내일 이 지겨운, 토론 아닌 다툼을 더 참아내야 한다니.

"생각했던 것보다 훨씬 더 피곤하네요. 오늘은 일찍 누워야겠어요."

아즈마리아의 불은 밤 아홉 시도 되지 않아 꺼졌다. 나는 그녀가 잠든 모습을 확인한 후 몰래 저택을 벗어났다. 그리고 번화가로 뛰듯이 걸었다. 내일은 더 바쁠 테니 지금이 아니면 나오지 못할 수도 있다.

"헉, 헉…."

그리고 도착한 건물 앞에서 걸음을 멈추었다. 서점의 문 위쪽에 짧은 천이 펄럭이고 있었다. 녹색의 깃. 심장박동이 빠른 속도로 뛰기 시작했다. 갈비뼈를 뚫고 터져 나오지는 않을까 걱정이 들 정도였다. 저 안으로 발을 디디면 나는 빌힐름의 흔적과 마주하게 될 것이다. 그걸 알기에 두 다리가 움직이지 않았다.

'너는 내가 가진 것들 중 가장 아름다고 가장 약하며 가장 처절하고, 가장 추잡하지. 하지만 괜찮아. 난 그런 너를 통해서 살아 있다고 느끼니까.'

시를 낭송하듯 조화로운 음률의 목소리가 떠올랐다. 그는 내게 있어 살아 있는 공포다. 과거에는 극복해야 할, 혹은 죽여야 할 적이었을지 몰라도 지금의 내게는 증오심보단 두려움이 더 선명하게 남아 있었다.

'하지만 모두 과거의 일이지.'

굳게 닫힌 문 앞에 멈춰 섰다. 빌힐름이 이 문 너머에서 날 기다리고 있을 것도 아닌데, 극심한 긴장감으로 손이 뻣뻣했다. 나는 왜 빌힐름을 올곧은 길을 따르는 정의의 대변자라고 여겼을까? 빌힐름의 약혼자는 어째서 자신을 아그레인이라 여기는가. 빌힐름은 어째서 내게 아그레인의 초상화가 그려진 펜던트를 선물했는가. 나에게는 그 진의를 알아내는 것이, 이곳에서 도망치는 것보다 훨씬 더 중요했다.

"왜."

왜냐하면…. 순간, 시간이 멈춘 것처럼 나의 모든 호흡이 멈추었다. 기다란 그림자가 등 위에 조용히 내려앉았다. 내 어깨를 스치고 뻗어 나온 팔이 문을 밀어냈다.

“왜, 들어가지 않고 가만히 서 계시는지.”

이다지도 다르다. 과거의 꿈을 꾸기 전까지, 그는 나에게 있어 『태양이 흐르는 강』 속 주인공에 불과했다. 하지만 지금은 아니었다. 허구를 지워낸 진짜 빌힐름이 내 안에서 똬리를 틀어 가고 있었다. 그의 이름에는 쇠로 만든 가시가 돋쳤고 악취가 나는 구정물이 떨어졌다. 수년 전의 기억일 뿐인네, 내게 미치는 영향력은 지대했다.

“혹시 절 기다리고 계셨던 겁니까?”

괜찮아. 나는 지금 잉고르드에 있어. 그의 개가 아니야. 이를 악물고 몸을 돌렸다. 그 자리에 내가 알던 꿈속의 그 소년은 없었다. 밤하늘을 등지고 선, 부드러운 미소를 걸친 성숙한 남자만이 존재했다.

“나는….”

아무렇지 않은 척 대답하려다가 숨을 고르기 위해 다시 입을 닫았다. 베일 아래의 얼굴을 본 적 없는 빌힐름이 나를 아는 체한다. 이는 내가 아그레인이라는 완벽한 방증이기도 했다. 안도감은커녕 과도한 긴장으로 입 안이 마르기 시작했다. 내가 여기서 그를 아무렇지 않게 대한다면 여러모로 불리해질 수 있었다. 최대한 아무것도 모르는 척하자.

“누구시죠?”

“모르는 척하실 필요 없습니다. 시간이 흘러도 당신의 얼굴은 그대로니까.”

빌힐름이 부드럽게 웃었다.

“덕분에 하마터면 몹쓸 짓을 할 뻔했지만… 안으로 들어가지요. 날이 꽤 쌀쌀하군요.”

직접 문을 열어 날 안으로 들이는 모습에는 여유가 넘쳤다. 나 역시 그의 미소를 따라하며 대답했다.

"제국의 황자씩이나 되시는 분이 저를 알고 있을 줄이야…. 진실로 이 현실이 믿기지 않네요."

"현실이라. 내가 당신을 안다는 현실을 말하는 건지, 당신이 잉고르드에서 하녀 노릇을 하는 현실을 말하는 건지 도통 모르겠군요."

빌힐름의 물음은 꽤 노골적이었다. 나를 떠보려는 심산이구나. 그가 지금의 나에 대해 아는 건 고작 잉고르드의 하녀라는 점이 전부일 것이다. 이는 그와의 대화에서 우위를 점할 수도 있다는 의미였다.

"내가 잉고르드에서 지내는 게 그쪽에게 놀라운 일인가요?"

"놀랍습니다. 그것도 몹시."

"이해할 수 없는 소릴 하시네요. 내가 말한 현실은 전자였는데."

서점은 어둡고 건조했다. 메마른 공기가 살갗에 닿아 오자마자 문이 닫혔다. 일렁이는 등불, 고립된 공간, 그리고 빌힐름. 최대한 느리게 숨을 골랐다. 아그레인은 잊자. 지금부터 나는 수잔이야.

"제 서신 때문에 잉고르드까지 오신 건 아니겠죠?"

"왜 아니라고 생각하시는지 궁금하군요."

"어제 보낸 서신이 하루도 안 되어서 황성까지 날아갔으리라고는 생각하지 않아서요."

"잉고르드에 정착해 당신이 나를 부르길 하염없이 기다렸을 수도 있지 않을까요?"

고저 없이 차분한 음성이었다. 빌힐름은 오래된 나무 의자를 내게 밀고, 자신은 낮은 사다리에 걸터앉았다. 눈앞의 빌힐름은 마치 다른 사람처럼 느껴졌다. 아니, 내가 오랜 시간 알던 빌힐름에 걸맞았다는 표현이 더 옳을 터였다. 이 이야기의 주인공. 수많은 시련을 이겨내고 최후의 승리자가 될 남자. 리히튼의 목을 자르고 제왕이 될 남자. 그의 태도와 표정, 어투에서는 고압적이거나 서늘한 분위기가 조금도 느껴지지 않았다. 오히려 신사다운 기품과 고고함이 당연하다는 듯 몸에 배어 있었다. 꿈속의 소년은 마치 환상처럼 느껴질 정도였다.

"아그레인이라고 부르면 되겠습니까?"

"아니요, 수잔이라고 불러 주세요. 아그레인은 너무나 남의 이름 같아서."

의자에 조심스럽게 앉으며 대답했다.

"익숙하지는 않아도 마땅히 당신의 것입니다."

그가 긴 팔을 뻗어 테이블 위 등불에 불을 붙였다.

"내가 당신의 친척이라고 했었죠."

"정확히 기억하고 계시는군요."

"황실일 리는 없고… 그렇다면 나는 귀족 가문의 영양인 건가요?"

은근한 기대감이 서린 목소리로 물었다. 빌힐름의 개로서 살아온 역겨운 과거는 조금도 알지 못하는 것처럼.

"예. 수잔, 당신은 그렌페르크 제국에서 가장 역사가 깊은 가문의 일원이자, 마지막 후계자입니다."

"그곳이 어디죠?"

"캐롤드."

수년 전 멸문한 가문의 이름을 아는 하녀는 그리 많지 않다. 나는 처음 들었다는 듯 어색한 표정으로 감탄사를 내뱉었다.

"정말 놀랍네요. 나는 내가 부모도 모르는 고아라고 생각했는데. 한데 마지막 후계자라면…."

"당신이 사라진 후 멸문했습니다. 캐롤드는 그 흔한 방계도 없던 가문이었으니까요."

"이런, 그런 비극적인 일이 있었다니."

옛 이야기를 하는 그의 얼굴은, 착각이 아니라면 조금 지루해 보였다.

"저는 조금 더 놀랄 줄 알았는데 말입니다."

"그렇게 생각하셨을 수 있어요. 하지만 솔직히 남의 일처럼 느껴지니까요."

"이상한 일이군요. 진심으로 남의 일처럼 느꼈다면 제가 서신을 받는 일도 없었을 텐데요."

빌힐름의 귀공자처럼 새하얀 얼굴 위로 긴 그림자가 졌다.

"제가 기억을 잃었다는 걸 알고 계시네요."

"어떻게 모르겠습니까?"

"나야말로 묻고 싶어요. 어떻게 아는 거죠?"

빌힐름이 턱을 괸 채 내 눈을 물끄러미 응시했다. 나는 고개를 돌리지 않았다. 과거를 모르는 수잔은 그의 시선을 피할 이유가 없었으므로.

"나는 처음부터 당신이 빌힐름 황자라는 걸 알고 있었는데. 오히려 내가 모르는 척하는 거라 여길 수 있지 않나요? 그게 아니라면… 우리가 꽤 돈독한 사촌지간이었나 보네요."

돈독한 사촌지간. 내 입으로 나온 말이지만 역한 기운이 명치로부터 올라오는 것을 막을 수 없었다.

"수잔 양."

"네."

빌힐름이 길게 숨을 들이켰다.

"크로허츠에서 당신을 만났을 때, 그때의 내 심정을…."

지루함을 참아내던 얼굴에 흐릿한 환희가 떠올랐다.

"수잔 양은 죽는 그날까지 모를 겁니다."

알고 싶지 않은 감정이었으나 눈을 뗄 수 없었다. 빌힐름이 내게서 단 일초도 시선을 돌리지 않았기 때문이다.

"그래서 서신을 받고 꽤 고민했습니다. 당신이 말하는 도움이 무엇을 위한 도움인지 곧바로 파악하기 힘들더군요."

"제가 너무 두루뭉술하게 적기는 했죠. 죄송해요."

"아니요. 수잔 양을 돕는다는 건 내게 아주 즐거운 고민이니까요."

진심이라는 듯, 빌힐름이 처음으로 따스한 미소를 띠었다.

"기억을 잃은 당신이 고작 첫 만남이 다인 내게 도움을 요청했으니… 그만큼 급박한 상황일 거라 여겼습니다."

대답하지 않고 옷깃을 매만지며 머뭇거렸다. 그의 눈에 비치는 나의 모습이, 가능하다면 최대한 허술하고 속이 얕은 사람으로 보이길 바랐다.

"리히튼 공작입니까?"

"제 고용주가 리히튼 공작 각하이시긴 하죠."

"수잔 양. 고용주는 하녀에게 살인을 가르치지 않습니다."

"아니요. 저는 하녀가 맞아요. 다만 그분이 하라는 대로 움직일 뿐이에요."

"그가 두렵습니까?"

빌힐름의 목소리는 몹시 다정했다. 여유롭고 정중한 태도를 보이며 최대한 내가 긴장감을 느끼지 않도록 유도했다. 그것도 아주 능숙하게. 과거의 그를 몰랐다면 내 속마음을 거리낌 없이 모두 털어놨을 것이다.

"어느 누가 리히튼 각하를 두려워하지 않겠어요? 눈이 마주칠 때마다 감당할 수 없는 살의가 느껴지고, 어쩔 수 없이 두 다리가 덜덜 떨려서…."

"그가 수잔 양을 정부처럼 대하지는 않습니까?"

순간 모래를 삼킨 듯 목구멍이 턱 막혔다. 아아, 바보 같은 수잔. 수 초가 흐른 후 내 표정이 무너졌다는 사실을 알아챘다. 너무 걱정하지 말자. 동요한 모습을 보인 것이 더 나을 수도 있으니까.

"아, 죄송합니다, 표현이 너무 노골적이었군요."

"그게 대체 무슨 의미죠?"

이건 기회였다. 내가 모르는 리히튼에 대해 알아낼 수 있는 기회. 빌힐름이 굳게 닫힌 입술을 짧게 쓸었다. 무언가 깊게 생각하는 눈치였다.

"수잔 양, 잘 들으십시오. 리히튼 공작이 진정으로 무서운 이유는 사람을 손바닥 위에 둔 채 가지고 놀기 때문입니다."

"그 정도는 저도 충분히 알고 있어요."

"당신은 모릅니다. 그가 처음부터 그 자리에 있었다고 생각합니까? 아니요, 공작은 시궁창보다 더 낮은 바닥에서 기어 올라온 남자입니다."

조소할 수밖에 없는 발언이었다. 그 시궁창의 주인이 바로 빌힐름 본인이라는 걸, 내가 모르고 있으리라 생각하겠지.

"공작은 사람이 무엇에 끌리고 무엇을 원하는지 확실하게 알고 있습니다. 그리고 교묘하게 이용하지요. 상대가 하녀라면 더더욱 쉽겠군요. 당신이라는 존재가 공작에게 특별한 존재인 것처럼 굴지는 않았습니까?"

그러나 이어지는 말은 내가 더는 조소할 수 없도록 만들었다.

"어느 날은 욕망을 비추고, 어느 날은 아무 일도 없었다는 양 행세하고. 다른 이들에게는 냉혹하지만 당신의 말에는 귀를 기울인다거나, 혹은 당신 앞에서만 흔들리는 모습을 보인다거나."

동요하고 싶지 않아도 빌힐름이 뱉은 낱말 하나하나가 귀에 틀어박혔다. 리히튼과 나눈 대화, 그가 내게 보인 표정들이 선명하게 머릿속에 떠오르다 사라지길 반복했다.

'내가 너의 주인이라니. 지랄 맞게 과분한 꿈이로군.'

'아즈마리아 윌 영애가 내게 혼인을 요구하는데, 소중한 연인의 의사를 묻지 않을 수 없지.'

'난 오직 너 하나만을 보고 여기까지 왔어. 이 끝나지 않는 끔찍한 지옥에서 너 혼자 편한 꼴은 못 보지. 내가 지금 누구 때문에 이 꼴이 되었는데.'

힘겹게 떨쳐내자 이번에는 기억 깊숙한 곳에서 떠오른 베르크네의 조언이 리히튼의 목소리를 뒤덮었다.

'수잔. 각하께서 우리를 특별히 여긴다 하여, 멍청하게 두 눈을 감고 있으면 안 된다. 자만은 잉고르드의 독과 달라. 널 집어삼키고 종국엔 몰락하도록 만들 거다.'

빌힐름이 말을 이었다.

"충분히 이해합니다. 아즈마리아 웰에게 보이는 호의는 가짜이고, 수잔 양에게 보이는 감정의 파도는 진실한 마음으로 느껴졌겠지요. 리히튼 공작에게는 손쉬운 일입니다. 그런 식으로 원하는 것을 빼앗고 정복해 왔으니까."

휘둘리면 안 된다. 하지만 휘둘린 것처럼 보여야 해.

"거짓말하지 마요. 아니야, 리히튼은 내게…."

얼굴을 감싸며 꽉 맞물린 입술을 열었다. 아닌 척해도 반쯤은 진심이나 다름없다는 걸, 나 또한 인정하고 있었다. 빌힐름은 모르겠지만 그의 주장에는 커다란 구멍이 나 있다. 나는 리히튼에게 있어 아즈마리아 웰이나 에리얼 크로허츠와 전혀 다른 존재다. 그들과 달리 리히튼에게 빼앗길 것이 아무 것도 없으며, 빌힐름이라는 사슬을 통해 과거를 공유하고 있었다.

"공작과 수잔 양이 과거에 인연이 있다는 사실은 압니까? 정확히는 인연이 아니라 악연이겠군요. 그 손으로 직접 공작이 가장 소중하게 대하던 것을 완벽하게 박살냈으니."

심장이 뛰었다. 빌힐름의 발언이 이제껏 내가 가장 궁금하게 여겨온 정보였기 때문이다. 아그레인은 어찌하여 리히튼의 증오를 받게 되었는가? 그 진실을 아는 자가 눈앞에 있었다.

"소중한 것이라니요?"

"지금은 말씀드릴 수 없습니다. 아무 것도 기억하지 못하는 당신에게 말해 봤자 혼란만 가중될 뿐입니다."

"이미 충분히 혼란스러워요. 오히려 잊어버린 과거를 알려 주는 게 내게 도움이 될 수 있어요."

"도움이라…. 그것이 어떻게 당신에게 도움이 됩니까? 리히튼 공작의 증오가 당신을 향하게 된 이유를 알면, 가서 무릎 꿇고 사죄라도 할 생각입니까? 그가 과연 당신을 용서할까요? 용서하지 않는다면 남은 수는 도망치는 것뿐이겠군요. 사냥감을 절대 놓치지 않는 리히튼 잉고르드에게서."

다정한 음성이지만 가슴 안쪽을 강하게 후벼 파는 말들이다. 더욱 개 같은 건 그의 말에 틀린 소리가 하나도 없다는 사실이었다. 리히튼은 요새와도 같은 남자다. 항상 지켜보고 있다는 말을 증명하기라도 하듯, 돌연 나타나 날 저택 안에 가둬두고 사라진다. 그는 모든 것을 알고 있다는 듯 행동하며 실제로 빌힐름의 심복들은 하나둘 그의 손에 무너져 가고 있었다. 이 모든 것이 리히튼이 짜 놓은 계획의 일부라면…. 빌힐름의 말대로 나를 향한 리히튼의 감정은 껍질만 남은 채 오래전에 쇠퇴했을 지도 모를 일이다.

"공작은 오직 복수만을 위해 살아왔습니다."

리히튼에게는 아즈마리아도 에리얼도 수잔도 아그레인도 모두 수단에 불과할 수 있었다. 자신의 목적을 이루기 위해 완벽하게 설계된 수단.

"그러니 수잔 양을 죽일 겁니다. 세상에서 가장 비참하고 또 고통스럽게."

어느새 다가온 기다란 손가락이 내 턱을 끌어 올렸다. 등불에 일렁이는 빌힐름의 붉은 눈동자가 용암처럼 뜨거운 울림을 발했다.

"당신이 모든 불안을 떨친 후 완전히 마음을 열었을 때. 누구보다 가장 비참하고 잔혹하게."

"그건 당신도 포함된 결말인가요?"

"공작이 내 이야기를 했습니까?"

"그분은 당신을 항상 평생의 철천지원수인 양 언급하셨죠."

리히튼의 소중한 것은 과연 무엇이었을까. 무엇이었기에 아그레인은 그를 짐승처럼 가둬 두었던 빌힐름과 비견되는 증오를 받아야 하는 걸까.

"나는 이제 어쩌면 좋죠?"

그의 손이 내 뺨을 부드럽게 쓸어 내렸다. 평온함이 깃든 시선으로 어린 아이를 달래듯 입을 열었다.

"나와 돌아갑시다, 누이. 누이의 핏줄을 증명해 가문을 재건하고, 스러졌던 캐롤드의 역사를 다시 세우는 겁니다."

"제가 돌아갈 곳은 어디죠?"

"황성."

헛웃음이 났다. 꿈에서 아그레인이 그랬듯, 쇠창살에 갇혀 길러지던 그 핏줄임을 증명받고 또 다시 갇히라는 소리가 아닌가. 망발도 그런 망발이 없다.

'빌힐름은 아직 날 포기하지 않았어.'

이유가 뭐지? 옛적의 그 추잡한 감정이 남아서? 아니면 또 다른 노림수가 존재하기 때문에?

"하지만 저는 그분이 아니면 안 돼요."

고개를 젓고 뺨에 닿은 그의 손을 조심스레 털어냈다. 아즈마리아가 종종 지었던 그 가련한 표정을 따라했다. 떨쳐내지 못하는 미련과 미약한 기대감이 엿보이는 그 표정을.

"저는 리히튼 각하를 사랑해요."

숨 막히는 눈빛이 날 잡아먹을 기세로 훑었다. 직전까지의 친절함과 기품이 느껴지던 분위기는 흔적도 없이 사라져 있었다. 빌힐름으로부터 고개를 돌렸다. 그의 본성을 마주하고 있노라면 기억 속 잔상으로만 남은 두려움이 다시 수면 위로 떠오를 것 같았다.

"…더는 늦출 수 없겠군. 내가 당신을 데리러 가겠습니다."

그가 내 손을 잡고 서점을 나갔다. 손바닥에 땀이 고이는 느낌이었다. 문 앞에 선 그는 가볍게 날 껴안았고, 이마 위로 짧게 입맞춤을 남겼다.

"그곳에서 누이를 구할 나를 기다리세요."

빌힐름은 나를 배웅했다. 마치 자신에게로 다시 돌아올 것을 예감한다는 듯 여상한 얼굴이었다. 나는 도망치듯 그 자리를 떴다. 길목에서 방향을 틀 때까지 수십 번 뒤를 확인했고, 고개를 틀 때마다 빌힐름은 그 자리에 그대로 서 있었다.

"미친 새끼."

날 구하겠다는 개소리를 하다니. 뛰듯이 걸어 번화가를 벗어났다. 등 뒤로 그의 그림자가 길게 뒤따라오는 착각이 일었다. 어둠을 헤치고 잉고르드 저택 후문에 도착한 건 그로부터 십 분 가량이 흐른 뒤였다. 이상한 낌새를 느끼고 걸음을 멈추었다. 커다란 느릅나무가 선 자리에 노란 불이 떠올라 있었다.

"킨."

긴장으로 심장박동이 빨라지는 것이 느껴졌다. 저리도 큰 신장에 저런 껄렁한 자세로 기대어 있을 남자는 한 명뿐이었다.

"설마 기다린 거야?"

가까이 다가가자 희미한 빛에 그림자 진 얼굴이 드러났다. 나를 응시하는 킨의 표정은 몹시 차가웠다.

"너, 베르크네 씨의 충고를 잘 새겨듣는 편이 좋을 거다."

"충고?"

"쯧. 멍청한 얼굴로 모르는 척하기는. 혼자 다니지 말란 충고가 기억 안 나는 거냐?"

킨이 앞장서서 저택으로 몸을 틀었다.

"이유도 알려 주지 않고 그런 충고를 하면… 잘 지켜질 리 없지."

"혹시나 하는 마음에 미리 말해 두는데, 나도 몰라."

"바라지도 않으니 괜한 걱정 말아 줄래?"

어딜 갔다 왔느냐고 묻지 않는 점이 안도되면서도 불안했다.

"베르크네 씨에게도 말하지 못할 이유가 있겠지."

말라가는 초원을 건너며 킨의 말에 대답했다.

"그렇겠지. 함부로 입에 담을 수 없는 인물과 연관됐다거나. 입에 담을 수 있어도 확신할 수 없다거나."

아무리 머리를 굴려도 떠오르는 건 리히트의 얼굴뿐이다. 하필이면 빌힐름이 확신하는 투로 내게 경고한 뒤라 더욱 그러했다.

"베르크네 씨의 말은 참 잘 듣는단 말이지."

킨이 힐끔 나를 돌아봤다. 밤바람에 그의 붉은 머리칼이 거세게 휘날렸다.

"어쩐지 느낌이 좋지 않아."

"감에 따르는 편이었어?"

"나 정도 되는 기사는 감도 믿을 만하다고. 그러니 조심하는 게 좋을 거다, 수잔."

조심이야 늘 하고 있다. 귓가에 스치는 바람 소리가 스산하다. 어쩐지 저 멀리서 천둥소리가 들려오는 것 같기도 했다.

"내일은 태풍이 오겠군."

빨라지는 킨의 걸음을 뒤따라 저택 안으로 들어갔다. 별관 밖에서 올려다보는 아즈마리아의 방은 밤하늘과 구분이 안 될 정도로 어두웠다. 조용히 문을 열고 주방을 지나쳐 침실로 향했다. 아니, 지나치려고 했다.

"수잔."

언제부터 기다리고 있었는지 모르겠다. 식탁에 앉아 있던 아즈마리아가 천천히 의자를 밀어내며 일어섰다. 예상하지 못한 인기척에 몸이 굳었으나, 이내 아무렇지 않은 척 그녀에게 물었다.

"필요한 게 있으신가요?"

"아니요, 그건 아니에요."

"그렇다면…."

아즈마리아는 입을 닫고 물끄러미 내 얼굴을 들여다봤다. 정적 속에서 희미했던 빗소리가 점차 선명해졌다.

"대단한 일은 아니에요. 침대에 누워서 공상하다가 문득 그런 생각이 들어서요. 수잔에게 많은 도움을 받고도 제대로 고마움을 나타내지 못한 것 같다고."

"저는 신경 쓰지 않습니다. 말씀만으로도 감사합니다."

다소 갑작스럽다고 느껴지는 고백이었다.

"몸은 이제 완전히 나았나요?"

"네."

"아, 놀랍네요. 몹시 치명적인 독일 텐데."

무슨 의도일까. 굳이 이 시간에 내게 감사를 표하며 몸 상태를 묻는 이유. 그 이유를 알 수 없으니, 최대한 몸을 사리며 대답할 수밖에 없었다.

"제게는 웬만한 독이 안 통합니다. 면역이 있어서요."

"그것도 리히튼 각하의 그림자이기 때문인가요?"

"네."

아즈마리아의 얼굴에 씁쓸한 감정이 떠올랐다.

"미안해요. 제가 괜한 것을 물었네요."

"괜찮습니다."

설마 정말 시시콜콜한 이야기를 나누기 위해 나를 기다린 건 아닐 테지. 아즈마리아가 식탁에 놓여 있던 무언가를 집어 들었다. 흐릿해 자세히 보이지는 않았으나 분명 고급 종이 상자였다. 짧은 고민 끝에 그녀의 손에서 상자가 열렸다.

"하녀들에게는 장식품 착용이 허용되지 않는다고 들었지만, 수잔은 내 아이의 유모가 될 사람이니 이 정도는 괜찮을 거라 생각해요."

내 기억이 틀리지 않았다면, 아즈마리아는 자신의 입으로 아이는 만들지 않을 것이라 단언했었다.

"제가 가진 귀걸이 중에서 가장 값비싼 흑진주예요. 일부러 눈에 많이 띄지 않는 물건으로 골랐어요."

그녀가 내민 물건은 먹물을 먹은 듯 까맣고 부드러운 윤기가 도는 흑진주 귀걸이였다.

"아가씨, 이런 건 받을 수 없습니다."

"값비싸다는 수식언을 붙였기 때문인가요? 하지만 나는 이 귀걸이를 더는 즐겨 사용하지 않아요."

"저는…."

"당신은 나의 생명의 은인이에요, 수잔. 부디 내가 체면 차릴 수 있도록 도와주세요."

반강제로 받는 선물을 과연 선물이라 할 수 있을까. 더는 거절할 수 없었기에 그녀에게서 귀걸이를 받았다.

"감사합니다."

"내가 도와줘도 될까요?"

대답하기도 전에 아즈마리아가 귀걸이 한쪽을 손으로 집었다.

'왜 서두르는 것처럼 보이지.'

굳이 지금. 머리를 귀 뒤로 넘기자 아즈마리아가 한쪽씩 차례대로 귀걸이를 끼워 주었다.

"상상했던 것보다 훨씬 더 잘 어울리네요."

하녀복에 진주 귀걸이라. 정말 잘 어울리는 걸까 의문이 들었다.

"항상 착용해 줄 거죠?"

"네, 그러겠습니다."

아즈마리아가 만족스러운 웃음을 지었다. 나는 그녀가 주방을 벗어난 한참 뒤에 침실로 돌아갔다. 많고 많은 것들 중 왜 하필 귀걸이일까. 왜 하필 가장 눈에 띌 수밖에 없는 귀걸이일까. 아즈마리아는 베아트리체 왕녀에게도 선물을 건넨 적이 있었다.

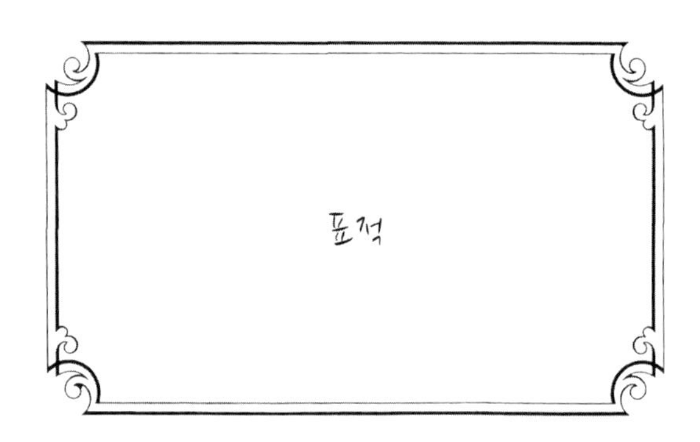

귀걸이는 서신보다 더 한눈에 들어오고 사람을 구분하기에도 쉬운 물건이지 않은가.

'베르크네 씨가 조심하라고 했던 이유는 리히튼이 아니라 아즈마리아였던 건가….'

하지만 이런 식으로 나를 처리하려 하는 건 너무나 갑작스러운 행동이었다.

'아니지. 갑작스러운 일이 아닐 수도 있어.'

리히튼의 최측근을 차례대로 죽이려는 계획이거나, 미래를 아는 존재가 본인 하나면 족하다는 판단하에 세운 계획이거나.

'전자는 아니야. 그럴 낌새였다면 베르크네 씨가 굳이 숨기려 하지 않았겠지.'

그렇다면 아즈마리아의 타겟이 오롯이 나로 한정된다고 볼 수 있었다. 무슨 의도인지 궁금했다. 아즈마리아는 홀로 미래의 정보를 독점하고 싶은 걸까? 혹은.

"날 연적으로 여긴다거나."

미래가 아니라 리히튼을 독점하고 싶은 건가. 귀에 걸린 진주를 조심히 쓸었다. 사실상 암살자에게 죽여 달라고 알리는 표식이나 다름없었다. 나 혼자 처리할 수 있을까. 그렇게 밤새 빌힐름과 아즈마리아에 대해 고민하다가 까무룩 잠들었다.

태풍이 몰아쳤다. 나는 폭포수처럼 떨어지는 빗속을 거침없이 걷고 있었다. 이제는 인지할 수 있다. 이곳은 내 꿈속이다. '그 시기'의 황성에서 빌힐름의 개로 지내는 꿈.

[하아, 하아….]

차갑게 식은 온기에 어깨가 덜덜 떨렸지만, 머릿속은 이상하리만치 차분했다. 손에 쥔 단검이 그 어느 때보다 가볍게 느껴졌다. 나는 리히튼을 만나러 간다. 비비안느에게 그러했듯 소년의 약점을 이용해 천천히 가까워질 생각이었다. 그러나 그런 마음도 오늘로써 완전히 불에 타 사라졌다. 비비안느가 여전히 빌힐름의 개였기 때문이다. 비비안느는 여전히 그에게 복종했고, 여전히 나와의 일상을 그와 공유했으며, 그럼에도 여전히 나를 사랑했다. 내가 원했던 건 이런 게 아니었다.

[나는 개가 필요해.]

비비안느를 통해 사탕을 이용한 꿀 발린 복종은 아무런 의미가 없다는 것을 배웠다. 복종에는 공포가 필요하다. 빌힐름이 나와 비비안느에게 그러했듯이.

[하아, 하아….]

그렇게 얼마나 깊은 숲을 헤치고 들어갔을까. 고대하던 낡고 병든 성이 시야에 들어왔다. 낮아지는 온기에 몸이 무거워지기는커녕 갈수록 가벼워진다. 흥분으로 머리에 열이 쏠렸다. 나는 거리낌 없이 문을 열고 성 안으로 들어갔다. 처음 방문하는 장소였으나 낯선 감각은 없었다. 나의 목표는 오롯이 하나였다. 그 목표를 위해 태풍 속에서 비까지 뚫고 이곳에 도달한 게 아니겠는가. 이층으로 올라가는 계단 근처에서 오래된 나무의 삐걱거리는 소음이 들렸다.

[누구세요?]

목소리의 주인은 황성에서 절대 찾아볼 수 없는 초라한 행색이었다. 비비안느의 말이 정확했다. 낡은 하녀 복에 푸석푸석한 갈색 머리카락, 야윈 뺨, 그럼에도 밝은 기운이 도는 까만 눈동자. 리히튼이 이곳에 감금될 때 함께 왔다는 하녀, 제인이었다.

[누구세요?]

[빌힐름 전하의 심부름을 왔어. 괜찮다면 지금 당장 리히튼에게 안내해 줄래?]

[누구신지 여쭈었어요.]

제인이 경계서린 눈빛으로 노려봤다. 나는 최대한 무해한 미소를 보이며 어수룩한 목소리로 대답했다.

[그분의 침실 하녀.]

제인은 나의 표현을 단숨에 알아들은 모양이었다. 잠시 머뭇거리다가 나를 이층으로 안내했다. 성은 심하게 낡은 것치고 퍽 관리가 잘되어 있었다. 저 하녀 혼자서 이곳을 관리하겠지. 멍청하지도 않은 데다가 맡은 바에 충실한 하녀라니. 마음에 드는 여자였다.

똑똑.

[리히튼 님. …빌힐름 전하께서 손님을 보내셨습니다.]

나 같은 이의 방문이 처음은 아닌 듯했다. 그렇다면 그들은 이 작고 불결한 성에 찾아와 빌힐름의 무엇을 전했을까. 이윽고 나타난 방 안은 구석구석에 자리한 수십 개의 등불로 눈이 아프게 환했다. 그리고 활짝 열린 창문 너머에서 쏟아지는 빗물로 인해 바닥이 엉망이었다.

[리히튼 님!]

소년은 고인 물웅덩이 위에 서 있었다. 이리저리 뻗친 뒤통수가 온전히 어둠 속에서 들이치는 빗발을 향해 있었다.

[리히튼 님. 그러다 감기 걸리세요.]

제인은 익숙한 듯 그에게 달려가 창문을 닫았다. 마른 이불을 끌어 리히튼의 젖은 머리칼과 얼굴을 세심하게 닦았다. 나는 그 광경을 만족스러운 기분으로 응시했다. 내가 원하던 게 바로 저기에 있다.

[리히튼 님. 빌힐름 전하의 손님이 오셨어요.]

소년이 내게로 몸을 틀었다. 앙상한 몸이었으나, 얼굴은 꽤 볼 만했다.

[…빌힐름?]

리히튼의 얼굴에는 아무런 감흥도 느껴지지 않았다. 소년은 멍한 표정으로 비척비척 다가와 내 앞에 무릎을 꿇었다. 그리고 가만히 내 얼굴을 올려다봤다. 정말 개 같았다.

[빌힐름이 네게 그러라 가르치던?]

대답은 없었다.

[빌힐름이 네게 개처럼 굴라고 명했느냐 묻잖아.]

역시 대답은 없었다.

[가엾은 리히튼. 너 역시 나와 같은 방식으로 평화를 얻었구나. 그 평화 속에서 행복하니?]

[네.]

처음으로 듣는 목소리였다. 듣기에 거북함이 일 정도로 거칠었다. 비록 목소리는 마음에 들지 않았지만, 리히튼의 대답은 만족스러웠다. 미약한 죄책감도 느끼지 않을 것 같아서.

[그렇구나. 행복하구나.]

문을 닫고 제인의 종아리뼈를 걷어찼다.

[악!]

숙여지는 머리를 쥐고 우비 안쪽에 달아 놓았던 단검을 빼들었다.

[왜 행복해? 나는 이곳에 온 이후 단 한 번도 행복한 적이 없는데.]

벽을 짚고 허우적거리는 손등에 검을 박았다. 힘이 모자라 완전히 관통시키지는 못했다. 박힌 단검을 다시 빼 제인의 목을 위협했다. 귀를 괴롭히던 비명이 그제야 잦아들었다.

[아, 아아!]

[납득할 수 없어, 리히튼. 어떻게 행복하다는 말을 해? 이런 더러운 시궁창에 갇힌 인생이 행복하다고?]

제인의 몸은 내가 태풍 속을 헤치고 왔을 때보다 더 강하게 떨었다.

[아….]

무감각하던 리히튼의 얼굴에 드디어 감정이라는 것이 피어났다. 아주 익숙한 표정이었다. 후드득 눈물을 떨어뜨린 소년이 엉금엉금 기어서 내 쪽으로 다가오려 했다.

[멈춰.]

[죄송해요. 자, 잘못했어요. 죄, 죄송해요. 다, 다, 다시는 안 그럴게요!]

[시끄러우니 조용히 좀 해 줄래?]

[저, 저를 벌주세요! 제가 잘못했어요. 제가 벌을 받을….]

[리히튼 잉고르드.]

소년이 울음을 멈추었다. 뚝 그친 그의 얼굴에 대고 조용히 말을 이었다.

[나는 하루하루가 지옥 같아, 리히튼. 이 새장에 끌려온 이후부터 매일매일이 그래. 그 개자식들에게 힘을 봉인당하고, 종처럼 부려지는 날들이 말이야. 죽이고 죽어 버리고 싶은 충동을 날마다 수십 번은 참아내지.]

리히튼의 멍청하기만 했던 낯 위로 색이 깃들기 시작했다. 마치 가면을 벗은 양 이전과는 상반되는 분위기의 인물이 눈앞에 나타났다. 소년이 나를 불렀다.

[캐롤드.]

[안녕, 리히튼. 앞으로는 아그레인이라고 불러 줘.]

제대로 마주하게 된 리히튼 잉고르드는 진중하면서 차분한 눈을 지닌 소년이었다. 낮게 울리는 목소리도 이전에 비해 훨씬 듣기 좋았다. 그에게 말했다.

[나는 여기서 나가야겠어.]

[어리석은 생각이야.]

[나갈 방법이 있어.]

[성공하지 못할 거다.]

제인의 떨림이 어느새 완전히 멈춰 있었다. 나는 손목을 틀어 그녀의 왼쪽 귀를 잘라냈다.

[아아악!]

[말을 잘 골라서 하는 게 좋을 거야, 리히튼. 나는 네가 상냥한 제인을 죽이지 않길 바라.]

피비린내가 강하게 풍겼다. 제인의 두 번째 비명에 리히튼의 안색이 눈에 띄게 창백해졌다. 안도감이 느껴지는 동시에 우스웠다. 멍청하게 황성에서 약점을 만들어 놓다니!

[으, 흑….]

제인의 울음보다 빗소리가 더 컸다. 그녀로부터 시선을 돌리지 못하는 리히튼이, 내게는 애착 인형을 버리지 못하는 어린아이처럼 보였다.

[빌힐름이 오늘 일을 모를 거라 생각하는 건가?]

[빌힐름은 이런 나를 가장 사랑하거든.]

너를 얻기 위해서라면 이보다 더한 것도 할 수 있어. 그 끔찍한 벌을 열 번은 더 받을 수 있다고.

[차라리 나를 죽여.]

[우리 왕자님… 아주 근사한 말을 하시네.]

제인의 전신에서는 이미 죽은 듯 힘이 빠져 가고 있었다. 턱 아래에 고정시켜 놨던 단검을 더 강하게 눌렀다.

[아아아!]

[나를 죽여, 제발….]

더, 강하게.

[흐흑… 흑….]

[네가 하라는 대로 다 할게.]

더.

[윽….]

[씨발, 당장 멈춰! 차라리 나를 죽이란….]

[내게 명령하면 안 되지, 리히튼.]

손에 힘을 빼지 않고 그를 향해 싱긋 웃음을 보였다.

[다시 말해 봐.]

얼마나 악물었으면 뜯긴 입술에서 피가 났다. 상처가 난 사람은 제인인데 죽어 가는 쪽은 리히튼이다. 나는 그를 이해할 수 없었다. 이 여자가 그렇게 소중해? 일그러진 눈가에서 금방이라도 눈물이 떨어질 것 같았다.

[제발, 제인을… 그 애를….]

빌힐름 역시 이해할 수 없었다. 이딴 걸 그렇게 재미있어 하다니. 역시 개새끼였어.

[너 정말 쓰레기처럼 약해 빠졌구나.]

손에서 힘을 뺐다. 행복을 느껴온 리히튼이 너무나 증오스러웠지만, 우리는 이제 한 배를 타게 될 사이가 아닌가. 나는 필요한 만큼의 고통만을 심어 주고 싶었다.

[제인은 네가 내 말을 잘 들으면 돌려줄게. 그전까지 내 성에서 귀빈처럼 지내게 될 거야. 이딴 곳에서 먼지 먹으며 하녀 노릇하는 것보다는 훨씬 행복하겠지.]

품 안의 몸이 굳는다. 가쁘게 오르락내리락하던 가슴이 돌연 멈추었다. 이내 도망치려는 듯, 힘겹게 날 밀어낸 제인이 앞으로 달려 나갔다. 물론 내내 온 힘을 다해서 머리채를 쥐고 있던 터라 제인의 시도는 허무하게 실패했다. 그녀의 어깨를 부드럽게 껴안고 리히튼에게 작별 인사를 건넸다.

[기다릴게.]

리히튼이 멍하니 선 채로 굳어 있는 동안, 우리는 느릿느릿 계단을 따라 내려갔다. 어쩐지 끌려가는 것치고는 이상하리만치 얌전하다 했는데, 제인은 성을 벗어나자마자 간절한 눈으로 내 팔을 붙잡았다.

[무, 무언가 잘못 아신 것 같아요. 저는, 저는 빌힐름 전하의….]

빌힐름의, 뭐? 리히튼을 감시하는 눈이라도 된다는 뜻일까. 놀라울 건 없었다. 오히려 너무나 빌힐름다운 행위라 웃음이 새어나올 정도였다.

[아! 걱정 마. 나는 널 데리러 온 거야. 연극이 너무 거칠었지?]

깊게 안도한 듯, 제인이 고여 있던 눈물을 다시 한번 후드득 쏟아냈다. 무엇에 안도한 걸까. 처음부터 끝까지 다 거짓말투성인데. 풀내음 자욱한 비를 뚫고 성으로 돌아갔다. 얌전히 모여 날 기다리고 있던 하녀들에게 제인을 건넸다.

[버려.]

제인이 벼락이라도 맞은 것처럼 고개를 거칠게 들어 올렸다.

[아, 빌힐름에게는 내가 잘 말할게. 쓸모가 없어져서 처리했다고.]

[안 돼….]

빌힐름의 이름이 나오자 엉거주춤 서 있던 하녀들이 하나둘 제인의 팔을 구속하기 시작했다. 제인의 목에 붉은 핏발이 섰다.

[아, 안 돼애! 나를 리히튼 님에게 보내 줘요! 그분은 내가 있어야 해. 그분은 내가 없으면 삶을 포기하실 분이에요. 제발요, 아가씨. 리히튼 님을 위해서라도….]

[걱정하지 마, 제인. 소중한 게 모두 죽더라도 사람은 살아지더라고. 내가 직접 경험해 봤으니 의심하지 않아도 돼. 너는 죽음으로 마지막 쓸모를 다할 거란다.]

공포와 분노, 그리고 간절함에 일그러진 음성이 수십 번 나를 불렀다. 그녀의 울부짖음에 안온한 열이 전신을 감싸는 것을 느꼈다.

[그간 그 애에게 충성하는 척하느라 수고했어.]

흥분과 쾌락으로 인한 열은 단연코 아니었다. 이건… 그래, 안도감이었다. 리히튼이 누려온 행복 또한 모두 거짓이었다는 안도감.

발끝이 저렸다. 덮쳐오는 한기와 두려움으로 눈을 뜨기가 어려웠다. 눈을 떴는데 이곳이 황성이면? 온몸이 붉게 물든 채로 그 화려한 침실에 누워 있다면? 몰아치는 빗소리 너머로 천둥이 울렸다. 억지로 눈을 떴다. 찰나에 하얗게 밝아진 천장에는 캐노피가 아닌 둔탁한 나무 천장이 보였다.

"하아, 하아…."

다행이다. 이곳이 현실이야. 하지만 검을 쥐었던 감각이 여태 손아귀에 남아 있었다.

"내가…."

죽였다, 그 여자를. 이로써 분명해졌다. 빌힐름이 말한 '리히튼의 소중한 것'은 제인이었던 거야. 아카시아 나무숲의 낡은 새장. 그 새장 속에서 유일한 빛이었던 제인. 리히튼에게 있어 제인은 어머니이자 형제이고 친구이자 연인이었을 것이다. 그녀의 주인이 비록 빌힐름이었다 하더라도.

'증오.'

새로웠다. 우리는 황성에 갇혀 버려진 개새끼 신세였다. 나는 황성에서 벗어나길 포기하지 않았지만, 리히튼은 달랐던 것 같다. 또한 나는 그 차이를 견디지 못했다.

'리히튼은 내게 무엇을 원하는 거지.'

과거에 그가 그러했듯, 내가 자신에게 굴복하길 원하는 건가? 아니면 내가 제인에게 그러했듯, 결국엔 내게 칼을 박고 길가에 내버릴까? 기억을 되찾을수록 혼란은 가중된다.

새벽이 끝나고 아침이 되었어도 해는 뜨지 않았다. 지독한 태풍이었다. 빗줄기가 약해지기는커녕 정오가 되어도 비바람은 더 강해졌다. 우비에 우산까지 쓰고 본관에 들어왔으나 치마와 머리칼이 물에 빠진 양 축축했다.

"수잔. 귀에 그건 뭐니?"

리냐의 한마디에 하녀들이 우르르 몰려들었다.

"진주 귀걸이? 엄청 고급스러워 보인다, 얘."

"애인 생겼어? 설마 킨 경?"

"그럼 킨 경이지 누구겠어. 축하해, 수잔!"

킨의 이름이 언급된다는 것 자체만으로도 기분이 안 좋았다.

"아니야. 아즈마리아 아가씨께서 주신 선물이야. 혼자 별관에 남게 해서 미안하다고 하셨어."

"아가씨가?"

몰려들었던 여인들이 흥이 깨진 얼굴로 하나둘 흩어졌다.

"그분은 참 신기하단 말이지. 고작 하녀에 불과한 우리를 친구처럼 대하시잖아."

"아가씨가 정말 우리 마님이 되셨으면 좋겠다. 태풍의 여파로 꼬장꼬장하고 늙은 귀족들이 잉고르드에 고립됐는데, 많이 불편하시겠어."

고용인들의 마음은 이미 아즈마리아에게 반 이상 기운 것 같았다. 너희의 그 아가씨가 날 죽이려는 건 알고 있니. 고급스럽다고 칭찬한 이 진주 귀걸이가 그 방증인데.

"요즘 수잔의 안색이 좋아져서 그런가, 까만 진주도 참 어울리네."

"아가씨 밑에서 일하면 나 같아도 얼굴이 펴겠어. 수잔, 아가씨께서 혼인하신 후에 하녀를 한 명 더 둔다고 하시면 나를 추천해야 해. 알았지?"

처음부터 끝까지 허튼 소리였기에 대충 고개만 끄덕였다. 잉고르드 독이 갑작스레 해독된 것도 아닐 텐데, 내 안색이 좋아질 리 없었다. 그리고 아즈마리아의 혼인은….

'정말 터무니없는 일이 맞을까.'

이제는 모르겠다. 가슴을 내리누르는 답답함에 종일 일에 집중하지 못했다. 나의 미래도, 리히튼도, 하물며 아즈마리아조차 더는 내 손으로 휘두를 수 없을 거란 사실이 날 불안하고 위태로운 마음이 들도록 했다. 불현듯 리히튼의 목소리가 떠올랐다.

'너 역시 곧 선택해야 될 때가 올 거다. 우리 내기의 종착점이 보이기 시작했으니.'

어쩌면, 우리의 내기는 처음부터 승패가 정해져 있었을 수도. …아니야, 그럴 순 없지. 과거의 나는 빌힐름으로부터 벗어나기 위해 사람이길 포기했다. 벗어난 지금은? 과연 그때와 달라진 게 있다고 말할 수 있을까? 이제는 빌힐름으로도 모자라 리히튼까지 날 쥐락펴락하고 있지 않은가.

"수잔."

"네."

"각하께서 부르신다."

베르크네의 뒤를 따르며 생각했다. 아그레인이었기에 황성에서 벗어날 수 있었다면. 나 역시 아그레인이 되어야 한다.

'아그레인이 되기 위해서는 어떤 사람이 되어야 하는 거지?'

때에 따라 확실히 복종하고 원하는 바를 이루기 위해서라면 살인까지 마다않는 인물? 하나하나 뜯어보니 지금의 나와 크게 다르지도 않았다. 그리 여기니 더욱 의문이 든다. 옛적의 아그레인은 무엇이 달랐기에 황성을 벗어날 수 있었던 것인가. 리히튼의 응접실 안으로 들어서자, 아즈마리아가 의자에서 일어나 나를 반겼다.

"수잔!"

다가온 아즈마리아는 내 손을 잡아끌어 제 옆자리에 앉혔다.

"부르셨다고 들었습니다, 아가씨."

"할 말이 있어서요. 수잔을 제 시녀로 추천하던 참이에요. 의견을 듣고 싶어서 불렀어요."

공작가의 시녀쯤 되려면 보통 친척 가문 출신이이거나 오랜 가신이어야 한다. 하지만 나는 둘 중의 어느 쪽에도 속하지 않았으며 잉고르드에 정착한 지 일 년도 되지 않은 신참이었기에 아즈마리아의 발언은 어불성설이었다.

"저는 그럴 신분이 못 될 텐데요."

"그렇지 않아요. 가문에 작위가 있었다고 하지 않았나요? 증명할 수만 있다면 리히튼 각하께서 고려해 주실 거예요."

한숨이 나올 뻔했다. 되도 않는 헛짓거리에 반응해 줘야 한다는 사실이 짜증났다. 리히튼은 특유의 사람 좋은 가면을 쓰고 우리를 바라보고 있었다.

"아가씨."

"말해요, 수잔."

"제가 시녀가 된다면 이후 태어나게 될 아기님의 유모가 될 수 있는 건가요?"

"…태어난다면요."

계약 결혼이라는 걸 몰랐다면 알아차리지 못했을 어색한 웃음이었다. 잠시 리히튼의 눈치를 보던 그녀가 활기찬 어조로 말을 이었다.

"껄끄럽다면 다른 방식도 있어요. 수잔이 잉고르드의 가신 가문과 연을 맺으면 될 텐데…."

하나같이 내 결혼에 참견하고 싶어 안달인 것처럼 보인다. 나는 아즈마리아의 입에서 킨의 이름이 나오기 전에 급히 입을 열었다.

"아가씨. 제가 시녀여야만 하는 이유가 있을까요? 혹시 하녀인 지금의 저는 아가씨를 충분히 돕지 못하고 있을까요?"

아즈마리아가 깜짝 놀라 손을 내저었다.

"아니요! 전혀 아니니까 그런 말 마요. 수잔은 내가 잉고르드에 적응할 수 있도록 도와준 최고의 친구인걸요."

"그렇게 말씀해 주셔서 감사합니다."

아즈마리아는 싱긋 그려낸 듯한 미소로 대답을 대신했다. 그러나 웃음은 금방 자취를 감췄고 그 자리를 숨겨지지 않는 아쉬움이 대신했다.

"아아. 으음… 한데 거절할 줄은 몰랐네요, 수잔. 보통은 이런 제안을 좋게 생각하니까…."

그렇겠지. 나만 해도 잉고르드가 아닌 트리비아체였다면 진작 감격을 표했을 테니까. 다만 지금은 그러고 싶은 마음이 추호도 없었다. 이유야 다양했지만 그중에서도 가장 마음에 걸리는 부분은 아즈마리아가 나를 언제 죽여도 이상하지 않을 존재란 사실이었다.

"혹시 내 제안이 불편했을까요?"

"전혀 그렇지 않습니다, 아가씨. 제 분에 넘칠 만큼 감사합니다. 다만 저는 아가씨의 기대를 충족시키기에 너무나 부족한 사람입니다. 부디 재고해 주세요."

"그것 말고 정말 다른 이유는 없나요? 맹세코?"

별것도 아닌 일에 매달리는 아즈마리아가 귀찮았다. 그녀는 내게서 무슨 대답을 원하는 걸까. '리히튼 각하의 그림자이기 때문에 아가씨의 시녀가 될 수 없습니다.' 정도의 변명을 기대하는 건가. 나는 살며시 손을 들어 흑진주 귀걸이를 건드렸다.

"아가씨께서 주신 이 귀걸이에 걸고, 맹세코 없습니다."

그러나 아즈마리아의 다소 불안한, 다른 말로는 뾰로통한 분위기의 표정은 나아질 줄 몰랐다. 그제야 나는 그녀가 바라는 게 확신을 심어 주는 일이 아니란 걸 깨달았다. 아즈마리아는 아마 그녀 스스로를 불안케 하는 착각에 빠진 듯했다. 독에 중독됐을 때에 대해 물었을 때도 그렇고… 분명 리히튼과 관련되어 있을 테지. 그녀라면 나를 리히튼의 정부라 여길 수 있다고 생각됐다. 가만히 지켜보던 리히튼이 느긋하게 의자에 기대며 말했다.

"멋진 귀걸이야. 내 생각보다 둘의 관계가 더 돈독한가 봅니다, 아즈마리아 양."

리히튼을 향해 홱 몸을 돌린 아즈마리아가 곧장 답했다.

"가능하다면 더한 것도 해 주고 싶은 마음인걸요."

웃음도 나오지 않는 말이었다. 짧은 웃음과 함께 이번에는 리히튼에 내게로 시선을 돌렸다. 그는 대수롭지 않은 어투로 입을 열었다.

"수잔. 외출은 즐거웠나?"

정작 나는 대수롭게 여기지 못할 물음이었다. 그 한마디로 풀려 있던 긴장이 다시 내 어깨를 조이기 시작했다. 그래, 언제나 날 지켜보고 있다고 했지. 놀라지 마, 수잔. 어느 정도 예상한 일이잖아.

"그럼요, 각하. 얼마나 유익한 시간이었던지."

"유익하다? 글쎄, 나는 시간 낭비였다고 말해 주고 싶은데 말이지."

심문보다는 조롱에 가까운 음성이었다.

"몸은 괜찮은 듯하군. 근래 정신을 잃고 쓰러지는 일은 준 것 같아."

그러고 보니 마지막으로 정신을 잃은 게 벌써 몇 주 전이었다. 안색이 좋아졌다며 안심하던 하녀들의 얼굴이 떠올랐다. 독에 완전히 적응되면 육체에도 나름대로의 안정이 찾아오는 건가. 종종 건강 상태를 물어오던 리히튼의 저의가 이해 갔다.

"네. 이제는 무리 없이 일할 수 있을 겁니다. 동료들에게 더는 피해 줄 일이 없어서 다행이죠."

리히튼은 아즈마리아의 앞에서 보이던 가식적인 미소조차 짓지 않았다. 나에게는 그런 수고조차 불필요하다는 의미일까. 잠깐의 침묵이 흐른 뒤, 아즈마리아가 밝은 음성으로 내 손을 살짝 쥐었다.

"저만 빼고 재미있는 대화를 하시네요. 어떤 이야기인지 굉장히 궁금한데요?"

리히튼이 덤덤하게 입을 열었다.

"아즈마리아 양께서 흥미롭게 생각하시는군. 수잔, 너 역시 그리 생각할지 궁금해지는데."

내 손을 쥔 아즈마리아의 악력이 미세하게 강해져 갔다. 계약 결혼이라고 못 박을 때는 언제고, 이제는 리히튼에게 완전히 푹 빠져 버린 모습이었다. 맛이 가 버렸어. 나는 그런 아즈마리아의 장단에 맞춰 줄 마음이 조금도 들지 않았다.

"허락하신다면 저는 이만 나가 보겠습니다."

그러고는 대답도 듣지 않은 채 응접실을 나왔다. 감히 하녀가 보일 태도는 아니었으나, 둘 모두 날 벌하지 않을 거란 사실을 알았다. 눈앞에서 리히튼이 사라지자 작게나마 안도의 한숨이 나왔다. 그라면 내가 어디에서 누굴 만났는지도 마땅히 알고 있을 것이다. 하지만 차마 리히튼의 앞에서 빌힐름의 이름을 입에 담을 용기까지는 없었다. 그가 빌힐름을 얼마나 처절하게 증오하는지, 어렴풋이나마 인지하고 있었으므로.

저녁 식사가 끝난 후에도 담화는 계속 길어지는 듯했다. 아즈마리아에게서 별관으로 돌아간다는 전언이 들리지 않았다. 비가 퍼붓는 탓에 저택 안에만 갇혀 있으려니 고용인들 사이의 분위기도 전체적으로 습하고 어두웠다. 정리가 끝날 즈음에는 모두들 일과가 완전히 마무리되길 기다리며 애꿎은 식기들만 한두 번씩 매만졌다.

쾅!

굳게 닫혀 있던 주방의 문이 열린 건, 대부분의 하녀들이 잠자리에 들기 위해 사라진 때였다. 거칠게 걸어 들어온 메어리는 눈에 띄게 당혹스러운 얼굴이었다. 이제 막 자리에서 일어서려던 리냐가 그녀에게 물었다.

"표정이 왜 그러니, 메어리? 유령이라도 봤어?"

메어리가 황급히 고개를 저었다.

"아니요, 그게…."

곁에 앉은 메어리는 빈 잔에 물을 따라 들이켠 후, 멍한 얼굴로 입을 열었다.

"방금… 빌힐름 황자 전하께서 입성하셨어요."

그때, 모두의 시선이 향한 곳은 주방장을 도와 주문한 식재료의 목록을 확인하던 콜렌토 부인이었다. 그녀는 드물게 당혹스러운 표정을 숨기지 못했다. 그러나 곧 매서워진 눈매로 고요해진 주방을 한차례 훑었다.

"누가 저택을 방문하든 우리 같은 고용인들이 신경 쓸 일은 아니지. 가볍게 입을 열다가 맨몸으로 쫓겨나는 일은 없어야 할 게다."

콜렌토 부인이 주방을 나가기 무섭게 리냐가 속삭였다.

"싸움 중에 제일 재미있는 싸움이 치정 싸움이래…."

하지만 내 귀에는 리냐의 목소리가 들리지 않았다.

'그래. 내 서신을 받고 고작 하루 만에 잉고르드에 도착했을 리 없지.'

서두를 필요가 없다며 날 조롱하던 리히튼의 말이 이제야 이해 갔다. 빌힐름의 방문은 이미 예정되어 있었기 때문이다. 그는 아즈마리아를 포기하지 않았다.

'어째서? 그 미친놈이 정말 사랑에 빠지기라도 한 건가.'

상상만으로도 역겨운 가정이었다. 차라리 자존심을 굽히고서라도 아즈마리아 윌을 빼앗기면 안 될 모종의 이유가 있다는 가정이 더 그럴싸하게 느껴졌다.

"수잔. 너 괜찮니?"

무슨 의미인가 싶어 리냐를 쳐다봤다.

"손을 왜 그렇게 떨어?"

그녀의 시선은 내 얼굴이 아닌, 접시를 닦고 있던 두 손을 향해 있었다. 마치 수전증에 걸리기라도 한 것처럼 잘게 떠는 내 손을.

"그간 이상하게 건강하다 했어. 너 이러다가 또 쓰러지는 거 아니야?"

"어깨가 아파서 그래. 어제 무거운 걸 운반하다가 근육을 다친 것 같아."

접시를 떨어뜨리기 전에 손을 털었다.

"미안, 리냐. 잠깐만 쉬고 올게."

"그게 좋겠다."

주방을 나와 통로를 가로지르며 천천히 숨을 골랐다. 이곳은 잉고르드야, 수잔. 빌힐름은 너에게 아무런 짓도 하지 못해. 어쩌면 그는 네게 더는 관심이 없을 수도 있어. 그러니까 이 빌어먹을 떨림을 멈추란 말이야. 숨을 돌리고 온 후, 잡생각이 들지 않을 만한 가장 번거로운 일에 집중했다. 그러나 별관으로 돌아와 잠자리에 드는 순간에도 손의 떨림은 가시지 않았다.

다음 날 이른 오전. 장대비는 그치지 않았고 저택의 분위기 또한 몹시 흉흉했다. 하녀인 내가 느낄 정도이니, 빌힐름과 윌 백작의 방문이 잉고르드 저택에 지대한 여파를 주고 있는 게 확실해 보였다. 아즈마리아는 어젯밤 별관에 돌아오지 않았다. 듣기로 공포에 질려 몸을 제대로 가누지 못해 본관에서 하루를 보냈다고 한다. 빌힐름 때문이겠지.

"밤새 각하의 침실에 계셨을 게 분명해. 그분이 아니면 누가 아가씨를 위로해 주겠어?"

"콜렌토 부인이 하셨던 말 기억 안 나? 각하께서는 단 한 번도 침실에 여자를 들인 적이 없으시다잖아."

"아즈마리아 아가씨가 어디 흔한 귀족 영애니? 무려 공작 부인이 되실 분인데 그깟 침실이 대수야?"

그들의 궁금증에 대한 해답은 간단했다. 오늘 아즈마리아가 산 채로 발견된다면 열띤 밤이 없었을 테고, 만약 기척도 없이 증발했다면….

"수잔! 아가씨 방의 종이 울렸어."

생존 신고가 들린 것으로 보아 간밤은 고요했던 모양이다. 텅 빈 찻잔을 내려다보며 고민할 때였다. 맞은편의 누군가가 내 앞의 식탁을 짧게 두들겼다.

"저어, 수잔."

리냐였다.

"괜찮다면 내가 대신 아가씨께 올라가 봐도 될까?"

"네가?"

"으응. 큰 이유는 없고…."

주위 눈치를 살피던 리냐가 목을 길게 빼고 속삭이듯 말했다.

"그분께 여쭙고 싶은 게 있는데, 내가 쉬이 찾아갈 수 있는 분은 아니니까."

"뭘 여쭈려고?"

"자세히는 못 말해. 그냥… 마음에 드는 기사가 있다고 넌지시 말씀드렸을 때 아가씨께서 조언을 여러 번 해 주셨거든. 한데 잘되고 있는 건지 아닌지 모르겠어서."

나로선 환영할 만한 제안이었다.

"좋아."

안 그래도 리냐나 마리에게 대신해서 올라가 주길 부탁할 생각이었으니까. 아즈마리아에게는 공교로운 일이겠지만… 나 역시 가능하면 빌힐름과 마주치고 싶지 않았다. 지금은 아즈마리아를 위로하고 그녀의 공포를 공감해 줄 자신이 도저히 없었다. 표적까지 된 마당에 억지로라도 그녀의 비위를 맞춰줄 마음이 더는 들지 않았다.

"리냐! 마차가 도착했대!"

나는 리냐를 대신해 후문으로 향했다. 문 앞에는 이미 장정 여럿이 식재료 상자를 옮기고 있었다. 진흙탕이 된 땅에 발이 푹푹 꺼졌다. 빗줄기는 거세도 바람이 약해져서 다행이었다. 어제 날씨 그대로였다면 손님과 고용인, 그리고 기사를 합한 백 명의 인원이 배를 곯아야 했을 것이다.

"어어. 오늘은 늘 뵙던 그 아가씨가 아니로군."

장정들 중에서 가장 젊고 훤칠한 남자가 내게로 다가왔다. 우비 사이로 보이는 얼굴이 일꾼답지 않게 퍽 하얘 보였다.

"아가씨의 성함이?"

"수잔이에요. 물건은 이것으로 끝인가요?"

남자가 세차게 고개를 저었다.

"부인이 오리 고기를 추가로 주문하셨는데, 그쪽이 한 번 확인해 봐야 할 것 같소. 기존에 사용하던 그 농장 고기가 아니라서."

"공작저에 납품될 품질의 고기라면 상관없어요."

"그러다가 나중에 물건을 제대로 못 받았다고 말하면 우리만 손해지. 그쪽에서 확인을 안 하면 우린 그냥 갈 거요."

나는 미련 없이 등을 돌리려던 남자를 불러 세웠다.

"이봐요. 주문량을 제대로 못 채우면 그건 그쪽 탓이에요."

"우린 잘못 없소. 어차피 추가 주문이라 힘들 수도 있다고 말해 놨으니까."

"…콜렌토 부인이 언제 추가로 주문하셨죠?"

가만히 내 눈을 응시하던 남자가 고개를 저었다.

"그걸 어찌 알겠소? 내가 하는 일은 물건을 대신 옮기고 확인받는 게 전부인데."

내가 아는 콜렌토 부인은 그런 실수를 할 위인이 아니었다. 휴가 복귀 날에도 약속된 시간을 칼같이 지켜 돌아오는 그녀다. 해마다 열리는 가을 연회를 준비하고, 주방의 장부를 관리하는 그녀가 '추가 주문'을 할 확률이 얼마나 될까. 그것도 하필이면 내가 리냐의 일을 대신하는, 거센 태풍이 몰아치는 날에.

"어디로 가면 되나요?"

"멀지 않소. 여기서 오 분 정도 내려가면 돼. 사람이 부족해서 끌고 오지 못한 마차가 하나 있는데, 거기까지만 가면 되오."

"여기서 잠깐만 기다려 줘요. 금방 돌아올게요."

주방으로 돌아갔으나 콜렌토 부인은 보이지 않았다. 남자의 말을 확인할 구실이 사라진 것이다. 나는 미친 듯이 찬장을 뒤졌다. 다행히 구석에 오래된 찻주전자가 남아 있었다. 남 몰래 준비할 여유는 없다. 이를 악물고 식칼로 손바닥을 그었다.

"읏."

나뒹구는 천을 주워 상처 사이로 솟아오르기 시작한 핏물을 닦았다. 그리고 찻주전자에 물과 함께 쑤셔 넣은 후 한 번 꽉 짜고 뚜껑을 닫았다. 설마 내 독이 자기까지 녹이지는 않겠지. 우비를 뒤집어쓰고 찻주전자를 든 채 저택을 나갔다. 꽤 깊게 그었음에도 이상하게 상처가 욱신거리지 않았다. 기다리고 있던 남자가 내 손에 들린 찻주전자를 보며 물었다.

"그건 뭐요?"

"고기의 질이 좋은지 아닌지 확인할 수 있는 물이요. 어서 가죠."

남자를 따라서 번화가로 향하는 흙길이 이어진 숲으로 들어갔다. 여섯 걸음 앞서 걷던 남자가 드문드문 몸을 돌려 나를 확인했다. 그러다가 커다란 목소리로 외쳤다.

"귀걸이가 예쁘군. 잉고르드의 하녀들은 그런 것도 걸 수 있나 보지?"

나 역시 빗소리를 이기기 위해 크게 외쳤다.

"아가씨가 주셨어요."

"아가씨? 누구인지는 몰라도 배포가 크신가 보오."

확실히 크다고 할 수 있었다. 하녀 한 명을 죽이기 위해 귀한 흑진주 귀걸이를 바치는 걸 보면. 나는 천천히 걸음을 멈추며 생각했다. 어쩌면, 이 남자는 무고할 수 있다.

"어이! 뭣하오? 안 오고."

아즈마리아와는 조금도 관련이 없는 사람일 수 있다. 그래, 오히려 그럴 확률이 더 농후했다. 콜렌토 부인이 평소답지 않게 오리 고기를 추가로 주문했을 수도 있었고, 귀걸이는 아무런 의도 없이 꺼낸 이야기일 수도 있지 않은가. 하지만 그런 가정은 더 이상 의미 없었다. 내게는 혹시 모를 최악의 확률이 더 중요했으니까.

"손에 상처가 났어요."

앞서 걷던 남자가 내게로 돌아왔다. 그에게 지혈하지 않아 피로 엉망이 된 손바닥을 보여 주었다.

"쯧, 아파 보이는군. 어디서 그런 상처를…."

말을 채 끝마치기 전에 찻주전자를 열어 남자의 얼굴에 부었다. 분홍빛으로 물든 핏물이 빗물과 뒤섞여 점차 옅어진다. 황당함에 구겨져 있던 얼굴이 일그러지기 시작한 건 그때였다.

"큭!"

남자가 얼굴을 감싸 쥐었다. 주전자를 꽉 움켜잡으며 뒷걸음질 쳤다. 두꺼운 손가락 사이로 붉어진 눈이 나를 노려봤다. 찰나에 숨이 멈췄다.

'착하지, 아그레인. 이리로….'

흐릿하게 들려오는 빌힐름의 목소리가 두 발을 묶었다.

"이… 이 미친 계집애가!"

남자가 혈안이 되어 내 팔을 움켜쥐었다.

"아윽!"

팔이 뜯겨져 나갈 듯한 악력에 눈앞이 핑 돌았다. 제아무리 발버둥 쳐도 남자의 몸은 꼼짝하지 않았다.

"너는 내가 곱게 못 죽인다. 살 한 점 한 점 포를 떠서 죽여 달라고 사정할 때까지…."

무슨 정신이었는지 모르겠다. 온 힘을 다해 입 안쪽 살을 깨물었다. 흘러나오는 피를 모아 남자의 얼굴에 내뱉었다.

"크아악!"

남자가 본능적으로 휘두른 팔에 내 고개가 돌아갔다. 입 안의 상처는 아프지 않았지만 주먹에 맞은 뺨은 머릿속이 얼얼해질 정도로 아렸다.

"제기랄, 죽여 버리겠어! 당장 이리 와!"

그때부터는 뒤도 돌아보지 않고 미친 듯이 도망쳤다. 맞은 뺨에 빗물이 닿을 때마다 이가 시렸다. 얼마나 뛰었을까. 멀지 않은 시야에서 가까워지는 인영이 보였다. 킨이었다. 순간 스치듯 그런 생각이 들었다.

'아즈마리아가 킨도 빼앗아 간 건 아닐까.'

하지만 내게는 더는 도망칠 기운이 남아 있지 않았다. 다가온 그가 황망한 표정으로 내게 손을 뻗었다.

"너 얼굴이…."

나는 그의 손을 쳐냈다. 우비의 소매가 떨어지는 피에 젖어 붉었다.

"네 도움은 필요 없어."

리냐가 날 버렸다. 이제 내게는 킨이라고 해서 그러지 않으리란 확신이 없다. 그를 지나쳐 저택으로 향했다. 그제야 무감각했던 입 안의 고통과 손바닥의 고통이 선연하게 살아났다. 리냐는 내가 이런 꼴을 당하리란 걸 알고 있었을까?

'이제 상관없지.'

정말 아무 의미 없는 물음이지 않은가. 그녀가 몰랐다고 해서 부어오른 내 얼굴이 가라앉지는 않을 테니까. 저택으로 돌아가자마자 내가 찾아간 사람은 콜렌토 부인이었다.

"부인. 혹시 추가로 주문한 식재료가 있나요?"

"추가 주문? 아니, 전혀 없단다."

"오리 고기라고 하던데요."

그 말에 눈도 마주치지 않고 대강 고개만 끄덕이던 부인이 고개를 들었다. 그녀는 두 눈을 커다랗게 뜨고 내 위아래를 훑었다.

"수잔, 그 꼴은…."

"추가 주문한 오리 고기가 없다는 말씀이시죠?"

"그래. 그렇기는 한데…."

내 얼굴과 몸을 세세히 살피던 콜렌토 부인이 피범벅이 된 손의 상태를 확인하고 경악했다. 그녀는 주방 안쪽 찬장에서 자그마한 약 상자를 꺼냈다. 주름진 손이 뺨과 손바닥 상처에 닿을 때마다 고통으로 등골이 오싹해졌다. 약을 다 바른 후, 콜렌토 부인이 조심스러운 목소리로 경위를 물었다. 나는 나오지 않는 눈물을 억지로 짜내며 그녀에게 거짓을 고했다.

"그래서, 널 구해줬다던 남자는?"

"모르겠어요. 허겁지겁 도망치느라…."

"다른 것보다 무사해서 천만 다행이구나. 여자를 잡아다 파는 파렴치한 놈들이라니! 아이들에게 조심하라고 일러두어야겠어. 식료품 거래처도 슬슬 바꿀 때가 되었지."

깊고 느린 한숨이 들려왔다. 다 죽어 가는 목소리로 그녀에게 물었다.

"이런 얼굴로 아즈마리아 아가씨를 모실 수 있을까요?"

"넌 어떻게 생각하니?"

"그분께 걱정을 끼치고 싶지 않아요. 제 상태를 보면 깜짝 놀라실 거예요."

콜렌토 부인이 고개를 끄덕였다. 그 시간 이후로, 내 거처는 별관이 아닌 본관으로 돌아왔다. 할 수 있는 일이 줄기는 했으나 딴지를 거는 이는 없었다. 다들 나의 상태를 한 번 확인한 후에는 가엾게 여기기 바빴다.

"너는 어쩜 그렇게 아픈 구석이 많아? 나는 네가 어느 날 갑자기 객사한다고 해도 전혀 놀랍지 않을 거야."

말은 그렇게 해도 마리의 목소리에는 걱정이 듬뿍 담겨 있었다. 그날 리냐는 몹시 울었다. 일을 떠넘긴 자신의 잘못이라며 내 앞에 무릎까지 꿇었다. 그녀의 울음이 진심일지 연기일지는 궁금하지 않았다. 내 머릿속에는 오롯이 아즈마리아의 이름만 가득했다. 그날만큼은 빌힐름도 리히튼도 내 속에서 안개처럼 흐릿했다. 어떻게 해야 할까. 어떻게 해야 손바닥이 갈라지던 그 고통을 돌려줄 수 있을까?

딸랑딸랑.

늦은 오후, 익숙한 번호가 각인된 종이 울렸다. 아즈마리아가 지내는 방이었다. 가만히 그 소리를 듣다가 몸을 일으켰다.

"제가 갈게요."

눈치를 살피던 리냐가 날 뜯어말렸다.

"아니야. 너는 쉬어, 내가…."

"이번만 갈 거야. 앞으로 못 모시잖아. 직접 말씀드리는 게 예의 같아서."

리냐는 마지못한 얼굴로 고개를 주억였다. 그녀의 시야를 피해 아즈마리아를 위한 차를 준비했다. 새하얀 티 포트에 물을 붓고, 식칼로 그은 손끝을 그 안에 담갔다. 서서히 피어나는 빨간 독이 한여름의 아지랑이처럼 보였다. 마지막으로 나이프를 챙긴 후 몸을 일으켰다. 주방을 나서기 전에 멍하니 서 있는 리냐를 향해서 지나가듯 물었다.

"황자와 윌 백작은 뭘 하고 있다니?"

"아. 각하와의 면대를 준비하고 있는 것 같아. 이르면 오늘 저녁에 일을 치를 것 같기도 하고…."

이르면 오늘 저녁이라. 계단을 올라 아즈마리아의 방으로 향했다. 기다란 통로에는 인기척 하나 없이 거센 빗소리만 울려 퍼졌다. 그 소리조차 지독하게 먹먹해 깊은 호수 아래로 가라앉은 기분이 들었다.

똑똑.

대답이 들려오기 전에 문을 열었다. 가장 먼저 보인 것은 영 좋지 못한 안색의 아즈마리아였다. 그녀는 내 얼굴을 확인하곤 자리에서 벌떡 일어났다.

"수잔? 세상에, 그 얼굴은 대체…."

"아즈마리아."

문을 잠그고 테이블 위에 티 포트와 찻잔을 내려놓았다. 의아한 시선이 내 걸음걸이를 뒤따른다.

"네게 있어 두려운 건 빌힐름뿐인가 봐."

아즈마리아의 눈매가 딱딱하게 굳었다. 그 아름다운 얼굴을 감상하며 천천히 차를 따랐다.

"이해해. 나도 비슷하거든."

"무슨 말을 하는 거죠?"

"귀걸이는 버리지 않을게. 팔면 값이 꽤 나올 것 같아서."

귀걸이를 매만지며 티 포트의 물을 찻잔에 부었다.

"빌힐름은 왜 이런 시기에 잉고르드에 왔을까. 궁금하지?"

찻잔을 쥔 채 아즈마리아에게로 다가갔다. 경계를 풀지 않은 그녀의 손을 부드럽게 잡아끌었다.

"지금부터 비명을 잘 참아 보도록 해. 그럼 내가 친절하게 알려 줄 테니까."

그리고 아주 천천히, 하얀 손등 위로 붉은 독을 쏟아 부었다. 치이익. 살 썩은 내가 나기 시작한 건 고작 삼사 초가 흐른 뒤였다.

"아, 아아…!"

아즈마리아가 경악한 얼굴로 손을 내뺐다. 리히튼을 궁지로 몰아넣었을 때의 나는 어떤 식으로 행동했더라? 기억을 더듬어 품속에 숨겨 두었던 나이프를 쥐었다. 썰기 위해서가 아니라 찌르기 위해서 쥐는 건 처음이었는데 이상하게 손에 딱 맞았다. 처음에는 나이프로 위협할까, 생각했지만…. 이내 마음을 고쳐먹고 아즈마리아 옆에 조용히 앉았다.

"잘 참아 보래도. 네 주인님께서 친히 잉고르드까지 행차하신 이유를, 내가 알려 주겠다잖아."

아즈마리아가 크게 발버둥 칠 수도 있을 거라 여기고 있었다. 같은 기억을 지녔다는 사실이 무색하게 우리 둘은 전혀 다른 사고방식을 가졌으니까.

"으, 흐…."

하지만 아즈마리아는 그러지 않았다. 오히려 침구에 남은 핏물을 닦아내며 이를 악물고 비명을 참아냈다. 웃음이 나왔다. 너 빌힐름을 진심으로 무서워하는구나?

"울음 그쳐. 나는 더 아팠으니까. 뺨 보이지? 입 안이 다 터져서 종일 피

맛이 나더라."

"이게, 대체 무슨…."

열에 붉어진 뺨을 타고 눈물 한 줄기가 떨어져 내렸다. 구슬 같은 눈물 한 방울을 친절하게 닦아 주며 말했다.

"좋아, 잘 견디고 있으니 선물을 줘야겠네. 질문에 답을 해 주지. 딱 두 개뿐이야. 어때?"

"…당신이었군. 당신이 베아트리체였어."

"그게 첫 번째 질문이야? 그렇다면 대답해 주지. 맞아."

아즈마리아가 넋을 잃고 나를 응시했다.

"날 속인 거야? 나는, 나는 당신을…!"

"죽이려 했다고? 아니면 설마 믿고 있었다는, 씨도 안 먹힐 개소리를 할 생각은 아니겠지. 가련한 아즈마리아…. 주인님은 두려워도 나 같은 하녀 따위가 어디 두려웠겠어?"

고통을 잊었는지, 아즈마리아가 목에 핏발을 세우며 소리쳤다.

"당신은 아무것도 몰라! 그 남자가 얼마나 끔찍한지 전혀 모른다고!"

"그래서 그 무서움을 아는 리히튼에게 찾아왔구나."

흥분에 거칠어진 숨소리가 드넓은 침실을 가득 메웠다. 아즈마리아가 열은 공포에 젖은 얼굴로 미친 듯이 고개를 저었다.

"당신이, 그걸 어떻게…."

멍청한 얼굴만 보려고 이곳에 온 건 아니었다. 나는 침구를 꽉 쥐고 있는 손등을 나이프로 살짝 건드렸다. 아즈마리아가 소스라치게 놀라며 뒤로 물러섰다.

"읏."

"아플 텐데 참을성이 꽤 좋네, 이제 두 번째도 들어줄게."

넋을 놓고 있었던 것도 잠시, 제정신을 차렸는지 아즈마리아가 돌연 헛웃음을 지었다.

"이래서 못 배운 하녀들은…. 리히튼의 총애를 등에 업고 선을 넘다니, 내가 여기서 소리를 지르면…."

"나는!"

큰 목소리로 그녀의 말을 가로막으며, 나이프를 테이블 위에 내려놓았다.

"그대로 빌힐름에게 달려가 네 진짜 이름을 밝힐 저의가 충분히 있어. 당신의 사랑스러운 전 약혼자가, 아그레인의 기억을 가지고 있다는 사실을 말이야."

상당히 이성적이라 생각하는 아즈마리아도 빌힐름의 이름만 나오면 금세 창백해지고 만다.

"하아. 잃어버린 개까지 찾아내다니! 황자 전하께서 너무 좋아하겠다. 네가 생각해도 그렇지?"

"설마…."

아즈마리아가 핏물이 고인 손으로 내 옷을 움켜잡았다.

"아니겠지만, 설마, 리히튼이 너를 내게…. 아니, 그럴 리 없어."

리히튼이 나를 그녀에게 보내 죽이려 했냐고 물으려던 걸까. 그러면서도 끝까지 아니라고 믿고 싶은 듯했다.

"아니라고 확신하는 이유는?"

"리, 리히튼은…."

"알겠지만, 아즈마리아. 리히튼은 네가 아그레인인 걸 조금도 몰라. 그가 소중하게 다루던 제인에게 흠집을 내고, 종국엔 죽이기까지 한 아그레인임을 전혀 모른단 뜻이지."

그래서 리히튼은 나를 증오한다. 그의 행복을 부수었기 때문에 그도 나의 행복을 부수려 한다. 너무도 타당한 증오이지 않은가?

“그런데 알면 바뀔까?”

“…당신, 누구야?”

“알면 정말 바뀔까, 아즈마리아? 그가 과연 옛정을 생각해 너를 거두어 줄까? 함께 시궁창 속에서 발버둥 쳤던 시절을 생각해서, 제인을 내버린 널 용서할까? 과연 그 증오를 포기할까?”

찰나의 순간, 새하얀 아즈마리아의 얼굴 위로 수십 가지의 감정이 섞여 들었다. 그녀는 악을 지르며 내 멱살을 잡고 침대 위로 쓰러졌다.

“닥쳐! 아무 것도 모르는 주제에 함부로 입 열지 마. 오직, 오직 나만이 리히튼의 절망을 이해해!”

손등이 썩어 문드러진 것치고는 손아귀의 힘이 퍽 간절했다.

“바로 나야! 내가… 내가 리히튼을 여기까지 끌어 올렸어. 내가 없었다면, 내가 그를 선택하지 않았다면, 리히튼은 평생 그곳에서….”

“꾸며진 행복이라도 느꼈겠지. 소중한 제인과.”

“리히튼에게는 나만 있으면 돼.”

아즈마리아는 더 이상 내 목소리를 듣고 있지 않았다.

“맞아. 아아… 우리는 서로가 있어야만 완벽해져. 리히튼도 느꼈을 게 분명해. 그렇지 않고서야 왜 여태껏 혼자겠어? 그는 날 기다리고 있었던 거야. 자신의 아그레인이 돌아오길 기다렸던 거라고. 이곳 잉고르드에서 계속, 계속….”

고통의 눈물인지 동정의 눈물인지 분간되지 않는다. 아즈마리아의 눈물이 내 턱 위로 떨어졌다. 아즈마리아를 이해하기란 참 어려운 일이다. 그녀가 그리는 미래는 오롯이 빛으로 감싸여 있는, 행복하고 평화로운 미래뿐이었다. 리히튼에 의해 비참하게 죽어 가는 미래는 조금도 염두에 두지 않은 듯했다. 아즈마리아가 가진 공포 기제는 빌힐름이 전부였다. 반대로 리히튼은 그녀를 보호하는 아성이며 요새에 가까웠다. 그것 외에는 모든 것이 안온해 보였다.

"아무리 생각해도 이해할 수 없군. 대체 무슨 정신으로 이곳까지 기어들어 온 거야? 나라면…."

나라면. 나라면 어떻게 했을까. 적어도 이곳으로 기어들어오지는 않았을 것이다.

"당신은 리히튼을 모르니까! 그리고 빌힐름이 어떤 존재인지도 모르지! 모르니까 그렇게 쉽게 내뱉을 수 있는 거 아니겠어?"

아즈마리아는 계속해서 같은 말을 반복하고 있었다. 너는 아무것도 모른다고. 그렇기에 쉽게 말할 수 있는 거라고. 너 같은 건 우리들 사이에 끼어들 수 없어! 아즈마리아의 외침은 내게 그런 의미로 들렸다. 덕분에 힘이 완전히 빠졌다. 그리고 미세하게나마 남아 있던 증오도 완전히 사그라졌다.

이 여자와는 의사소통이 되지 않는다. 내가 바라는, 아그레인으로서 반드시 보여야 할, 살아남기 위한 고뇌나 그로 인한 행동 같은 건 아즈마리아에게 존재하지 않았다.

"빌힐름은 너를 데려가기 위해 이곳에 왔어. 물론 내 입으로 직접 당신의 정체를 고할 일은 없을 거야. 그쪽 역시 입단속만 잘해 준다면."

빌힐름의 입으로 직접 아그레인을 데리러오겠다고 말한 적이 있으니 틀린 소리는 아니었다. 나에게 한 말이었지만. 아즈마리아의 손을 떨쳐 내고 티세트를 쥔 채 문 앞으로 걸어갔다.

"네 뭘 믿고?"

문을 열기 직전, 무겁게 가라앉은 음성에 살짝 등을 돌렸다.

"못 믿으면? 리히튼 각하에게 고하려고? 아니면 이번에는 다이아 귀걸이를 선물로 주려나."

아즈마리아에게서는 더는 얻을 게 없다. 잠깐이나마 기대했던 내가 한없이 멍청하게 생각됐다. 아즈마리아는 입을 닫았고, 나는 그녀의 방을 나갔다.

Episode 8.
아그레인

해가 지고 자정에 가까워지면서 저택은 쥐죽은 듯 고요해졌다. 나는 침실로 돌아가지 않았다. 텅 빈 방에 멍하니 앉아 거칠게 낙하하는 빗물을 감상했다. 벽난로에 불을 피워 놓지 못한다는 사실이 못내 아쉬웠다. 앞으로 어떡해야 할까.

당장 내일부터 무슨 일이 일어날지 예측하기 어려웠다. 리냐의 말이 맞다면 지금쯤 빌힐름이 리히튼을 독대하고 있을 것이다. 그렇다면 대화의 끝은 무엇으로 결론이 날까? 장담컨대 아즈마리아는 윌 가문으로 돌아가지 않을 것이다. 그렇다면 리히튼은 그녀의 의사를 존중할 것인가? 혼인 자체가 나의 의사를 따른 것이라 표현했지만… 글쎄. 리히튼의 말을 신뢰하는 것만큼 멍청한 행위는 없을 터였다.

그때, 지척에서 불붙는 소리가 났다. 상념에서 벗어나 고개를 들었다. 붉게 일렁이는 벽난로 앞에 기다란 그림자가 드리워져 있었다. 위층의 소음도 구분해내는 내가 바로 앞의 인기척도 못 알아채다니. 그림자의 주인이 소파에 몸을 파묻고 내게 시선을 틀었다. 빌힐름이었다.

"이곳은 마치 바닷속처럼 습하군요."

가만히 그의 눈을 들여다봤다. 빌힐름에게선 리히튼과 같은 안광이 느껴지지 않았다. 그와 반대로 온전히 어둠에 녹아들어 일부처럼 느껴졌다.

"익숙한 곳도 아닐 텐데 저를 잘 찾아내셨네요."

"습관은 무의식적으로 드러나는 것이라…. 아무리 기억을 잃었어도 이런 면은 여전할 거라 생각했습니다."

"이런 면?"

빌힐름이 다정한 웃음을 지었다. 이상하게도 그가 두렵거나 무섭지 않았다.

"하늘이 분간되지 않을 정도로 거센 비바람이 몰아치는 날. 벽난로 앞에 앉아 그 운치를 즐기는 일 말입니다."

그런가. 하지만 이곳은 응접실도 아닌 고용인들의 구석진 공간일 뿐인데. 곰곰이 돌이켜 보니 그의 주장은 매우 타당했다. 비가 내릴 때마다 나는 늘 벽난로 앞에 앉아 창 너머를 응시하곤 했다. 아무런 이유도 없이. 리히튼도 빌힐름과 같은 생각을 했었을까?

"당신은 나에 대해 정말로 잘 아네요."

대답이 들려오는 대신에 빌힐름의 표정이 눈에 띄게 딱딱해졌다. 하얗고 고운 손톱 끝이 내 턱에 닿았다. 그는 부드러운 손길로 내 얼굴을 잡아당겼다. 누추한 공간에 오로지 빌힐름의 존재감만이 선명했다.

"누가 이랬습니까?"

고개를 비틀었지만 악력이 강해지는 걸 봐선 놓아 줄 생각이 없는 듯했다.

"말하면요?"

"무언가 바뀌겠지."

문득 궁금해졌다. 빌힐름도 아즈마리아가 아그레인의 기억을 갖고 있다는 걸 알고 있을까?

"아즈마리아 뭘?"

얼굴을 가까이 한 빌힐름이 내게 물었다.

"그녀입니까?"

"어떻게 그리도 잘 아시는 걸까요?"

"맞군."

빌힐름이 부어오르지 않은 내 반대쪽 뺨을 천천히 쓸어 내렸다. 그리고 오랜 기억을 되짚는 표정으로 말을 이었다.

"아즈마리아는 몹시 사랑스러운 아이였습니다. 여리고 순수하며, 아랫것들의 사정도 깊게 헤아려 주는 착한 아이였지요. …마치 나의 소중한 여동생처럼."

비비안느. 빌힐름의 입에서 언급되는 존재에 숨이 멈추었고, 곧이어 지독한 현실감이 나를 덮쳤다. 턱을 비틀어 그에게서 급히 몸을 떼었다. 빌힐름의 등 뒤로 보이는 새까만 어둠이 나를 삼키기라도 할 듯 이글이글 불타오르고 있었다.

"하지만 어느 날 돌연, 홀연히 내 손을 떠나더군요."

빌힐름이 텅 빈 자신의 손끝을 무덤덤한 눈길로 내려다봤다. 꿈처럼 느껴졌던 호수 바닥에서 현실이라는 뭍으로 기어 올라온 기분이었다. 나는 떨리기 시작하는 손끝을 꽈악 잡아 눌렀다.

"마치 무언가에 지독하게 겁먹은 것처럼. 수잔 양은 그 이유를 아시겠습니까?"

"하녀에 불과한 제가 감히 무엇을 알겠어요."

"…그들은 마치 작당 모의라도 한 듯 모두가 같은 패턴을 보입니다. 나와 잉고르드 공작에 대해 무엇이든 아는 양 행세하며, 이해할 수 없는 자신만의 감정에 푹 빠져 있고, 나를 괴물 대하듯 하더군요. 하루아침 만에 바뀐 태도가 얼마나 날 마음 아프게 하던지."

그들. 빌힐름이 말하는 '그들'이 누구인지는 명확했다. 나를 포함한 『태양이 흐르는 강』에 들어온 사람들을 가리키는 것이 분명했으니까. 그러나 나는 돌연 머리를 얻어맞은 양 말을 잃고 말았다. 내 귀에는 '그들'이 마치 '아그레인의 기억을 지닌 그들'처럼 들렸기 때문이다.

"수잔 양은 모를 겁니다. 그들이 내게 아주 짙은 향수를 불러일으킨다는 사실을."

빌힐름의 눈이 그리운 꿈이라도 꾸듯 편안해졌다. 나는 가까스로 입술을 떼었다.

"당신의 말은, 아즈마리아 윌 아가씨가 '그들'이기 때문에 제 뺨을 이렇게 만들었다는 건가요?"

빌힐름은 싱긋 웃을 뿐, 내 물음에 답하지 않았다. 그런 생각이 들었다. 아그레인의 기억을 가진 이가 나와 아즈마리아로 끝이 아니라면? 내가 생각한, 나와 같은 처지에 놓인 사람들이 모두 그녀의 기억을 지니고 있다면?

"정말 이해할 수 없는 사람들이네요. 그들은 대체 누구인가요? 당신을 괴물 취급하는 것으로 모자라 내 뺨을 이렇게 만들다니."

"이제와 누구인지 알아서 무슨 소용이겠습니까."

미친 듯이 뛰기 시작하는 심장 때문에 가슴이 아픈 듯한 착각이 일었다. 이대로 목구멍으로 심장을 게워낼 수 있을 것 같았다. 지금 나의 표정은 과연 어떨까. 빌힐름처럼 흐르는 강을 내다보듯 평화로울까? 아니면 굉장한 혼란에 물들어 있을까? 그도 아니면 극도의 공포로?

"세상에 소용없는 일이 어디 있겠어요."

빌힐름이 대수롭지 않은 얼굴로 대답했다.

"죽은 자가 과연 어떤 소용이 있을까요?"

그때, 나는 아마 참을 수 없을 만큼 속이 안 좋았던 것 같다. 이러다가 정말 그의 앞에서 심장을 게워낼지도 모른다고 생각했던 게 분명하다. 나는 힘 빠진 두 다리로 중심을 겨우 잡고 일어섰다. 눈알을 찔러오는 두통에 이마를 부여잡고 말했다.

"말씀 중에 죄송해요. 두통이 심해서 이만 들어가 봐야 할 것 같아요."

"이런, 제가 붙잡고 있었군요. 데려다드리겠습니다."

"괜찮아요."

빌힐름의 앞을 지나치기 무섭게 그가 손목을 잡아끌었다. 등 뒤로 그의 몸이 닿자 숨이 멎는 기분이었다. 나는 가까스로 고개를 돌려 재차 강조했다.

"정말, 괜찮아요."

"내 사촌 누이가 혹여 쓰러지지는 않을까 걱정되어서 그럽니다."

이번에는 거절하지 못했다. 빌힐름은 기어코 나를 쫓아와 침실의 문 앞까지 도달했다. 문손잡이를 당기기 직전, 짧게 입을 열었다.

"하나만 여쭈어도 될까요?"

"물론입니다."

"잉고르드에는 왜 오셨어요?"

빌힐름이 가만히 내 얼굴을 내려다봤다. 등불에 비춰지는 하얀 얼굴이 이보다 즐거울 수 없다는 듯 부드럽게 웃음 지었다.

"수잔, 당신을 구해내겠다고 했던 말… 벌써 잊은 건 아닐 테죠."

그는 익숙하다는 듯 내 이마에 입을 맞추고 돌아갔다. 나는 문을 닫고 그의 온기가 남아 있는 이마를 소매로 미친 듯이 닦아냈다. 빌힐름이 날 구한다고? 구렁텅이에서 심연으로 끌고 내려가겠다는 뜻일까? 이불을 머리끝까지 뒤집어쓰고 누웠다. 그런 일은 없을 거다. 절대로 없을 거야.

불안한 기운을 직감한 때는 다음날 해가 진 직후였다.

"각하께서 부르신다."

지겹도록 들어온 베르크네의 그 한마디가, 오늘은 이상하리만치 불길하게 다가왔다. 나는 대답 없이 베르크네의 뒤를 따랐다. 저택의 공기가 한겨울 서리처럼 차가웠다.

"안에는 윌 백작님께서도 계시니 말실수하지 않도록 조심해라."

말실수할 거리도 없을 텐데. 그를 안심시켜주기 위해 고개를 주억이자, 굳게 닫혀 있던 집무실의 문이 열렸다. 내부에는 익숙한 탄내가 났다. 낯선 중년의 귀족이 걸치고 있는 담뱃대에서 나는 냄새였다. 윌 백작. 그리고 맞은편에 나란히 앉은 리히튼과 아즈마리아. 그 뒤에 서서 나를 바라보고 있는 킨. 문이 닫힌 후, 집무실 안의 일원은 나와 베르크네를 합쳐 여섯으로 늘었다. 이 자리에 빌힐름이 없어서 천만다행이었다. 적어도 숨통은 트이니까.

"홍차를 가져와. 아주 뜨거운 물로."

처음에는 단순히 일을 시키기 위해 불렀으리라 생각했다. 그러나 윌 백작의 명령에 집무실을 나간 쪽은 내가 아닌 베르크네였다. 그가 문을 닫고 사라지자 나 홀로 덩그러니 남게 되었다. 윌 백작은 내가 선 쪽으로는 시선도 돌리지 않은 채 입을 열었다.

"…그래서 각하의 의사 결정을 도울 자는 언제 오는 건지 궁금합니다. 그 자를 만나려면 또 한나절은 기다려야 됩니까?"

"수잔."

그때, 리히튼이 갑작스레 내 이름을 불렀다.

"이리로."

그의 옆으로 다가갈 동안 아즈마리아의 시선이 나를 뒤따랐다. 이전처럼 꾸며진 친절과 신뢰는 조금도 찾아볼 수 없었다. 아랫것을 낮추어 보는 교만함과 숨겨지지 않는 불안감이 공존하는 눈이었다. 그런 아즈마리아의 양손에는 새하얀 레이스 장갑이 끼워져 있었다.

"수잔."

리히튼의 시선이 나의 부어오른 뺨에 아주 오랜 시간 머물렀다. 아즈마리아의 행태임을 고발할까 싶었지만, 제대로 된 증거도 없는 상태인 터라 가만히 입을 닫았다.

"네."

"내가 널 왜 불렀는지 알겠나?"

나는 얌전히 양손을 모으고 서서 그의 물음에 담긴 의미를 되새겼다. 정확히는 윌 백작이 불만스러운 어조로 뱉었던 말을.

"제가 각하의 의사 결정을 도울 수 있어서인가요?"

"정확해."

윌 백작이 헛웃음과 함께 고개를 저었다.

"각하. 절 농락하시는 겁니까?"

"무슨 말을 하는 건지 모르겠군."

"모르겠다니요? 고작 하녀에 불과한 여자가 이 논의에 참여한다는데 그것이 어찌 저를 농락하는 행위가 아닐 수 있습니까?"

"농락이라니, 윌 백작."

리히튼이 느릿하게 미소 지었다. 조금의 긴장감도 찾아볼 수 없는, 오직 수십 겹의 피로와 나른함으로만 점철된 미소였다. 돌연 등골이 오싹해짐을 느끼며 입술을 깨물었다.

'오늘로 비가 내린 지 며칠째지?'

그날의 기억이 내 숨을 옥죄었다. 리히튼의 저 얼굴은 사람을 죽이는 얼굴이었다.

"아즈마리아 양께서는 내가 어떤 뜻으로 하는 말인지 매우 잘 이해하고 있으리라 생각합니다."

리히튼의 말에 아즈마리아가 어색한 웃음을 지었다.

"죄송하지만, 각하. 제가 무지하여 도통 무슨 말씀을 하시는지…."

"그대가 내게 그 제안이란 것을 부탁하러 왔을 때 말입니다."

아즈마리아의 말간 얼굴이 석고상이라도 된 양 급속도로 생기를 잃었다.

"그때 당신의 제안을 받아들인 건 내가 아니라 다른 이였지요. 기억합니까?"

"그건… 이미 지나간 이야기 아닌가요?"

"아즈마리아, 지금 무슨 소릴 하는 게냐?"

격해지기 시작하는 분위기 속에서 리히튼이 차분한 목소리로 입을 열었다.

"진정하도록 해, 윌 백작. 지금부터 내 하녀가 백작의 딸을 윌로 돌려보낼지 말지 결정할 테니까."

윌 백작의 고개가 나를 향해 돌려졌다. 예민한 성정이 그대로 드러나는 주름진 얼굴에 갖가지 감정이 만연했다. 분노, 수치, 격정….

"이러실 순 없습니다, 각하! 하녀, 고작 하녀라니요!"

내가 기억하는 윌 백작은 몹시 깐깐할 뿐, 감정을 절제할 줄 아는 인물이었다. 하지만 눈앞의 그는 핏발이 선 눈으로 하녀에 불과한 나를 철천지원수인 양 노려보고 있었다.

"아무리 우매한 부녀라 한들, 어찌 저희를 우롱하려 하십니까? 한낱 계집애가 알기는 무얼 알겠습니까. 저들이 주워듣는 소문은 실체도 없는 자극적인 소문일뿐더러…."

"언성을 높이지 말아 주었으면 하는데."

나직한 경고에 윌 백작이 입을 닫고 숨을 골랐다.

"나는 지금 몹시 피곤한 상태야. 사흘간 눈 한 번 붙이지 못했어. 무슨 말인지 알아들었나?"

그리 말하는 리히튼의 낯은 맞은편의 아즈마리아보다도 훨씬 창백했다. 내 눈에 비친 리히튼은 가까스로 이성의 끈을 붙잡고 있는 것으로 보였다. 그와 수년을 대치해 왔을 윌 백작도 리히튼이 무엇에 대해 경고하는지 모르는 눈치는 아니었다. 오히려 나보다 잘 알았으면 알았겠지. 그가 사람이든 짐승이든 목을 비트는 데 도가 튼 남자라는 걸.

"납득할 수 없다면 묻는 게 맞지. 물론 내가 아닌 백작의 따님에게."

아즈마리아가 긴장한 얼굴을 했다. 그녀의 눈빛은 실내에 자리한 인원들 가운데서 가장 또렷했다. 난관을 헤쳐가기 위해 칼을 빼어 든 선구자처럼.

나는 모든 난관을 헤쳐 나갈 수 있다는 듯 당당해 보이는 그녀의 꼬라지가 무척이나 불쾌했다.

"각하. 방금 저는 아주 짧은 시간… 각하께서 왜 이런 자리를 만드셨을까, 왜 저 하녀를 불러 오셨을까 생각해 봤어요."

나를 노려볼 때는 논외로 눈이 날카로웠다.

"그 누구도 완벽하게 신뢰하실 수 없으신 거겠죠. 제가 생각이 짧았어요. 모든 것을 잃었다가 모든 것을 되찾으신 각하 앞에서, 고작 짧은 몇 마디로 마음을 돌리려 했다니…."

또 시작됐군. 시련 앞에서 절대 무릎 꿇지 않는 여주인공, 아즈마리아가 그녀의 친부에게 말했다.

"각하의 말씀이 옳아요, 아버지. 이 약혼이 유지될지 말지는 저 하녀에게 달렸습니다. 죄송스럽지만 아버지께 자세한 이야기는 알려드릴 수 없어요. 잉고르드의 내부 사안을 외부인에게 밝힐 수는 없으니까요."

윌 백작이 이보다 더 황망할 수 없다는 표정을 지었다.

"아즈마리아, 지금 네 입으로 이 아비를 외부인이라 말하는 게냐?"

"네. 저는 남은 평생을 잉고르드에 속하기로 마음먹었어요. 그게 저의 속죄니까요."

속죄. 그녀가 말한 속죄는 과연 무엇을 의미하는가. 장대비 속에서 도축된 돼지인 양 끌려가던 제인의 얼굴이 떠올랐다. 설마 그 일에 대한 속죄는 아니겠지.

"오오, 샤릴! 당신 보고 있소? 우리의 사랑스러운 딸이 어쩌다…."

윌 백작이 기다란 탄식과 함께 마른세수를 했다.

"다시 생각해 보거라. 아즈마리아, 너는 아직 어려. 그릇된 신념을 옳은 길이라 여기기에 충분할 만큼 어리숙한 나이란 의미다. 대체 그 속죄가 무엇이냐?"

"말 그대로예요, 아버지. 저는 각하께 지은 커다란 죄의 값을 갚아야만 해요. 저분을 이 지옥으로 끌고 내려온 죄 말이에요."

속이 메스꺼웠다. 격렬한 슬픔에 젖은 아즈마리아의 목소리가 내 목구멍에 오물을 들이붓는 기분이었다.

"리히튼. 나의 리히튼, 정말… 진정으로 내가 누구인지 모르겠나요?"

윌 백작이 당황한 낯으로 아즈마리아의 손을 잡았다.

"아즈마리아?"

"나는 당신이 날 알아볼 줄 알았어요. 비록 내가 이런 껍질에 이런 얼굴을 하고 있다고 해도, 당신만큼은…."

"아즈마리아! 각하께 그 무슨 실례냐?"

"당신만큼은 날 알아 줘야지! 그래야지!"

그러나 아즈마리아의 눈에는 오직 리히튼만 담긴 듯했다.

그녀의 시선이 애타는 울분으로 일렁였다. 소리 없이 입을 여러 번 달싹이다 각고의 끝에 겨우 한마디를 내뱉었다.

"내가 아그레인이에요."

푸흡. 의도한 바는 아니었는데, 나도 모르게 그만 헛웃음이 튀어나오고 말았다. 킨을 포함한 세 쌍의 눈이 순식간에 나를 향했다. 리히튼은, 글쎄. 그는 날 바라보기보다 차라리 눈을 감지 않았을까.

"아, 죄송합니다. 저는 그냥…."

갈피를 잡지 못하는 아즈마리아의 얼굴을 응시하며 솔직한 속내를 드러냈다.

"아가씨의 속죄가 너무 우스워서요. 하마터면 속을 게워낼 뻔했지 뭐예요"

"뭐?"

"못 들으셨어요? 아가씨의 속죄가…."

말끝이 떨렸다. 웃음을 참기 위해 숨을 들이켠 탓이다.

"속죄가 말이에요. 저는 너무 우스워서…."

무언가 뺨을 스치며 날아갔고, 곧장 유리 부서지는 파공음이 터졌다. 무엇이 날아갔는지는 확인할 필요 없었다. 당장 그녀의 앞에 놓여 있던 찻잔의 자리가 비워져 있었으니까.

"네가 뭘 알아! 빌어먹을 수잔! 네가, 네가 뭘 안다고 자꾸 날 방해하는 거야! 응?"

아즈마리아의 하얗고 얇은 목덜미가 부들부들 떨렸다.

"그렇게 갖은 힘을 다해 날 파악한 척하지 마! 리히튼의 그림자? 고작 그따위로 날 조롱하고 우리를 이해하려 드는 거야? 넌 죽었다 깨어나도 우리를 이해할 수 없어. 나도, 리히튼도, 빌힐름도! 우리가 어디서 어떤 삶을 버텨왔는지 네가 아느냔 말이야!"

"아가씨, 거기까지만 하세요."

"잘 들어! 우리는, 그 더러운 늪에서 긴 시간 지옥처럼 굴렀어…."

"아가씨."

"이래도 이해 못하겠니? 내가 리히튼을 그곳으로 떠밀었단 말이야…."

테이블을 더듬어 몸을 일으킨 아즈마리아가 리히튼의 옆으로 기어갔다. 그녀의 눈에는 어느새 진주처럼 반짝이는 눈물이 그렁그렁했다.

"리히튼… 이래도 모르겠나요? 내가 돌아왔어요."

리히튼의 뒷모습은 여느 때처럼 곧고 고요했다. 그래서 나는 더욱 그의 낯을 확인할 자신이, 아니 용기가 없었다. 리히튼은 무슨 생각을 하고 있을까? 나는 아즈마리아의 사고방식을 도무지 이해할 수 없었다. 왜 그녀는 리히튼을 절절하게 사랑하는 듯 행동하는 걸까? 왜 그 사랑을 아그레인이기에 지닐 수 있는 감정이라 표현하는가? 어째서 리히튼이 당연히 그녀를 그리워하고, 다시 만나기를 바랐을 거라 여기는가? 나는 그의 증오를 받고, 언제 맞이할지 모를 죽음만 기다리고 있는데.

"아즈마리아, 너는 대체…."

자신의 친딸을 살피는 윌 백작의 표정은 흡사 사형 선고를 받은 죄수 같았다. 킨 또한 평소 보이지 않던 혼란스러운 얼굴이었다. 눈앞의 깜짝 연극과 같은 상황에 놀라서라기보다는, 이유를 알 수 없는 깊은 고민에 빠진 듯했다. 아즈마리아의 손이 천천히 리히튼의 턱으로 향했다. 그녀는 매우 불안정해 보였다.

"미, 믿기지 않겠죠. 이해해요. 그러니 제발 내게 아그레인임을 증명할 시간을 줘요. 모든 것이 진실이란 걸 입증할…."

그녀의 손끝이 닿기 직전이었다. 리히튼이 느릿하게 고개를 틀었다.

"킨."

이윽고 경멸 섞인 음성이 킨을 혼란 속에서 깨워냈다.

"지금 당장 이 버러지를 내 곁에서 떼어내."

킨의 행동은 재빨랐다. 너무나 재빠른 행동이라 오히려 아즈마리아를 보호하는 것처럼 느껴지게 할 정도였다. 그는 아즈마리아의 양팔을 붙잡아 서너 걸음 뒤로 물러섰다.

"리히튼?"

아즈마리아가 멍청한 얼굴로 눈꺼풀을 깜빡였다.

"내가, 무슨 실수라도 했나요? 나는, 나는 그저…."

"윌 백작. 그대의 여식이 아무래도 미친 것 같군. 백작은 어떻게 생각하나?"

윌 백작이 멍한 눈으로 아즈마리아를 응시했다.

"스스로가 아그레인 캐롤드라 주장하는 아즈마리아 윌이라… 설마, 백작. 아그레인 캐롤드가 누구인지에 대해서 무지한 건 아닐 테지?"

리히튼이 재차 묻자 윌 백작이 황급히 고개를 저었다.

"아니요, 아닙니다. 그녀에 대해서는…."

"모를 수가 없을 거야. 백작은 우리를 손수 그 새장 안에 가둔 몸이지 않나."

순간, 머릿속의 피가 한 방울도 남지 않고 빠져나가는 기분이 들었다. 나는 하녀라는 위치도 잊고 윌 백작의 얼굴을 뚫어져라 응시했다. 차가워진 머리에 비해 가슴 속은 응어리가 터진 듯 뜨거웠다. 뒤늦게 이 자극적인 감정이 증오라는 것을 인지했다. 누군가에게 이토록 선명한 증오를 느끼는 건 처음이었다.

나를 황성에 구겨 넣은 남자. 그곳에서 빌힐름의 개가 되도록 마땅히 도운 남자.

"수잔."

리히튼이 나지막이 부르며 내 손을 감싸 쥐었다. 그는 부드러운 손길로 날 이끌어 자신의 옆 자리에 앉혔다.

"아무래도 네게 물을 질문을 바꾸는 게 좋을 것 같아. 그렇지?"

그의 목소리에는 이전과 다른 흥분이 느껴졌다. 지루하고 무덤덤했던 청회색 눈동자에 활기가 돌았다. 지금 이 순간, 리히튼은 살아 숨 쉬고 있었다. 광증에 물든 그가 늘 그러했듯이.

"네 의견이 궁금하군, 수잔. 아즈마리아 윌을 굳이 살려 둘 필요가 있을까?"

"각하!"

윌 백작이 튀어 나올 기세로 몸을 일으켰다. 그런 그의 모습은 보이지도 않는지, 리히튼의 서늘한 시선은 여전히 나를 향한 채였다.

"아즈마리아는 윌 가문의 적녀입니다. 아무리 각하의 권세가 하늘을 찌른다 한들, 죄 없는 귀족 여식의 목숨을 논한단 말씀이십니까!"

"고리타분한 소릴 하는군. 빌힐름 황자가 아그레인 캐롤드를 얼마나 끔찍하게 여기는지 알고 있을 텐데도."

말과 함께 리히튼이 손에 쥔 내 손등을 느리게 쓰다듬었다.

"그렇다면 다시 묻도록 하지. 아즈마리아 윌 영애, 영애는 스스로가 진정 아그레인 캐롤드임을 확신하는가?"

킨이 손을 놓자 아즈마리아의 몸이 힘없이 쓰러졌다. 이어서 그 사실만은 포기할 수 없다는 듯, 입술을 악물며 고개를 주억였다.

"그렇다면 백작. 내가 지금 여기서 저 아그레인 캐롤드 영애를 놓아 준다면,

그대는 아그레인 캐롤드를 다시 빌힐름 황자에게 갖다 바치는 꼴이 되겠군."

"아닙니다. 아즈마리아는 그저… 예, 그저 무언가 단단히 착각하고 있는 것에 불과합니다. 대체 어디서 그 이야기를 들었는지 모르겠군요. 아그레인 캐롤드는 이미 오래 전에 죽지 않았습니까? 한데 그 무슨…."

윌 백작의 눈은 어느 때보다 동요가 심했고, 리히튼은 그러한 백작의 말을 귀담아 듣지 않았다. 여전히 내 손을 쥔 채, 리히튼이 아즈마리아를 향해 물었다. 웃음기가 느껴지는 음성이었다.

"아그레인 캐롤드 영애. 과연 기억하고 있을지 모르겠어…. 지옥으로 돌아가느니 차라리 죽음을 선택하겠다던, 그때의 당신을 말이야."

리히튼이 내 손을 놓았다.

"돌아온 그대를 위해 선택할 기회를 주는 것도 나쁘지 않겠지. 아그레인 캐롤드, 빌힐름을 따라 그 지옥으로 돌아갈 텐가? 아니면 여기서 편안히 죽음을 맞이하겠는가?"

리히튼의 목소리는 윌 백작조차 토를 달 수 없을 정도로 단호했다. 아즈마리아가 어색한 웃음과 함께 비틀비틀 자리에서 일어섰다.

"리히튼. 그때의 그 말을 기억해 주고 있었군요. 나는, 나는 당신이 날 잊지 않았다는 사실만으로도…."

내가 그런 말을 한 적이 있던가. 어쩌면 아즈마리아가 아그레인의 더 많은 기억을 지니고 있을지도 모르겠다. 그녀는 어떻게 아그레인의 기억을 지니고 있는가. 리히튼은 그러한 사실을 어찌 알 수 있었는가. 고민은 늘 제자리만 맴돈다. 곧 리히튼이 그녀로부터 시선을 거두었다.

"귀를 기울여도 내 물음에 대한 답은 일체 없군. 아그레인 캐롤드 영애께서는 마땅한 선택지를 고를 자신이 없는 모양이야. 그러니 수잔, 네가…."

"그 하녀는 나를 죽이려 했어요, 리히튼!"

작은 덩치에서 나온 비명이라고는 절대 생각되지 않는 외침이었다. 아즈마리아는 덜덜 떨리는 손으로 레이스 장갑을 벗어냈다. 고약한 물집이 져 붉게 문드러진 손등이 드러났다.

"이, 이 상처! 이 끔찍한 상처를 남긴 게 바로 당신 옆의 그 하녀란 말이에요. 어젯밤은 내내 눈물을 삼키고… 타는 듯한 고통에 잠들지도 못했어요. 당신을 등에 업고 패악을 부리는 하녀에게 대체 무얼 맡기겠다는 건가요?"

리히트의 표정에는 조금의 감흥도 느껴지지 않았다.

"사랑스럽고 가녀린 아그레인 캐롤드 영애께서, 문드러진 손등에 고통을 표하시다니. 내가 아는 아그레인 캐롤드는 손목을 바쳐서라도 원하는 바를 빼앗아 내는 여자인데."

형체 없는 압박감이 느껴졌다. 리히트은 아즈마리아의 입에서 아그레인이 언급되는 것을 매우 달갑지 않게 여기는 듯했다.

'눈치도 없이 제 명을 재촉하네.'

그녀가 요절할지 말지는 관심 없었다. 그러나 그로 인해 받게 될 피해로부터는 최대한 멀어지고 싶었다.

"아즈마리아 아가씨께서는 마음이 무척 여리고 자애로우시죠. 저 같은 볼품없는 하녀에게도 진주 귀걸이와 함께 친애를 표하실 정도니까요."

리히트이 헛웃음을 지었다.

"진주를 받고 그 뺨을 내주었나 보지."

"어느 쪽도 거절할 수 있었어야지요."

"그렇담 네 뺨을 내주게 한 대가로 목을 잘라내면 될까?"

다정한 목소리였다. 마치 다른 사람처럼.

"각하."

무엇이 마땅한 대답일지 고민하던 때였다. 말없이 상황을 지켜보던 킨이 대뜸 앞으로 나섰다.

"저와 하신 약속이 있습니다. 부디 그 약속을 잊지 말아 주십시오."

킨이 이런 식으로 리히튼의 의사를 거스르는 건 처음 있는 일이었다. 나보다도 더 잉고르드의 개처럼 부려지던 그였는데.

"약속이라…. 킨. 네게는 저 여자의 발언이 모두 진심으로 들린다는 뜻인가?"

"적은 가능성이라도 제게는 더없이 소중합니다."

"그래서, 아즈마리아 윌 영애의 목숨을 보장해 달라?"

무슨 약속일까? 무엇과 연관되어 있기에 리히튼이 한 수 무르는 걸까?

"…예."

늘 여유롭던 킨도 리히튼 앞에서는 항상 긴장을 잃지 않는다. 그들 사이의 약속을 언급했기 때문일까? 어쩐지 오늘은 더욱 그러해 보였다.

"킨 경? 그게 무슨…."

아즈마리아가 혼란스러운 얼굴로 킨을 올려다봤다. 하지만 킨은 끝까지 리히튼에게서 시선을 떼지 않았다. 하지만 그에게서는 아무런 답도 들려오지 않았다. 모두가 숨을 죽이고 그를 주목했지만 응접실은 고요했다. 리히튼은 나의 결정을 기다리고 있는 것이다. 마치 복종을 기다리는 개처럼.

살릴까? 굳이 살려야 하는 이유가 있을까? 있다면 킨이 그것을 바란다는 것 정도. 그를 더는 신뢰하지 못할 뿐, 악감정이 존재하는 건 아니었다. 오히려 나는 한 번 그에게 빚을 지지 않았는가.

고민은 길지 않았다. 세상에는 죽음보다 더한 고통도 많으니까.

"죄 없는 아가씨를 이런 식으로 허무하게 죽일 수는 없다고 생각해요, 주인님."

"자비로운 처사로군."

"그녀를 빌힐름에게 보내죠. 모든 것을 원래 자리로 돌려보내는 거예요. 혹시 몰라요. 주인님의 말씀대로, 손목을 바쳐서 원하는 바를 얻어내려 할지. 이를테면… 주인님이라든가."

그때, 아즈마리아가 발작하듯 몸을 일으켰다. 핏발에 붉어진 눈이 순식간에 나를 덮쳤다. 그녀는 날 잡아끌어 바닥에 쓰러뜨렸다.

"닥쳐, 닥쳐! 입 닥쳐어!"

위태로이 흔들리는 망막에 내 얼굴이 맺힌다. 문득 크로허츠 후작가의 에리얼이 떠올랐다. 왜 다들 알아서 시궁창으로 발을 디디는 걸까?

"그의 곁은 철옹성과 같은 새장이야! 벗어날 수 없는 지옥이라고!"

아즈마리아는 성하지 못한 양손으로 내 목을 힘겹게 졸랐다.

"네가 빌힐름의 곁에서 그의 발을 핥아 봤어? 짖는 게 전부인 온순한 개새끼가 되어 봤어? 기껏해야 시중을 드는 일이 고난의 전부였던 주제에. 내게 다시 돌아가라는 소리는…."

"그럼 벗어나."

마음 같아선 추하게 일그러진 낯에 침을 뱉고 싶었다. 그러나 고막을 찢는 비명을 더는 듣고 싶지 않았기에 이죽거리는 것으로 대신했다.

"네가 할 수 있는 건 애새끼처럼 우는 소리만 내는 게 전부지. 두려워? 두려우면 네 양 날개를 잘라서라도 그 새장에서 벗어나지 그래? 아니면 벗어나는 것조차도 두렵나? 우스워라, 날 죽이기 위해서는 개 같은 짓도 불사했던 아가씨가 두려워하다니."

여기서 더 발악하기 전에 아즈마리아의 몸을 밀치고 일어섰다. 분해 보이는 얼굴은 아니었다. 그녀는 순전히 나의 말을 납득하지 못하는 듯했다.

그렇겠지. 아그레인이 아닌 여자가 아그레인을 아는 척했으니.

"이제 논의를 마무리할 때가 되었군, 백작."

리히튼의 한마디에 윌 백작이 신음했다. 나는 극도의 피곤함을 느꼈다. 차라리 죽이도록 내버리는 게 속 편했을까 싶을 수준이었다.

"그럼 전 돌아가 보도록 하겠습니다."

옷에 묻은 먼지를 터는 동안 리히튼이 느긋한 어조로 말했다.

"베르크네에게서 제대로 된 약을 받아 가라."

고개를 끄덕이는 것으로 대답을 대신하고 응접실을 벗어났다. 나는 텅 빈 복도를 가로질러 가는 내내 의문을 지울 수 없었다.

'나를 왜 부른 거지?'

내 선택에 따라 아즈마리아와 혼인을 약속했으니, 그 이후도 내 선택에 따르겠다고? 리히튼이 날 부른 것이 고작 그런 이유에서일 리 없었다.

"아그레인."

누군가 내 팔을 가볍게 당겨 등불이 닿지 않는 그림자 속으로 끌었다.

빌힐름. 그렇지, 네가 이곳에 왔었지. 도망치고 싶은 마음을 겨우 참아냈다. 여기서 그런 태도를 보일 수는 없었다. 나는 꽉 막힌 목구멍에서 억지로 목소리를 끌어냈다.

"그 이름으로 부르지 마세요."

"뺨은 조금도 가라앉지 않았군요."

"겨우 하루가 흘렀으니까요."

빌힐름이 다정한 시선으로 내 얼굴을 쓸어내렸다. 그늘 속에서 어둡게 빛나는 적안에는 평온함이 흐르고 있었다. 꿈속의 그라고는 조금도 상상되지 않는 낯이었다.

"제 착각일지 모르겠지만… 표정이 좋지 않습니다."

매끄러운 손끝이 흘러나온 내 머리칼을 귀 뒤로 넘겼다. 그러나 나에게는 그와 수 싸움을 할 기력이 더는 남아 있지 않았다. 어쩌면 빌힐름이 바라고 있을지도 모를 대답을 뱉었다.

"당신이 말한 '그들'을 봤어요. 각하에 대해 무엇이든 아는 양 행세하며, 당신을 괴물 취급하는 자를."

"아즈마리아 월 영애를 말씀하시는 거군요."

고개를 끄덕였다.

"그녀의 존재로 인해 당신이 부정당할까 봐 두렵습니까?"

"그런 때도 있었죠."

"지금은 아니라는 뜻이로군요. 그건 부정당해도 상관없다는 의미입니까? 아니면…."

그의 매끄러운 웃음이 서서히 자취를 감추었다.

"그럴 일이 없다는 의미이려나."

내가 과거의 그를 기억한다고 말한다면, 빌힐름은 과연 어떤 태도를 보일까? 그때도 지금과 같을까? 혹은 과거의 그처럼…. 쓸모없는 생각을 하느라 대답하는 데 한 박자 늦어 버렸다. 고개를 저으며 한 발자국 더 물러섰다.

"너무 가까워요. 제 심장 소리가 들릴까 봐 겁나네요."

"제 심장 소리는 들리지 않나 보군요."

그런 데까지 신경 쓸 만큼 여유롭지 못하니까. 빌힐름은 내가 물러선 것보다 더 가까이 몸을 붙였다. 첫 만남 때 인지했던 진중하고 선한 인상은 여전했다. 다만 그때와 달리 속을 알 수 없는, 습윤한 이끼색의 그늘이 눈동자 안에 일렁이고 있었다. 오래 마주하면 속을 읽힐 것 같은 기분이 들어, 아무렇지 않은 척 시선을 내렸다.

"그거 아세요? 처음 봤을 때의 당신과 지금의 당신은… 조금 달라요."

"나는 달라지지 않았습니다. 나를 보는 수잔 양의 눈이 달라졌겠죠."

빌힐름이 천천히 내 어깨를 쓸었다. 기분 나쁜 의도는 느껴지지 않았다. 오히려 날 안심시키려는 행동처럼 보였다.

"내 곁으로 돌아온다면 누이는 누이로서 살아갈 수 있을 겁니다."

"꾸준하네요. 아그레인이 당신에게 그렇게 소중한 존재인가요? 친누이도 아닐 텐데."

"혈연이라는 건 가장 가까운 공동체 집단이라는 사실을 제외하곤 특별할 것 없지요. 그리고 따지자면 우리는 혈연관계가 맞습니다. 내 어머니와 수잔 양의 어머니가 육촌 지간이기 때문이죠."

육촌이면 남이나 다름없다.

“하지만 수잔. 내게 중요한 건 혈연을 통한 유대가 아닙니다. 세상에는 그보다 더 중요한 것들이 많지 않겠습니까? 즐거움, 쾌락, 흥분, 만족감….”

나열되는 단어를 들을수록 꿈속의 빌힐름이 떠올랐다. 숨겨놨던 공포가 되살아나기 전에 황급히 입을 열었다.

“연인이 줄 법한 감정들이네요. 당신의 친척 누이인 나와는 일절 관계없는. 공교롭게도, 빌힐름. 당신에게 돌아갈 사람은 내가 아닌 아즈마리아 윌일 거예요. 각하께서 그리 정하셨으니까.”

“글쎄요.”

빌힐름의 음성은 더할 나위 없이 나직했다.

“리히튼 공작이 진정으로 아그레인 캐롤드를 증오한다면… 내게 가짜가 아닌 진짜를 보낼 겁니다. 그자도 그것이 최고의 복수라는 것을 아니까.”

그가 부드럽게 웃으며 물었다.

“아직도 그를 사랑합니까?”

대답하지 않았다. 빌힐름도 내게 그 이상의 답을 종용하지 않았으며, 나는 그 사실을 다행으로 여겼다. 다행이라. 대체 무엇이 다행인 것일까? 안도하는 내 모습에 자괴감이 들었다. 빌힐름은 내가 긴 복도를 벗어나 도망치는 모습을 끝까지 눈으로 좇았다. 직접 본 것은 아니었으나 그리 느껴졌다.

다음날, 며칠을 내리꽂던 비가 멈추고 마지막 만찬이 끝난 후. 베르크네가 주방으로 찾아와 나를 조용히 불러냈다. 그는 이렇게 말했다.

“빌힐름 황자가 너를 데려가길 원했고, 각하께서 그 요구를 받아들이셨다.”

아무런 생각도 들지 않았다.

‘아즈마리아가 아닌 나라고?’

나도 모르게 죽어 버린 건 아닐까 싶을 정도로 머릿속이 텅 비었다.

"베르크네 씨. 한 가지만 여쭈어도 될까요?"

그는 말없이 고개를 끄덕였다.

"잉고르드에 오기 전에는 황성에 있었다고 하셨죠."

"그래."

"아그레인 캐롤드를 직접 본 적이 있으신가요?"

그는 다시 한번 고개를 주억였다.

"그렇다면 베르크네 씨가 보기에… 아즈마리아 윌은 아그레인이 맞는 것 같나요?"

"그런 걸 왜 묻는지 모르겠군."

"모를 만해요. 왜냐하면 아그레인은 그 여자가 아닌 나거든요."

베르크네는 두 눈을 크게 떴다. 그에게선 보기 드문 순수하게 놀란 모습이었다. 그 정도로 놀랄 일일까? 그럼, 몹시 놀라운 일이지. 수잔, 너는 더 이상 책 귀퉁이의 이름 없는 조연이 아니잖니. 어쩐지 알 수 없는 웃음이 나왔다.

"대단한 이유는 없어요. 그저 남들 눈에는 어떻게 보일지 궁금했을 뿐이니까…. 타인이 나인 척하는 것보다 불쾌한 게 세상에 어디 있겠어요?"

그의 대답을 듣지 않고 주방을 벗어났다. 이상한 일이었다. 통로를 지나 계단에 오르고 복도를 가로질러 걷는 내내 숨구멍으로 빨려 들어오는 공기가 상쾌하게 느껴졌다. 혹시, 나는 이 순간을 기다리고 있었던 걸까? 언제 일어날지 알 수 없는 미래에 지레 겁먹어, 불안감에 살아가던 하루하루가 이제 질렸을지도 모른다. 누구도 믿지 못하고 홀로 고립된 채 외롭게 버티느니, 차라리 이 모든 것들을 끝내고 싶었던 것이 아닐까? 하루 빨리 리히튼에게서 버려지는 게 더 마음 편하다 여긴 게 아니었을까?

그러나 그런 상념도 리히튼의 침실 앞에 서자 마법처럼 증발했다. 형용할 수 없는 배신감이 내 이성을 뒤엎었다. 왜일까? 기대한 것도 없는데 배신감이 들다니. 어찌 이토록 역설적이란 말인가?

문을 열었다. 리히트은 잠에 들지 않았다. 오히려 나를 기다린 듯, 등불 세 개를 밝힌 채 석상처럼 앉아 창밖을 응시하고 있었다. 언제 도달했는지 모르겠다. 나는 어느새 그의 목을 양손에 쥐고 있었다. 내 목에서 내 것이 아닌 목소리가 새어 나왔다.

"고작 이딴 게, 네가 말한 증오의 결말이야?"

리히트은 제 몸 위로 올라탄 내 허리를 천천히 감싸 안았다. 나는 손아귀의 힘을 더 강하게 쥐었다.

"말해 봐, 리히트. 네게 제인이 그렇게 소중한 존재였어? 여태껏 잊지 못할 만큼?"

"제인… 그리운 이름이군. 오랜 시간에 풍화되어 까마득하게 잊고 있었던 이름."

"여기까지 와서 거짓말할 생각 마. 넌 잊은 게 아니라 잊고 싶었던 거야."

리히트은 꿈쩍도 하지 않았다. 오히려 더 조르라는 듯 턱을 치켜세우고 나지막하게 웃었다.

"그럴 리가…. 정말 그럴 리가, 아그레인. 내가 고작 그딴 것 하나 때문에 복수심에 휩싸여 널 바깥으로 보낼 리 없지."

"그런데 결국 이런 결과잖아!"

소리를 내지르는 목이 뜨거웠고, 그런 내 모습에서 아즈마리아가 떠올랐다. 나 역시 그녀와 다를 바 없었다는 사실이 몹시 분했다. 이런 지독한 패배감이라니! 리히트에게 속절없이 휘둘리는 내가 너무나 한심했다.

"너는… 그저 날 비참하게 만들려 했을 뿐이야. 난 그런 네게 머저리처럼 이용당한 거지."

"그럼 내게 명령해."

리히트의 단단한 팔이 옴짝달싹 못할 힘으로 내 허리를 끌어당겼다.

"지금 당장 명령해, 아그레인."

상체가 맞닿자 양팔의 힘이 풀렸다. 내 목덜미에 얼굴을 파묻은 그가 깊게 숨을 들이켰다.

"제기랄… 왜 아무런 말이 없지? 널 가지라고, 그 개새끼에게 보내지 말라고 명령하란 말이야!"

왜 그는 내게 다른 무엇도 아닌 명령을 요구하는가. 굴복해야 하는 건 그가 아니라 나인데. 이 남자에게 복종하기 위해 얼마나 많은 것들을 포기했는데.

"이제 와서 모르는 척하지 마. 그 명령이야말로 내게 가장 간절한 바람이니까. 아그레인이 아닌 수잔으로서 내 곁에 머물러도 좋아. 그러니 빌힐름을 포기해."

명령. 곰곰이 돌이켜보면 그는 나의 요구를 거리낌 없이 수용하곤 했다. 혹은 나의 결정을 기다리거나.

'베르크네. 수잔에게 적당한 신분을 구해 주도록.'

'내게 혼인을 요구하는데, 소중한 연인의 의사를 묻지 않을 수 없지.'

'지금부터 내 하녀가 백작의 딸을 윌로 돌려보낼지 말지 결정할 테니까.'

그래, 그는 오로지 나의 말을 따랐다. 순종적인 사냥개처럼.

"모든 걸 잊고 이곳에 머물러. 처음부터 다시 시작해. 아니, 그래야만 해. 내게 이번만큼 완벽한 기회는 다시 오지 않을 테니…."

퍼붓는 빗줄기가 땅이 아닌 그의 눈을 적신 듯했다. 메마른 시선이었으나, 그의 눈동자에는 파문이 끊이지 않았다. 광증일까? 지금의 그는 미친 걸까? 나를 빌힐름에게 내보낸 주제에, 이곳에 머물라고?

"복수는 내가 대신 해 주지. 무엇을 원해? 제도의 가장 높은 성에 빌힐름의 머리를 달아 주면 될까? 가장 고통스럽게 죽어 가는 얼굴을 창에 꽂아 전시해 주면 되는 건가? 아니면 살아 있는 그 새끼의 사지를 네 앞에서 포 뜨는 것도 나쁘지 않겠군."

리히튼의 코끝이 내 목을 쓸고, 턱을 타고 올라 뺨에 머물렀다. 그리고 죽은 연인의 이름을 부르듯 절절한 음성으로 나를 삼켰다.

"그러니까 떠나지 마, 아그레인. 제발. 제발…."

목이 메었다. 리히튼이 내게 매달리며 울고 있다. 눈물만 흐르지 않았을 뿐, 애처럼 매달리며 이별을 거부했다. 가슴 안쪽이 오랜 염증이 생긴 것처럼 쓰리고 아렸다. 그의 입술은 내 입과 코와 눈을 오가며 끝없이 자국을 남겼다. 종종 뜨거운 숨이 내 입 안쪽을 쓸기도 했다. 그의 두 다리와 두 팔이 나를 완전히 옭매었다. 내가 여기서 무슨 말을 해야 하는 걸까?

"이제껏 그래 왔듯… 남은 평생 역시 날 이용해도 돼. 나는 지쳤어. 이제 그만 쉬고 싶어. 그러려면 네가 필요해."

순간, 뜨겁게 녹아내려가던 정신이 이성을 되찾았다.

"내가, 널 이용했다고?"

그가 날 버리면서, 떠나지 말라고 매달리는 이유. 리히튼이 바라지 않는 바를 강요할 수 있는 인물.

"나구나."

모두 나였다.

"내가 네게 명령한 거야. 대체 언제? 어떻게? 그렇다면… 그렇다면 나는 내 발로 직접 황성에…."

"하루를 주지."

그의 울음이 느리지만 확실하게 멎어 갔다. 동시에 리히튼의 두 팔이 나를 밀어냈다.

"이 하루가 내게서 벗어나, 네 일생의 목적을 실현할 마지막 기회가 될 거다. 이건 내 마지막 자비이기도 해. 어쩌면 병신처럼 평생을 후회하게 될 잘못된 판단일 수도 있겠군…."

리히튼은.

"부디 네가 아닌 나를 선택하길."

그렇게 내게 작별 인사를 남겼다.

나는 그런 리히튼을 잡을 수 없었다. 그는 단호한 눈빛으로 나를 완전하게 밀어냈다. 내가 보일 수 있는 행동이라곤 리히튼의 침실을 벗어나는 게 다였다. 아. 만약 내가 아즈마리아를 죽였다면, 지금과 결과가 달라졌을까? 의미 없는 추측이란 걸 알면서도 머릿속에서 쉬이 지울 수가 없었다.

아니야, 지워내. 지금은 그보다 더 중요한 게 있잖아.

'리히튼은 날 버리지 않았어.'

그래, 리히튼은 날 버리지 않았다. 오히려 그 반대였다. 그는 내게 자신을 내버리지 말라며 애걸복걸했다. 영혼이 불타오르는 것 같던 그의 시선을 떠올리자 자책과 불안이 조금은 가라앉았다. 나는 이대로 만족해. 그래, 여기서 더는 필요 없어. 리히튼이 나를 바란다면 나는 그것으로 충분했다. 이 만족감과 고양감이 어디서 파생된 감정인지는 모르겠으나, 내가 바라온 결과라는 사실은 명확했다.

나는 빌힐름이 아닌 리히튼을 선택할 것이다. 그것이 비록 어리석은 선택일지라도.

그날 밤, 나는 기다렸다는 듯 또 꿈을 꾸었다. 착각이 아니라면 이전보다 시야가 조금 더 높아져 있었다. 두 팔이 흔들리는 느낌은 이전과 확실히 달랐다. 어렴풋이 나의 육체가 꽤 자라 있다는 걸 인지했다. 기다리는 이가 있었지만, 아무리 시간이 흘러도 테이블에 앉은 사람은 내가 전부였다. 이윽고 하녀가 내게 다가와 자그마한 목소리로 속삭였다.

[아가씨. 리히튼 경께서 곧 방문한다는 의사를….]

[어느 때?]

[정확한 시간은 전달 받지 못했습니다.]

[곧이라. 리히튼이 말하는 곧은 과연 언제일까?]

찻잔이 비었다. 사실 잔이 빈 지는 꽤 되었다. 그저 혹시나 하는 마음에 채워 두지 않았을 뿐. 나는 새것과 다름없는 조각 케이크를 자르며 하녀에게 물었다.

[어제는 리히튼으로부터 어떤 소식을 전달 받았었지?]

[곧 오신다고….]

[그가 언제 내 성을 방문했더라.]

[한동안 방문하지 않으셨습니다.]

[그제는?]

[고, 곧 오신다고….]

[그러면 그제에는 그가 내 성을 방문했었나?]

하녀가 고개를 푹 숙였다. 그녀의 대답은 듣지 않아도 뻔했다. 리히튼은 그제도, 그제의 그제도 나를 찾아오지 않았으니까. 이 주간 매일같이 초대해야 겨우 한 번 얼굴을 비추는 그였다. 마지막으로 그가 내 초대에 응한 게 언제였더라. 적어도 일주일은 더 기다려야 할 것 같았다.

[비비안느가 보고 싶어. 그 애를 만나러 가자.]

하녀가 한층 밝아진 낯으로 고개를 끄덕였다.

[예. 황녀 전하께서 필히 반갑게 맞이해 주실 거예요.]

내 성에서, 아니 내 새장에서 황녀의 거처까지 이동하는 데는 적잖은 시간이 걸린다. 그럼에도 비비안느는 날마다 꾸준히 내게 서신을 보냈다. 몇 날 몇 시에 다시 날 찾아와 줄 거냐고. 마치 내가 리히튼에게 그러하듯. 비비안느의 성에는 마차에 오르고 십여 분 가까이 흐른 후에야 도착했다. 시종들이 나란히 서 나를 맞이했으나 그들 중에서 어떤 이도 내 얼굴을 쳐다보지 못했다. 비비안느가 경을 치기 때문이다.

응접실로 들어서기 위해 시종의 뒤를 따랐다. 2층 오른쪽 끝 복도. 시간의 멋이 든, 한눈에 겨우 담아낼 거대한 그림 앞에서 걸음을 멈추었다. 그림의 형상은 매우 난해했다. 타오르는 태양을 붉은 강줄기가 감싸 안은, 비현실적인 감상이 여실하게 느껴지는 작품이었다. 시선을 내려 금패에 음각된 작품의 이름을 훑었다.

…아, 이런. 나는 이런 걸 예상한 게 아닌데. 심장이 갈비뼈를 꿰뚫고 나올 만큼 거세게 뛰었다. 태양이 흐르는 강. 나를 이 끔찍한 세계로 끌고 온 작품. 나는 시종에게 들리지 않을, 몹시 자그마한 목소리로 속삭였다.

[이 그림을 잘 봐 둬, 수잔. 그리고 잊지 마. 지금 나는 네가 그 구렁텅이에서 벗어날 수 있도록 개처럼 구르고 있거든.]

'나'는 입을 닫았다. 하지만 입을 다문 '나'와 달리 나는 언제 그랬냐는 듯 아무렇지 않게 말을 이었다.

[수잔이라는 이름은 누가 지어 준 이름이려나. 내가 너의 사소한 부분까지 전부 알지는 못해서. 한데 많고 많은 이름 중, 하필이면 그 이름이라니… 기분이 몹시 이상해지네. 어쩌면 모든 진실을 잊은 널 조롱하는 걸 수도.]

마치 한 사람이 서로 다른 몸을 지니기라도 한 것처럼, 아그레인은 내게 말을 걸었다.

[하지만 수잔, 네 진짜 이름은 그게 아니잖니? 우리의 정체성은 아그레인이야. 그렇지? 지금 네가 보고 있는 내가 진짜 너라는 의미지.]

조심스럽게 팔을 뻗은 나, 아그레인이 벽 한 면을 장식하고 있는 웅장한 유화 작품을 천천히 쓸었다.

[태양이 흐르는 강… 캐롤드의 태양, 잉고르드의 강. 그리고 이 둘을 담은

하늘, 제국의 주인인 그렌페르크. 후후, 이 얼마나 끔찍한 그림이람? 마음 같아서는 지금 당장 눈앞에서 찢어발기고 싶군.]

아그레인이 작게 콧소리를 내며 웃었다. 그런 그녀를 마치 타인이 된 양 관찰했으나, 우리는 여전히 한 몸이었다. 나는 그녀의 눈으로 그림을 올려다봤으며 그녀의 손끝으로 말라붙은 물감의 감촉을 느꼈다.

[아그레인… 나는 너무나 궁금해. 지금 너의 세상은 어떠니?]

아그레인이 황홀한 눈길로 그림 속 태양을 올려다봤다.

[행복하니? 아니, 그럴 리 없지. 나는 네가 죽어서야 그 감동을 느낄 존재란 걸 너무나 잘 알아. 그래… 행복을 느끼지 못한다면 당장의 현실에 안주하고 있을까? 그저 살아가고 있음에 만족하고 있니?]

그녀에게 대답할 수 있었다면 나는 아마 '그렇다'고 대답하지 않았을까.

[그거야말로 맹세코 용납 못하지.]

그런 내 대답을 들었다는 듯, 아그레인이 냉랭한 음성으로 이를 갈았다.

[우리… 아니, 나의 숙원. 너는 절대 잊어선 안 돼, 잊느니 죽어 버리는 게 나아.]

아그레인이 천천히 몸을 돌렸다. 그녀는 장미가 수놓아진 벨벳 카펫을 따라 느릿하게 걸음을 옮겼다.

[너는 모르겠지만, 그간 꽤 깊은 고민에 빠져 있었어. 지금의 너는 과연 어떤 생각을 하고 있을까? 무엇을 원하고 무엇을 버리고 싶어 할까…. 그러다 문득, 가장 중요한 사실을 모를 수도 있단 생각이 들더구나.]

그녀가 목소리를 더 낮춰 속삭이듯 읊었다.

[그거 아니? 너는 미래를 볼 수 있어, 아그레인.]

당장 내재된 의미를 해석할 수 있는 발언은 아니었다. 내가 미래를 본다고? 그럴 리가. 갑작스러운 건 둘째 치고 말도 안 되는 소리였다. 『태양이 흐르는 강』에는 그런 능력을 지닌 인물이 등장하지 않는다. 나는 이제껏 단 한 번도….

[그리고 이 악몽의 시작 또한 바로 거기서부터 비롯되었지. 그러니 끝 또한 마찬가지일 거야. 네 미래에 대해 알고 싶지 않아? 그렇다면 황성으로 돌아오렴, 아그레인.]

착각이 아니라면, 이제까지와 달리 아그레인의 목소리에는 익숙하지 않은 초조함이 느껴졌다.

[돌아와서….]

그때, 멀지 않은 곳에서부터 점차 가까워지는 인영이 보였다. 황금을 흩뿌린 듯 찬란한 금발이 파도처럼 요동쳤다. 햇살보다 화사한 미소를 지닌 여자가 아그레인을 발견하자마자 걸음을 옮겼다. 멈춰 선 아그레인은 여자가 당도하길 기다리며 작게 웃음을 삼켰다.

[아아, 이 말을 잊을 뻔했네. 리히튼을 너무 괴롭히지 말아 줘. 그 애만큼 불쌍한 애가 또 없거든.]

그리고 코앞으로 뛰어온 여자가 입을 열기 전에 눈앞이 하얘졌다. 시야가 어지러이 일그러지는 동시에 내 정신이 깊은 수조 안으로부터 끌어 올려졌다.

그런 상상을 해 본 날도 있었다.

이 세상이 책 속이 아닌 내 진짜 세계라면 어떨까? 그저 운이 나쁘게 과거의 기억을 잃었을 뿐이고, 돌아가야 할 세상 없이 지금의 삶을 이어 가야 한다면 어떨까? 그야말로 끔찍한 가정이었다. 그때 깨달았다. 내가 버텨 갈 수 있는 힘은, 다름 아닌 이 세상에 속한 사람이 아니라는 자각이었다는 것을.

'이제는 아니야.'

하지만 공교롭게도 그때의 가정은 옳았다. 나는 이 세상의 일부다. 과거의 내가 알려 주지 않았는가? 『태양이 흐르는 강』을 통해 보았다고 인지했던 세상은, 내가 본 미래의 일부였다고. 나에게는 미래를 볼 수 있는 힘이 존재한다고. 나는, 아그레인 속으로 들어온 게 아니라 아그레인 본인이었다고.

"하."

나는 아그레인이다.

"아하하."

어떡해야 할까.

이제 나는 무얼 해야 하지?

"아그레인 캐롤드."

과거의 나는 어떤 심정으로 수잔이라는 이름을 불렀을까? 과거의 나는 지금의 나까지 예견했을까? 예견했다면 그 과정에서 내가 무엇을 얻길 바랐을까. 도통 알 길이 없다. 비척비척 몸을 일으켜 저택을 나갔다. 안개가 걷히지 않아 흐릿한 새벽하늘 아래, 장마로 한껏 거세진 냇물이 콸콸 쏟아졌다. 나는 고민 없이 그 안으로 몸을 던졌다. 바보같이 주저앉지 마. 머리를 써, 아그레인.

"내게 필요한 것."

당장 떠오르는 건 잉고르드 독의 해독약이 전부였다.

"치워야 하는 장애물."

아즈마리아에게는 이제 관심 없었다. 의문이 있다면 왜 그녀가 내 기억을 갖고 있느냐 정도일 뿐. 그렇다면 빌힐름? 빌힐름을 치워야 하는 걸까? 날 이곳까지 끌고 온 리히튼은?

"내가 해야 하는 일."

모르겠다.

"내가 할 수 있는 일."

모르겠다.

"내가 원하는 것."

과거의 나에게는 복수였다. 그렇다면 지금의 나에게도 복수여야 하는 건가?

"젠장."

정말이지, 하나도 모르겠어…. 냇물은 머릿속의 혈관 하나하나가 꽁꽁 얼어 버릴 정도로 차가웠다. 나는 허리 바로 아래까지 차오른 물을 건너며 리히튼의 말을 되새겼다.

'하루를 주지. 이 하루가 내게서 벗어나, 네 일생의 숙원을 실현할 마지막 기회가 될 거다.'

문득, 그라면 알 수도 있다는 생각이 들었다. 리히튼이라면 내가 무엇을 해야 하는지 알려 줄 수 있을까? 그가 내게 길을 제시해 줄 수 있지 않을까? 어차피 나에게는 여기서 더 떨어질 바닥도 없었다. 적어도 지금의 나는 그리 여겼다. 뭍으로 기어 올라와 스산함이 감도는 통로를 지나 곧장 리히튼의 침실로 향했다.

까만 장막이 드리워진 방은 겨울밤보다 어두웠다. 내가 그러하듯, 리히튼 역시 작은 인기척에도 눈을 뜬단 사실을 안다. 보이지 않아도 내게는 충분히 익숙한 장소였다. 물에 젖어 무거워진 몸을 이끌고 침대 위로 몸을 걸쳤다. 두 팔로 무게를 받치고 천천히 허리를 숙이니, 그늘 속에서 빛나는 청회색 눈동자가 소리 없이 날 뜯어 살피고 있었다.

"답을 말해 줘, 리히튼."

긴 정적 끝에, 밀랍 인형처럼 굳어 있던 리히튼이 움직였다. 그는 기다란 손가락을 내 젖은 머리칼 사이사이로 쑤셔 넣었다. 눈빛은 막 잠에서 깨어난 사람이라 생각되지 못할 정도로 선명했다. 긴 밤이 지나는 동안 내가 자신에게 도달하길 기다려온 것처럼.

"너는, 정말… 내 앞에서만큼은 끔찍하리만치 잔인하지."

느리게 깜빡이는 눈꺼풀 아래로 자조적인 웃음이 스쳐 지나갔다.

"그걸 알면서도 나는 늘 멍청한 짓거리를 해 왔어. 마치 후회하길 바라기라도 하는 양. 그야말로 끝이 보이지 않는 반복이라 할 수 있겠군."

내 젖은 머리칼을 지분거리던 그가 이내 자신의 코앞으로 나의 뒤통수를 끌어 내렸다.

"네가 원한다면 난 해야만 해. 그러니 네가 바라는 대로 해 주지."

이어진 그의 목소리는 칼날에 찢어 발겨진 커튼처럼 너덜너덜했다.

"빌힐름 황자를 죽여라, 아그레인."

말도 안 되는 소리다. 그는 그렌페르크 제국의 직계 황자였으며, 킨의 말에 따르면 비비안느와 황위 후계를 두고 다투고 있는 제도의 실세 중 한 명이었다. 나는 가까스로 고개를 저었다.

"내가 어떻게 그를…."

"이건 명령이야, 아그레인. 네 손으로 직접 그를 죽여. 목에 창을 꽂고 머리를 잃은 사지를 내 앞으로 끌고 와. 그리고 내 앞에서 놈을 완전히 죽였다고 말해."

그의 말에 과거의 기억과 잉고르드의 시간이 머릿속에서 교차했다.

"그를 죽이는 게 네가 말한 나의 숙원인 거야?"

"그래. 하지만 나는 너의 복수가 실패하길 바라. 그럴 수만 있다면 이번에야말로 네 두 눈과 두 귀를 가리고 내 영지에 가둬 둘 수 있겠지."

긴 한숨이 이어졌다. 리히튼의 한마디 한마디에 가슴 아래쪽이 아렸다. 그의 집착에서는 뜨거운 애정이 아닌 차가운 한기가 느껴졌다. 긴 시간 갈고 닦은 복수의 칼이 나를 향한 것처럼. 얼마나 짧은 정적이 흘렀던가. 그가 내 머리를 조금 더 가까이 끌었고, 우리의 이마가 맞닿았다.

"너는 알 거야. 네 바람은 내가 이룰 수 있다는 걸…."

어제와 똑같이 날 타이르는 어조였다.

"놈의 머리를 바칠 수 있어. 나는 네게 거짓말하지 않아. 너는 가만히 앉아 구경만 하면 돼."

전날 밤만큼의 애절함과 간절함은 전달되지 않았다. 리히튼은 이미 내가 내린 답을 알고 있는 듯했다. 그래서 더욱 심장 한 구석이 미어졌다. 이 감정이 죄책감인지, 아니면 그것과 다른 형태의 무엇인지는 알 수 없었다. 왜 날 위해 그렇게까지 하는 거지? 도대체 왜? 차마 이유를 묻지는 못했다. 그가 어떤 대답을 들려줄지 겁이 나서.

"…하지만 너는 그리 하지 않겠지. 이제껏 그래 왔듯이."

안개처럼 흩어지는 숨을 남기고, 리히튼이 내게 입을 맞추었다. 작별 인사라도 되듯 길고 정적인 입맞춤이었다. 목이 메었다. 나도 모르게 깨문 아랫입술을 그가 부드럽게 당겨 풀었다. 리히튼이라고는 믿기지 않을 정도로 첨예하고 조심스러우며, 무거운 회한이 느껴졌다. 입술을 뗀 리히튼은 마치 오늘이 마지막인 것처럼 날 끌어안았다.

"내기는 네가 이겼다."

나는 그의 견고하고 처량한 어깨에 이마를 기댔다. 우리 사이에 무엇이 있지? 리히튼이 내게 남긴 건 고통스러운 독과 개로서 보여야 할 복종의 덕목이 다였다. 그런데 어째서 나는 이런 감정을 느껴야 하는 건가.

'네가 내게서 도망칠 수 있는 방법은 내기에서 이기는 것뿐이야.'

그의 두 팔이 나를 밀어냈다. 냉혹한 잉고르드 공작의 얼굴이 되어서.

"그러니 지금 당장 내 땅에서 사라져, 아그레인. 앞으로 내 허락 없이는 두 번 다시 잉고르드에 발을 디딜 수 없을 거다. 그 귀중한 목숨을 걸지 않는 이상."

무슨 생각으로 두 다리를 질질 끌어 침실에 돌아왔는지 모르겠다. 멍하니 창밖을 바라보는 동안 동이 완전히 텄고, 문 너머가 점차 소란스러워지기 시작했다. 그래. 이제 이곳을 떠날 짐을 싸야지. 그렇게 마음을 먹자, 뼈를 훑는 한기가 몸을 덮쳤다. 나는 아무렇지 않게 방을 나서 하녀들을 따라 몸에 냉수를 끼얹었다.

하루 일과를 준비하는 틈에 끼어 흠뻑 젖어 엉망이 된 의복을 벗어 던지고 여분의 의복을 걸쳤다. 그래봤자 잉고르드의 하녀 의복이었지만. 그리고 콜렌토 부인에게로 가 리히튼의 명령을 전달했다.

"저 오늘부로 잘렸어요. 아무래도 새 사람을 구하셔야 할 것 같아요."

그 말에 콜렌토 부인은 본 적 없는 몹시 기이한 얼굴을 했다.

"지금 날 놀리는 거니?"

"그럴 리가요. 리히튼 각하의 명이에요. 제가 더는 쓸모없으신가 봐요."

내가 할 말은 그뿐이었다. 질문이 이어지기 전에 곧장 몸을 돌려 방으로 돌아와 짐을 쌌다. 사실 내게는 나가기 위해 준비할 짐이랄 것도 없었다. 잉고르드에 오면서 입고 있던 옷은 버린 지 오래고, 기껏해야 손과 얼굴에 바르는 크림을 비롯해 빗, 머리 핀, 초콜릿이 서너 개 남은 양철 상자가 전부였다.

'…아니야, 내게는 하나가 더 남아 있지.'

서랍 안쪽에 팔을 집어넣어 보석함을 꺼냈다. 내부에는 눈에 익숙한 물건들이 놓여 있었다. 짝 없이 남아 있는 귀걸이 한쪽. 갈색 머리칼의 소녀가 그려진 펜던트. 처음에는 구분하지 못했으나 지금은 확실하게 알 수 있었다. 머리색이 다르기는 해도 이 소녀는 내가 맞았다. 그간 확신하지 못했다는 게 우습게 느껴질 정도로 아그레인 캐롤드가 맞았다. 가만히 펜던트의 그림을 살피던 때였다. 끼익, 낡은 나무문이 거칠게 갈라지는 소음을 내며 열렸다.

"저, 수잔 선배."

조심스레 들어온 메어리가 내 이름을 불렀다. 고개를 끄덕이자 눈치를 보다가 더듬더듬 말을 잇는다.

"제가 방금 콜렌토 부인께 이상한 소리를 들어서요. 선배가 오늘부터 일을 그만둔다고…."

"부인 말씀이 맞아. 안 그래도 지금 짐을 싸던 참이야."

"네?"

화들짝 놀라 메어리가 내 옆으로 뛰어 들어왔다.

"간다니요? 어디로요? 잉고르드보다 더 좋은 곳으로 가시는 거예요?"

난해한 물음이었다. 황성이니 공작령보다 더 좋기는 하겠지. 하지만 그게 나에게까지 통용되는 일인지는 모르겠다.

"그건 아니야. 자의 반, 타의 반이라고 해야 하나."

"다른 사람들은 알고 있나요?"

"아니."

알릴 사람은 콜렌토 부인과 메어리로 충분했다. 마침 잘됐다고 생각하며 양쪽 귀에 걸고 있던 흑진주 귀걸이를 빼 그녀에게 건넸다. 의아한 눈으로 귀걸이를 받아 든 메어리에게 말했다.

"흑진주 귀걸이야. 윌 가문에서 받은 물건이니 가품은 아니겠지. 팔아서 네게 필요한 데 사용하도록 해."

"네? 이 귀한 걸 왜 저에게…."

메어리는 소스라치게 놀라며 귀걸이를 털어내려 했으나, 차마 내던지지는 못하고 손에 쥔 채 안절부절못했다. 그러나 내게는 메어리가 아니면 순수한 호의를 베풀 존재가 없었다. 그녀는 내게 처음부터 끝까지 오롯이 호감만 나타낸 유일한 인물이었다. 베르크네도, 킨도 어떻게 생각하면 본인이 피를 보지 않기 위해 날 도왔을 뿐이다. 그것이 잘못된 행위라는 말은 아니었다. 적어도 그들을 대할 때보다는 메어리를 대할 때가 훨씬 심적으로 안정된다는 뜻이었다.

"정말, 안 돌아오세요?"

"난 잉고르드의 가신이 아니야. 한 번 나가면 끝인 거지."

이 아이에게 어떤 좋은 말을 해 줄 수 있을까? 아즈마리아는 이미 썩은 줄이었기 때문에 차마 열과 성의를 대해 아양 떨라는 말은 못할 것 같았다. 사실 그 부분은 제외하면 더는 무어라 조언할 구석이 없기는 했다.

메어리는 이미 피오라 부인과 콜렌토 부인에게 인정받은 시녀다. 귀족 가문의 하녀로 전전하던 아이가 잉고르드 공작가의 가신이 되었으니 이보다 더 성공적인 인생도 없을 터였다. 귀걸이를 한 손에 꽉 쥔 메어리가 더듬더듬 말을 이었다.

"도, 도움이 필요하면 꼭 찾아오세요."

그리고 내 팔을 끌어 가볍게 끌어안았다.

"꼭이요, 선배."

맞아, 포옹이라는 게 이런 느낌이었지. 어깨 한쪽이 축축하게 젖어 가는 느낌이라, 나 역시 다소 어색한 움직임으로 메어리를 마주 안았다. 그래도 수잔이 잉고르드에 남긴 건 있구나. 어차피 더는 만날 일도 없겠지만.

콜렌토 부인이 내 소식을 전한 건 메어리와 마리, 리냐가 전부인 듯했다. 세 명 모두 약속이라도 한 듯 차례로 날 찾아와 작별 인사를 건넸다.

특히 리냐는 혈육이 죽기라도 한 것처럼 끅끅 소리를 내며 오열을 했다.

죄책감 때문일까? 아니면 단순한 연기? 그녀의 울음에는 공감이 가질 않아 가만히 서 있기만 했다. 킨은 찾아왔으나 내가 거부했다. 얼굴을 마주하면 아즈마리아를 죽이지 못했던 순간이 떠올라 자괴감에 빠질 것 같아서였다. 차라리 주먹질이라도 하면 나아질까 생각했지만, 다 무슨 소용인가 싶었다.

'머저리 같은 킨. 내 앞에서 그랬던 것처럼 아즈마리아를 살리기 위해 고군분투해 보시지.'

얼마나 애처로운 뒷사정이 있는지는 모르겠으나 내 알 바는 아니었다. 마지막으로 날 찾아온 사람은 베르크네였다. 그는 저택 후문 앞에 쪼그려 앉아 있는 날 일으켜 세우며 옆에 던져두었던 내 가방을 들었다.

"네가 정말 아그레인 캐롤드라면… 참 너다운 결정이라고 말해 주고 싶다."

그는 한동안 내 얼굴을 꼼꼼하게 살피더니 뒷말을 이었다.

"머리색이 달라서 못 알아 본 건가? 다른 사람으로 봤다는 사실이 믿기지 않을 정도로… 캐롤드의 아그레인이 확실해."

"베르크네 씨는 나를 아시나 봐요."

"황성에서 일할 때 종종 스쳐지나가듯 만난 기억이 있지. 너무 강렬한 인상이라 쉬이 잊히질 않더군."

과거의 나에 대해 아는 사람은 리히튼과 빌힐름을 제외하고 처음이었다. 폭우로 무릎 아래까지 자란 풀밭을 지나며 물었다.

"나는 어떤 사람이었나요?"

"난해한 질문이야. 역시 황성에서의 기억은 모두 잃은 건가? 너의 인생도 참 기구하군."

숨을 고르던 베르크네가 차분하게 대답했다.

"나는 네가 빌힐름 전하를 휘둘러 제국을 삼키는 천하의 요부가 될 줄 알았다."

"요부?"

너무도 그다운 표현이라 웃음이 터지고 말았다. 베르크네는 머쓱한 얼굴로 시선을 돌렸다.

"너는 전하의 잠자리 시중만 들지 않았을 뿐이지, 그분의 정부나 마찬가지였어."

"세상에 어떤 사내가 잠자리도 들지 않는 여자를 정부로 두나요? 첫사랑의 순정을 못 잊은 남자가 아닌 이상 누구도 그러지 못할 거예요."

"속단하지 마라. 빌힐름 전하께서 그러셨을지도 모를 일이니까."

그 부분에서 나는 웃음을 멈추었다. 일말의 재미도 느껴지지 않는 시답잖은 농담이라 입매가 꿈쩍도 하지 않았다.

"모두들 네가 누구인지, 어디서 왔는지, 무얼 하는 여자인지 궁금해했지만 함부로 다가가지 못했다. 전하는 물론 폐하께서도 네 존재를 쉬쉬하셨기 때문이지. 하지만 황성에 터를 잡은 자들은 모두 네 말에 개처럼 기었어. 아그레인 캐롤드가 빌힐름 황자의 총애를 독차지한다는 걸 알고 있었으니까."

"아즈마리아 윌도 알았을까요?"

"말했듯 너는 폐하께서도 극도로 예민하게 구셨던 존재다. 적어도 그 시절에는 윌 백작이 알지언정 윌 영애는 알 수 없었을 테지."

멀지 않은 곳에 정차한 마차가 보였다. 눈에 익지 않은 외관을 봐선 최소한 잉고르드의 마차는 아닌 게 분명했다. 나를 이끄는 베르크네의 걸음은 정확히 그 마차를 향하고 있었다.

"한데 너는 그곳으로 왜 돌아가려는 거냐?"

"황성 사람들이 모두 내 앞에서 개처럼 긴다는데, 못 갈 이유가 있겠어요?"

"그게 전부가 아니란 걸 너라면 충분히 알고 있을 거다, 아그레인."

그 질문에 대한 답은 오늘 하루 동안 수백, 수천 번을 고민해 왔다. 그렇게 도달한 결론은 탈출구가 없는 줄로만 알았던 상념 속에서 나를 구원해 주었다.

"내 삶의 이유가 거기에 있으니까요."

나는, 긴 시간을 『태양이 흐르는 강』 속의 조연으로 살아왔다. 또한 그 시간 동안 살기 위해 발버둥 쳤다. 오직 그것만이 내 삶의 목표였으며 이정표였다.

"그러니 마땅히 맞이하러 가야 하지 않을까요?"

그런데 과거의 나는 아니란다. 과거의 나는 나를 황성으로 불렀다. 내가 평생을 꿈꿔 온 일생의 바람과 복수가 거기에 있다고. 절대 포기해서는 안 된다고. 베르크네의 걸음은 마차 앞에서 멈춰 섰다. 그는 가방을 마차에 실으면서 내게 자그마한 상자를 건넸다.

"각하와 내기를 했었나? 이건 내기에서 이긴 네게 주는 선물이라더군."

그렇게 잠시간 서 있던 베르크네는 몸을 돌려 건너 왔던 초원으로 다시 향했다. 마부가 문을 닫고, 멍하니 베르크네의 뒷모습을 응시하는 사이에 바퀴가 굴러가기 시작했다.

나는 지금 잉고르드를 떠나고 있다. 빌힐름은 마차에 오르지 않았다. 아무런 언질도, 설명도 없이 마차는 빠른 속도로 흙길을 따라 달렸다. 마차 뒤로 점차 멀어지는 저택이 보였다. 이상했다. 저 안에 무언가 두고 오기라도 한 듯, 불안한 느낌이 끊임없이 내 신경을 자극했다. 불안감을 떨치기 위해 베르크네에게서 받은 상자를 열었다. 안에 든 물건은 단출했다. 불온해 보이는 칠흑빛의 액체가 작은 유리병 안에서 찰랑이고 있었다.

"이건…."

잉고르드 독의 해독제인가. 나는 유리병을 조심스레 쥐었다. 내기에서 이긴다면 받기로 했던 그 해독제가 맞는 것 같았다.

'지금의 나에게 필요할까?'

이미 내 몸은 잉고르드 독에 완전히 적응한 상태였다. 이전처럼 예민한 오감을 못 견뎌 시도 때도 없이 두통에 시달리거나, 돌연 정신을 잃는 일도 기하급수로 줄었다. 변하지 않은 점은 내 혈액이 지닌 맹독성이 전부였다.

'당장 해독하는 건 여러모로 손해야. 나중에 유용하게 사용될 수도 있으니까.'

상자는 버리고 가방 안에 유리병을 숨겨 두었다. 병을 깨뜨리지 않기 위해 위치를 여러 번 옮겼을 땐 어느새 해가 진 뒤였다.

마차는 그렇게 수일을 달렸다. 도시를 건너는 날이면 값비싼 호텔에서 하루를 묵었고, 그렇지 않은 날에는 가까운 민가에서 하루를 청했다. 몸과 마음이 이토록 자유로웠던 적은 없었다. 일주일간은 리히튼도 빌헬름도 아즈마리아도, 모두 잊은 채 사람과 풍경, 그리고 그들이 내는 소리만을 눈에 담았다.

"아."

잉고르드를 떠난 지 열흘이 조금 안 되던 날. 나는 그렌페르크 제국의 아성, 황성에 도착했다. 백색의 고아한 황성은 마치 상아로 빚어진 조각상 같았다. 끝도 없이 늘어진 화려한 천일홍 정원을 지나서 바퀴가 멈추었다. 마차에서 내렸을 때, 허리를 곧게 편 한 여자가 나를 기다리는 게 보였다. 그 여자에게서는『태양이 흐르는 강』속 최고의 미인인 아즈마리아 월과는 단연코 비교되지 못할 비이상적인 아름다움이 흘렀다. 부서지는 햇빛이 여자의 머리 위를 감돌았다. 신이 평생을 걸쳐 완성한 선명한 이목구비에는 완연한 환희가 만발했다.

다가온 여자는 말없이 내 얼굴을 살폈다. 눈과 코, 입, 표정 하나하나를 세심하게 훑었다. 그리고 부드럽게 내 어깨를 당겨 자신의 품 안에 가두었다. 마치 자신이 지닌 모든 걸 내줄 듯 깊고 조심스러운 포옹이었다. 어쩐지 나는 여자의 이름을 알 수 있을 것 같았다. 마침내 그녀는 입을 열었다.

"집으로 돌아온 걸 환영해… 나의 사랑스러운 주인님."

여자는 나의 사랑스러운 개이자 그렌페르크 제국의 황녀, 비비안느였다.

-2권에서 계속-